UM **MEMBRO** DA **FAMÍLIA**

O guia definitivo para um cachorro **feliz** e **saudável**

Cesar Millan

com Melissa Jo Peltier

Tradução
Carolina Caires Coelho

EDITORA NOVA FRONTEIRA PARTICIPAÇÕES S.A.
Rua Nova Jerusalém, 345 – Bonsucesso – 21042-235
Rio de Janeiro – RJ – Brasil
Tel.: (21) 3882-8200 – Fax: (21) 3882-8212/8313

CIP-Brasil. Catalogação na publicação
Sindicato Nacional dos Editores de Livros, RJ

M59m Millan, Cesar, 1969-
Um membro da família: O guia definitivo para um cachorro feliz e saudável / Cesar Millan, Melissa Jo Peltier; [tradução Carolina Caires Coelho]. – 1. ed. – Rio de Janeiro: Agir, 2013.

Tradução de: A Member of the Family
Inclui bibliografia e índice
ISBN 978-85-220-1338-8

1. Cão – comportamento. 2. Cão – adestramento. I. Peltier, Melissa Jo. II. Título.

13-05402 CDD: 636.70887
CDU: 636.76

Antes de mais nada, gostaria de dedicar este livro aos membros de minha família humana — meus pais, meu irmão e minhas irmãs, minha esposa e meus dois filhos. Em segundo lugar, cito todos os cães maravilhosos que passaram em minha vida, que têm sido meus companheiros fiéis.

Também gostaria de mencionar um cão muito especial, meu pitbull, Daddy. Amei muitos cães ao longo de minha vida, mas Daddy é o melhor. Ele me ajuda a criar meus filhos, me ensina a ser um pai calmo-assertivo e me auxilia a reabilitar centenas de cães problemáticos. O mais importante é que Daddy me mostra como é prover a matilha sem esperar nada em troca, mas sabendo que o bem virá no final. Daddy é um dos seres mais sábios (de qualquer espécie!) que já conheci, e tem sido uma honra trabalhar com ele, viver ao seu lado e amá-lo nos últimos 14 anos.

SUMÁRIO

AGRADECIMENTOS

Este livro não teria sido possível sem as contribuições valiosíssimas de alguns dos veterinários mais experientes na profissão. Colaboraram com conhecimento, conselhos e dicas: dr. Sherry Weaver, do Animal Hospital of Towne Lake, em Woodstock, Geórgia; Deborah Oliver (doutora em medicina veterinária), da Blue Cross Pet Hospital, em Pacific Palisades, Califórnia; Charles Rineheimer (doutor em medicina veterinária), da Northampton University, na Pensilvânia (que também colaborou no nosso último livro); e Paula Terifaj (doutora em medicina veterinária), da Founders Veterinary Clinic, em Brea, Califórnia. Outros me ajudaram a matar minha sede por mais conhecimento a respeito do bem-estar canino: o dr. Brij Rawat (doutor em medicina veterinária), da Hollypark Pet Clinic, em Gardena, tem me ajudado com muita generosidade em minha missão de ajudar os cães desde que eu era um jovem treinador em início de carreira, recém-chegado a Los Angeles; e o dr. Rick Garcia e seu hospital veterinário móvel, *Paws 'n' Claws*, que já correram a muitas emergências nas quais os membros da matilha ou os cães dos clientes precisaram de cuidados especiais.

Recentemente, o dr. Martin Goldstein, da clínica Smith Ridge, em South Salem, Nova York, a principal clínica de medicina veterinária integrativa dos Estados Unidos, tem me influenciado muito enquanto exploro as áreas da medicina homeopática e naturopática para cães, além de recursos como acupuntura, acupressão e massagem. Também essenciais nesses esforços são a médica homeopática Dahlia Shemtob e a acupunturista Vivian Engelson. Todos esses profissionais dedicados fazem parte de um sistema sólido de apoio — não apenas para este livro, mas também para o Centro de Psicologia Canina, o programa de TV *O encantador de cães*, e para responder a todas as nossas perguntas, checar fatos e emergências ao longo dos anos. Somos muito abençoados por ter um grupo tão diverso e talentoso de profissionais como nossos modelos e referências de confiança.

Também gostaríamos de agradecer ao nosso agente literário, Scott Miller, da Trident Media Group; Julia Pastore, Shaye Areheart, Kira Stevens e Tara Gilbride, da Random House; Steve Schiffman, Steve Burns, Michael Cascio, Char Serwa, Mike Beller, Chris Albert e Russell Howard, do National Geographic Channel; Fred Fierst, Michael Gottsagen e companhia, da IMG; e Neil Stearns e Damon Frank, da Venture IAB.

Na MPH, obrigado a Bonnie Peterson, George Gomez, Nicholas Ellingsworth, Todd Carney, Christine Lochman, Cherise Paluso e, principalmente, a Crystal Cupp, pela checagem das notícias, pesquisa e atitude positiva constante. Somos muito gratos a Cynthia "CJ" Anderson, moderadora do grupo de fãs de *O encantador de cães* no Yahoo.com, e ao coordenador do programa *Cesar Ambassadors*, por sua ajuda em encontrar histórias bem-sucedidas.

Kay Bachman Sumner, Sheila Possner Emery e SueAnn Fincke tocam o programa *O encantador de cães*, com a ajuda de nossos agentes de campo e membros do editorial. Um obrigado especial à mulher por trás das câmeras que nos deixa muito bonitos — a maquiadora e cabeleireira Rita Montanez.

Finalmente, Cesar Millan estende seus agradecimentos e sua gratidão a Oprah Winfrey: "Obrigado por me dar a oportunidade de trabalhar com você e com sua doce Sophie. Que Deus guarde a alma dela; sempre guardarei com muito apreço nossa experiência"; e à IMG: "Obrigado por vocês terem acreditado em mim e por ajudarem o mundo a se tornar um lugar melhor para cães e seres humanos. Tenho muito orgulho de fazer parte de uma equipe tão dedicada e comprometida."

Melissa Jo Peltier agradece a seus sócios na MPH, Jim Milio e Mark Hufnail, pelo apoio constante e imensurável, e a Ilusion Millan, por sua amizade e inspiração. Ela também agradece a sua querida amiga Victoria A., a seu pai, Ed Peltier, a sua enteada, Caitlin Gray, e a seu marido, John Gray, que é sua inspiração, assim como ela para ele.

INTRODUÇÃO

Biólogos, historiadores, antropólogos e arqueólogos passaram anos discutindo como o elo entre seres humanos e cães — que agora tem milhares de anos — passou a existir. Contudo, como os cães vivem o momento — e eu tento seguir o exemplo deles —, gostaria de apresentar uma teoria minha que fala sobre como os cães são hoje em dia. Cães e seres humanos são parecidos de uma maneira que é essencial à nossa existência, sem a qual nenhuma das duas espécies conseguiria sobreviver. Como os seres humanos, os cães são eternamente atraídos pelo conceito de *família*.

Quando vivem na natureza, todos os canídeos naturalmente se organizam em matilhas baseadas na família. Ainda que os cães não tenham laços sanguíneos, os elos de vida e sobrevivência juntos os transformam em uma célula em bom funcionamento. Dentro dessas células, forma-se uma lealdade, uma confiança e uma compreensão tão profunda que nós, seres humanos, observamos com surpresa. São as qualidades que sonhamos ter em nosso relacionamento com a família em que nascemos e a família que criamos, mas por sermos "apenas humanos" normalmente não conseguimos. No entanto, quando trazemos os cães para a nossa vida, temos acesso à integridade inata deles. Ao tornarmos os cães membros legítimos de nossas famílias, temos a capacidade de tornar essas famílias humanas ainda mais fortes.

Em nossa sociedade, as definições de família estão sempre se adaptando e mudando. Em algumas partes do mundo, as famílias são formadas por muitas gerações de membros relacionados, ainda unidos em tribos ou clãs na luta pela sobrevivência. Nos Estados Unidos, o conceito de família "comum", com mãe, pai e dois ou três filhos, mudou e passou a incluir famílias misturadas de diversos casamentos e divórcios, além de casais do mesmo sexo vivendo juntos, com ou sem filhos. Temos tias, tios e primos, padrinhos e madrinhas, sogros, enteados e irmãos de criação. Para mim, até mesmo todos esses títulos limitam a verdadeira definição de "família". Quando uma pessoa me chama para ajudar o seu cachorro, vou lá para criar uma matilha organizada e funcional a partir do que parece ser o caos na visão do dono. Essa matilha pode ser qualquer coisa: uma mulher solteira e seu cachorro morando em um apartamento pequeno, um mosteiro com vinte candidatos a padre e seu cão pastor, uma república de universidade e seu mascote, ou a casa de um idoso e os cães que o visitam com frequência como forma de terapia. Para mim, uma matilha *é* uma família; todos são um. E sempre que você tem um cão que precisa de um lar, você tem o potencial para uma matilha fantástica.

Apesar de ansiarmos por incluir cães como membros de nossa família, normalmente não trabalhamos como uma para recebê-los em nosso mundo humano. Assim como é preciso um vilarejo para criar uma criança, é preciso uma família inteira para criar uma boa matilha. Minha intenção com este livro é me convidar a entrar em sua casa ao longo destas páginas. Quero ficar a seu lado e guiar você e sua família por todas as fases da vida de seu cão, desde o dia em que o leva para casa até o dia em que você se despede e celebra o fim da vida dele. Espero que este livro alcance todos os membros de sua família — dos mais jovens aos mais velhos — e convide cada um deles a participar de modo a se conectar com os cães, para que se crie equilíbrio tanto para os animais de estimação como para os seres humanos. Essa conexão não exige dinheiro nem um nível extraordinário de educação ou inteligência. O necessário é que coloquemos o bom senso e a intuição em primeiro lugar, e compreendamos que, às vezes, o que parece melhor para uma pessoa não é o melhor para um cão.

Acredito que uma família forte é a base de todas as conquistas. Se tivermos uma família para nos apoiar — independentemente de ser apenas um cachorro, uma pessoa, dez pessoas ou cinquenta cães —, temos um ponto de apoio para realizarmos qualquer sonho. Como minha família humana faz parte de minha missão, eu contei com a ajuda dela para escrever este livro. Minha esposa, Ilusion, fala com as mulheres no capítulo 9, e meus filhos, Calvin e Andre, oferecem seus conselhos às crianças no capítulo 10. Também incluí a sabedoria dos cães que sempre serão membros de nossa família, principalmente Daddy, o mais antigo de minha matilha, e Junior, o mais jovem. Ilusion, Calvin, Andre e eu estamos sempre aprendendo com a sabedoria que nossos cães compartilham conosco. Os cães nos ensinam a viver no presente. Eles nos ensinam que as armadilhas de nossa existência humana não têm tanta importância a longo prazo — desde que celebremos o momento, e nunca nos esqueçamos de valorizar uns aos outros.

Se nos lembrarmos de satisfazer as necessidades deles primeiro, os cães podem acrescentar muito a nossas famílias humanas. Um cão sempre vai protegê-lo, independentemente do que ocorra. Com um cão em sua vida, você nunca se sentirá sozinho. Se por acaso se sentir, vá a um abrigo. Sempre haverá um cão ali, esperando ansiosamente para se tornar membro de uma família.

1

UM ENCONTRO FEITO NO CÉU

Escolhendo o cão certo
para você e sua família

Quando Jack Sabato, de 11 anos, viu pela primeira vez o pequeno cãozinho, mistura de lulu-da-pomerânia e papillon, seus olhos brilharam.

— Este parece o Dixie! — disse ele com animação para a mãe, a atriz indicada ao Oscar Virginia Madsen. O cãozinho na caixa no fundo da van claramente fazia Jack se lembrar de seu adorado pastor que havia morrido recentemente.

Virginia é uma cliente muito importante. Há muitos anos, ela me telefonou para pedir ajuda com os problemas de Dixie, que sempre saía correndo pelo quintal. Virginia foi uma cliente ideal, que entendeu o conceito de liderança logo de cara, e Dixie acabou se tornando o cachorro dos sonhos de qualquer família por 13 anos muito felizes. Mas como Dixie falecera aos 14 anos, ela pediu meu conselho de novo para escolher o cachorro adequado para incluir em sua matilha — formada por ela, seu filho e seu buldogue francês já idoso, Spike. Seria um caso interessante e importante para mim. E se o cachorro escolhido pela família fosse inadequado em minha opinião? Eu poderia dar um conselho, mas é claro que a decisão final seria deles.

Virginia me disse que queria um cachorro pequeno. A United Hope for Animals, um grupo que resgata animais do corredor da morte do México e do sul da Califórnia, havia respondido com muita gentileza ao meu pedido para levar uma van repleta de possíveis candidatos para Virginia e seu filho. Jack, logo no começo, gostou muito de Foxy, o macho de dois anos que fazia com que ele se lembrasse de Dixie. Virginia preferia Belle, uma fêmea mistura de chihuahua. Mostrei a Jack como apresentar Spike — de traseiro — aos outros cães enquanto estivessem em suas caixas no fundo da van, para ajudar a facilitar o encontro sem coleira. Então, mãe e filho levaram suas escolhas ao quintal, para observar o comportamento sem coleira, e ver se eles interagiriam bem com Spike.

Desde o primeiro momento no quintal, a energia de Foxy se tornou clara. Apesar de parecer adorável — com olhos brilhantes e escuros, focinho de raposa e pelo macio e avermelhado —, seu comportamento indicava que ele era um macho inseguro e dominante. A primeira atitude de Foxy foi passear pelo quintal, marcando seu território por todo lugar que passava. Para mim, aquilo foi um alerta, principalmente levando em consideração que o novo cachorro dividiria a casa com outro macho, Spike. Se Foxy fosse a escolha da família, haveria problemas de dominação. E para Spike, de dez anos — um cãozinho tranquilo que havia aproveitado anos calmos e felizes enquanto morava com Dixie —, sem dúvida seria uma experiência muito estressante. Belle, a mistura de chihuahua, por outro lado, era curiosa, mas respeitava seu novo ambiente. Quando Foxy viu a cama de cachorro de Spike no quintal, ele caminhou até ela e se deitou, remexendo-se nela para cobri-la com seu cheiro. Quando Spike se aproximou para participar, Foxy latiu para ele, a fim de afastá-lo. Quando Jack tentou se aproximar, Foxy também o atacou.

Contudo, Jack estava claramente encantado. "Adoro a maneira carinhosa dele", disse ele. "Ela também é carinhosa", disse a mãe a respeito de Belle, "e, além do mais, ele quase mordeu você". "Sim, mas ele é legal!", protestou Jack. A aparência física e a semelhança com Dixie foram fortes elementos que pesaram na decisão dele. Jack era como a maioria dos possíveis donos de cachorros — necessidades pessoais profundas e normalmente inconscientes guiavam sua ligação instantânea àquele cachorro em especial. "Gosto do fato de ele ser muito ativo", disse ele à mãe. "Mas isso é adequado para Spike?", perguntou ela com cuidado. "Vamos comprar um cachorro para você ou para todos nós?" A sra. Madsen havia feito a pergunta certa. O novo cachorro da família deve ser escolhido pela matilha toda, e não por um só indivíduo.

Escolher o cachorro certo é o primeiro e mais importante passo para criar uma ótima experiência familiar ao levar um novo membro canino para sua matilha doméstica. É claro que muitos de vocês que têm cachorro já passaram por esse processo — alguns com ótimos resultados; outros, com resultados decepcionantes. Não tenha medo. Eu digo que quase todos os problemas comuns com cachorros podem ser solucionados, ou, pelo menos, muito melhorados, pelos donos honestos e dedicados que estão dispostos a realizar o trabalho de reabilitar seus cães e treinar a si próprios. Na verdade, se você tem um cachorro, pode querer pular este capítulo, mas sugiro que você continue e peça a todas as pessoas de sua família que o leiam. Primeiro, porque ele traz um resumo de habilidades e procedimentos básicos que descrevi em meus dois livros anteriores e sobre os quais eu sempre falo em meu programa de televisão. Segundo, porque será útil para você em sua tentativa de ser honesto consigo mesmo a respeito do estado atual de seu relacionamento com seu cão. Você pode começar a analisar quais dos métodos que tem usado funcionaram com seu cão e quais não funcionaram. E pode começar a analisar com honestidade a dinâmica de sua família como parte do problema com seu cão, mas também como a maior parte da solução!

Depois de passar algum tempo com a Belle no quintal e ver como ela conseguia, sem esforço, fazer aflorar o filhote dentro de Spike, o filho de Virginia Madsen, Jack, deixou as emoções de lado e concordou que Belle, e não Foxy, seria o cachorro ideal para a família toda. Fiquei impressionado. Um garoto de 11 anos precisa de muita maturidade e sabedoria para fazer o que é melhor para todos, e não apenas para si. Saí de lá certo de que a matilha dos Madsen ficaria bem.

Financiamentos imobiliários e cães

Uma das coisas que aprendi nos Estados Unidos é que quando as pessoas estão se preparando para comprar uma casa pela primeira vez, elas procuram se informar totalmente a respeito do financiamento imobiliário. Elas partem da estaca zero, não sabem nada, e, de repente, os futuros compradores aprendem tudo sobre financiamento, parcelamento, porcentagens, análise preliminar de risco, impostos e quanto eles acabarão pagando em vinte ou trinta anos. O adulto ou o líder da matilha que pagará o financiamento costuma tomar uma decisão muito cuidadosa com base na localização, no que podem comprar e no que terá o melhor valor a longo prazo. Claro que sempre existe um componente emocional na compra de uma casa — mas os aspectos práticos superam os emocionais. Se os novos proprietários tomam a decisão errada e agem sem pensar, as consequências são graves, por isso fazem de tudo para evitar um desastre a longo prazo. Quando se trata de comprar uma casa, a maioria dos norte-americanos compreende a responsabilidade. No entanto, quando se trata de adotar um cão, que será um membro da família de nove a 16 anos, a história muda. Normalmente, as pessoas escolhem seus cães por impulso, sem qualquer planejamento ou lógica. Se ficarem insatisfeitas com sua decisão, sabem que a Sociedade Protetora sempre estará ali para ajudá-las — ainda que seja à custa da vida do cão.

Quando as pessoas querem comprar uma casa, contratam corretores com conhecimento para ajudá-las a entender o complexo mercado imobiliário. Eu gostaria de ser seu "consultor" no mundo dos cães, para ajudar a educar você e sua família de modo que vocês tomem uma decisão firme e consciente a respeito do cão que pretendem colocar em sua vida.

Seja sincero consigo mesmo

Tomar a decisão certa pode parecer assustador. A melhor maneira de começar é analisando de modo honesto o estilo de vida de sua família, e também o nível de energia... mesmo que essa "família" seja formada apenas por você e seu cão. Sem uma ideia de quem você é e de como é sua energia, você corre o risco de colocar uma energia incompatível dentro da sua casa. Por que a sinceridade é tão importante aqui? Porque você pode enganar muitas pessoas a respeito de quem você realmente é, mas não conseguirá enganar um cão. O cachorro não se importa com sua roupa nem seu cabelo, nem com quanto dinheiro você ganha, nem com o modelo do seu carro. O cachorro só se preocupa com o tipo de energia que você projeta. Sua energia — ou seja, sua essência, seu eu verdadeiro — mostrará ao cachorro como ele deve ser com você. Para um cachorro, só existem duas posições possíveis: líder ou seguidor. Se você demonstra ter o que se considera uma "energia fraca" — por exemplo, se você é tenso, ansioso, extremamente emotivo ou inseguro —, então seu cachorro vai sentir, automaticamente, que tem que preencher os espaços nessas áreas para você. Está no DNA do cachorro tentar manter a matilha estável.

Infelizmente, tanto para o cachorro quanto para o ser humano, isso costuma dar errado quando o cachorro tenta assumir a liderança no mundo dos humanos. Em meu trabalho, vejo constantemente como os cães criam problemas por causa da reação à energia de seus donos — mas, ainda assim, os donos não têm ideia de que seu comportamento está afetando seus cães. Você pode evitar esse problema iniciando o processo todo de um ponto totalmente sincero. Contudo, a honestidade consigo mesmo não funciona sem boa informação, e muitos de meus clientes não têm informação a respeito de como escolher um cão, ou têm a informação incorreta. E, às vezes, os resultados de uma "combinação malfeita" entre ser humano e cachorro podem ter consequências péssimas.

Regras para autoavaliação

O primeiro passo para criar uma combinação perfeita é realizar uma "reunião de família" com todos os membros da matilha. Se você mora sozinho, peça a ajuda de um amigo ou parente que o conheça bem e que não tenha medo de ser sincero. Independentemente da situação, faça três perguntas básicas antes de assumir o grande compromisso de levar um cachorro para casa:

1. *Quais são os motivos reais pelos quais vocês querem colocar um cachorro em suas vidas?*

O cachorro que você escolher entenderá esses motivos, ainda que você não esteja consciente deles. Por exemplo, se os pais querem um cachorro para fazer companhia a um filho solitário, o cão pode causar problemas ao tornar-se superprotetor. Se uma mãe quer um cachorro porque os filhos estão saindo de casa, o cachorro pode detectar sua carência, além de seu ressentimento em relação aos outros membros da família, e fazer com que se tornem alvos. Quando tornamos os animais totalmente responsáveis pela satisfação de nossas necessidades não expressadas, colocamos peso demais em seus ombros. Para evitar tal situação, é preciso que haja uma reunião de família na qual todos esses problemas sejam postos sobre a mesa... antes da chegada do cachorro.

2. *Todo mundo da família quer um cachorro?*

Se as crianças imploram tanto a ponto de convencer o pai a levar um cachorro para dentro de casa, mas a mãe se ressente porque sabe que terá que cuidar do animal sozinha, o cachorro vai sentir a raiva dela e agir de acordo. Se um grupo de pessoas que divide uma casa adota um cachorro, mas um dos colegas não quer nem saber do animal, pode ser que o cachorro tenha problemas de agressividade com o morador "antipático". Independentemente da constituição de sua "matilha" familiar — vocês podem ser colegas de quarto em uma república à procura de um mascote, ou um casal de aposentados à procura de um "filho" para a fase da velhice —, todos os membros da matilha devem estar igualmente comprometidos em acrescentar uma companhia canina ao convívio.

3. *Todos da família estão conscientes e preparados para assumir as responsabilidades reais — incluindo os gastos — envolvidas na criação de um cão? Todo mundo está disposto a participar e assumir a liderança, além de dar carinho?*

Todo mundo da família deve ter consciência da realidade de se ter um cachorro. Isso quer dizer que todo mundo deve conhecer a minha fórmula para se criar um cão equilibrado.

RELEMBRANDO

Fórmula de satisfação de Cesar

Todos os cães precisam de:

1. Exercícios (no mínimo, dois passeios estruturados de trinta minutos com um líder de matilha, duas vezes por dia).
2. Disciplina (regras e limites claramente comunicados e constantemente reforçados).
3. Afeto (carinho físico, petiscos e brincadeiras).

Mas *nessa* ordem! Ainda que você adote um cão para amá-lo, a verdade é que os cães precisam de muito mais do que amor para manterem o equilíbrio. Um bom líder de matilha demonstra amor satisfazendo o cão nessas três áreas – na sequência certa.

As crianças estão prontas para ganhar um cachorro?

Não acho que exista uma idade certa para uma criança ter um cachorro. Criar um bebê com cachorros por perto é uma maneira fantástica de expressar amor e respeito pela Mãe Natureza desde cedo, porque os bebês não têm problemas em se relacionar e são muito ligados à natureza. No caso de crianças mais velhas, na minha opinião, não existe uma idade melhor para levar um cão para dentro de casa, mas se quer tentar fazer com que a responsabilidade com o cachorro seja da criança, você deve conhecê-la bem... porque ainda que você não a conheça, o cachorro a conhecerá.

Se em sua família há um pai e uma criança, pode ser que você acorde um dia e escute seu filho dizendo que *precisa* ter um cachorro. Depende de você, como pai, descobrir se ele está pedindo por capricho ou se está falando sério. Quando uma criança vê um cachorrinho numa loja e simplesmente diz que precisa dele, ela precisa de liderança e orientação. É um "momento de ensinamento" clássico. Talvez esse primeiro capricho se torne um compromisso real, mas inúmeros pais pagaram o preço de ceder à vontade dos filhos sem pensar na decisão — e em suas consequências.

É muito fácil para as crianças se apaixonarem pela aparência de um cãozinho. A criança pode dizer que quer mesmo ter um cachorro e usar como argumento o fato de saber o tipo de pelo que quer, o tamanho do cachorro que quer e qual raça prefere. Claro, gostar da aparência física de um cão pode ser importante no processo de aproximar a criança e o animal, mas, como pais, precisamos ensinar aos nossos filhos um compromisso maior. Se você adotar um cachorro para seus filhos, mas ninguém em sua casa estiver realmente comprometido com o animal de um modo profundo e duradouro, o cachorro vai perceber. Os cães são os melhores detectores de mentiras do mundo.

Níveis de energia

Como seres humanos, costumamos olhar o mundo com lentes muito egocêntricas. Por pensarmos como pensamos e por nos comunicarmos como nos comunicamos, acreditamos, de certo modo, que os demais seres da Terra fazem como nós, ou que são inferiores. A verdade é que, apesar de todas as vantagens que a linguagem oferece a nossa espécie, trata-se de um meio de comunicação secundário no grande esquema da vida. O idioma universal na natureza é a *energia*

— o modo com que todos os animais transmitem seus sentimentos e intenções uns aos outros.

Todo animal da Terra nasce com um determinado nível de energia. A energia vai além de raça e de linhagem ou nacionalidade. Ao escolhermos nossos amigos, namorados, maridos e esposas, procuramos inconscientemente um nível de energia que, de certo modo, complementa o nosso. Ao escolher um cão, a coisa mais importante a se fazer é avaliar se seus níveis de energia são compatíveis, para ajudar a prever uma companhia feliz ao longo da vida.

RELEMBRANDO

Níveis de energia

Ao escolher um cachorro, pense nesses níveis de energia, que são influenciados pelo porte dele:

1. Muito alto: Constantemente em movimento. Caminha ou corre por horas e ainda tem energia para dar e vender.
2. Alto: Bastante atlético, prefere atividades muito vigorosas, mas normalmente se cansa e dorme no fim do dia.
3. Médio: Gosta de atividades físicas normais, às vezes vigorosas, mas as equilibra com períodos iguais de descanso.
4. Baixo: O cachorro preguiçoso. Prefere descansar a fazer qualquer atividade física. Dois passeios regulares por dia serão exercício suficiente para ele.

Os seres humanos selecionaram cães ao longo das gerações com base em certas características para criar as raças que temos hoje em dia. É por isso que algumas raças costumam ser mais ou menos atléticas, ou ter habilidades que exigem força e vigor. Ainda assim, nem todos os cachorros de uma raça têm necessariamente a mesma energia. Já trabalhei com labradores calmos, com baixo nível de energia, e buldogues muito ansiosos e com alta energia. Na mesma ninhada, os níveis de energia podem variar muito. *Seu objetivo como dono de cachorro bem-sucedido é encontrar um cachorro com um nível de energia mais baixo ou igual ao seu e ao da sua família (incluindo cães ou animais de estimação que você já tem)*. É por isso que antes mesmo de procurar seu novo cachorro, você precisa conhecer a si mesmo. Quando uma pessoa escolhe um cachorro com nível de energia mais alto do que o dela própria, normalmente tanto ela quanto o animal acabam frustrados.

Pete e Curly: Diferenças inconciliáveis

O caso de Pete Spano e seu cachorro Curly é um exemplo perfeito da dor de cabeça que pode surgir da escolha de um cachorro com o nível de energia errado. Conheci Pete no outono de 2006, na primeira visita a Nova York da série *O encantador de cães*. Ele é demais, um morador típico do Brooklyn, com cara de mau e coração de ouro, e eu gostei dele desde o começo. Pete me contou que, um ano antes, ele havia ido ao abrigo com a intenção de procurar um cachorro para adotar. Ali, seu coração duro de nova-iorquino se derreteu por um mix de labrador de pelos curtos que correu em sua direção, lambeu suas mãos e olhou para ele com olhos castanhos pidões. "Ele me ganhou bem ali", contou-me Pete. "Era ele que eu procurava." Por causa do comportamento brincalhão e atrapalhado do cachorro, Pete lhe deu o nome de "Curly", em homenagem ao hiperativo Curly de *Os três patetas*.

Pete disse que caminhar os trinta quarteirões de volta a seu apartamento com Curly era como "pescar atum". Curly o puxava pela calçada, enlouquecia ao perseguir todos os esquilos e cachorros que passavam, e permaneceu no nível máximo de excitação até chegar em casa. Pete percebeu que poderiam fazer uma pausa para descansar quando chegaram a um parque de cachorros perto do Museu de História Natural. Ele soltou Curly da coleira e... pronto! Curly se meteu em sua primeira briga com outro cão.

Ao longo do ano seguinte, depois de Pete começar a morar em um apartamento pequeno, de um quarto, no Central Park West, o comportamento agressivo e hiperativo de Curly só piorou. O prédio de Pete aceitava cães, mas alguns dos outros cachorros que moravam ali eram tão instáveis quanto Curly, então ocorriam brigas nos corredores e no elevador o tempo todo. Pete, que era o sacristão de uma igreja histórica e muito movimentada de Manhattan, acabava levando Curly ao parque ao amanhecer ou tarde da noite, quando ele sabia que não haveria muitos cachorros por perto. Ele contratou vários adestradores e experimentou todas as coleiras que encontrou, mas nada adiantou. Pete estava ficando exausto, estressado e desanimado, enquanto Curly se envolvia em uma confusão atrás da outra. Algumas pessoas do convívio de Pete sugeriam que ele se livrasse de Curly, mas ele não tinha coragem de levá-lo de volta ao abrigo e abandoná-lo à própria sorte. "As pessoas me diziam: 'Leve-o para o campo.' Para o campo?", desesperou-se Peter. "Sou de Manhattan. Não conheço ninguém no interior."

A primeira coisa que notei em Pete durante nossa consulta foi seu nível de energia. Era baixo. Pete era um cara de bom coração, esforçado e dedicado a seu trabalho, mas muito relaxado. Até mesmo a cadência de sua fala era lenta e cuidadosa. Ele fumava e não era nem um pouco atlético. Por outro lado, a primeira coisa que percebi em Curly foi sua energia muito, muito alta. Assim que os amigos de Pete levaram Curly para dentro da sala, ele ficou todo exaltado, pulando, empurrando e tentando dominar todo mundo. Enquanto Curly andava pelo pequeno apartamento como um touro dentro de uma loja de louças, Pete o acariciava e falava de modo doce com ele. "Está vendo o que está fazendo?", perguntei a Pete. Ele não fazia ideia. Não percebia que estava alimentando a energia hiperativa de Curly — e a frustração — dando a ele carinho quando o cão estava totalmente alterado. Durante a consulta, Pete me contou sobre todas as transgressões recentes realizadas por Curly. "Ele *odeia* outros cães", disse ele. Ele havia machucado pelo menos dois cães até aquele momento e fizera com que um cuidador de cães da vizinhança acabasse sendo mordido por um dos "inimigos" de Curly, num acesso de agressividade redirecionada. Pete descreveu Curly como se ele fosse um caso crônico... mas não foi o que senti naquele cão elegante e esguio. Eu percebia ansiedade e muita frustração.

Sem Pete, levei Curly à casa móvel que o programa *O encantador de cães* usa nas viagens, e deixei que ele permanecesse por algum tempo com a matilha equilibrada que levava comigo: o chihuahua Coco, o buldogue francês Sid e o cão de crista chinês Luigi. Curly não precisou de muito tempo para relaxar perto dos cachorrinhos. Curly não "odiava" os outros cães, nem sequer tinha um problema sério de agressividade — não com cães equilibrados, pelo menos. Ali ficou claro que Pete não estava dando a Curly a liderança forte de que ele precisava, e também não estava fazendo os exercícios físicos necessários com ele.

Era um dia quente e claro de outubro. Calcei meus patins, levei Curly ao Central Park e começamos a correr. A princípio, Curly teve dificuldade para manter o ritmo. Ele estava acostumado a controlar Pete, a arrastá-lo de um lado para outro. Sempre que via um esquilo, ele mudava de direção, mas, por fim, ele entrou no clima. E então estava correndo! Foi como levar um carro esporte novinho para a sua primeira volta na estrada! O fato de Curly querer perseguir os animais pequenos que via, além do modo com que partia em alta velocidade, me fez acreditar que ele era uma cruza de labrador com galgo. Apesar de ser amarelo e musculoso como um labrador amarelo, tinha o focinho comprido de um cão que caça pela visão, e seu corpo era alto e esguio. E ele adorava correr! Foi um dos casos nos quais eu, no fim, ficava muito mais cansado do que o cão. Foi uma experiência mágica. Minha essência não é de homem da cidade, mas eu acho que todo mundo deveria ter a experiência de patinar com um belo cachorro pelo Central Park, pelo menos uma vez na vida!

Depois da sessão de patinação, Curly ficou muito mais calmo, e eu consegui trabalhar com ele e com Pete no parque, na rua e no apartamento. Pete se esforçou muito. Conseguimos até fazer com que Curly caminhasse ao lado de seu inimigo, um enorme akita chamado "Razor". Ao fim de um dia longo e cansativo, Pete e eu nos sentamos para conversar sobre as necessidades de Curly como um cão de alta energia, e sobre o fato de que Pete precisaria não apenas ser um melhor líder de matilha para Curly, mas que também precisaria aumentar os exercícios físicos. Sem o caminho para esgotar sua energia abundante, Curly nunca conseguiria aliviar a frustração e a ansiedade que o estavam levando a conflitos com outros cães. Pete ouviu com atenção o que eu tinha a lhe dizer, aparentemente um pouco assustado com tudo. Como ele mesmo disse, foi um "choque de realidade" para ele. Pete me disse que queria fazer as mudanças em sua vida para que Curly se tornasse um cão feliz e satisfeito, mas ele temia que seu trabalho, seu estilo de vida e seu nível de energia pudessem atrapalhar.

Depois de voltarmos para a Califórnia, nossa equipe de *O encantador de cães* manteve contato com Pete, conferindo seu progresso com Curly. Fiquei muito feliz ao saber que Pete havia comprado uma bicicleta para levar Curly para passear pelo parque, e comemorei quando ele começou a usar um "adesivo" de nicotina para tentar parar de fumar. Por um momento, pareceu que Curly estava mesmo melhorando.

Contudo, eles sofreram um grande retrocesso quando Pete teve que trabalhar na igreja durante várias semanas de eventos especiais, o que acabou diminuindo o tempo que dedicava aos exercícios de Curly. Pete não desistiu — foi disso que mais senti orgulho. Ele adorava Curly, e estava se esforçando para mudar a rotina a fim de tornar a vida de seu cachorro melhor. Minha filosofia é que, às vezes, temos os cães de que precisamos, não os cães que queremos. Pete estava se apegando a essa filosofia, mas, no fim de janeiro, ficou muito desanimado. A agressividade de Curly tinha voltado e houve mais um problema com outro cachorro. Curly era uma bomba prestes a explodir. Curly e Pete voltaram a ficar tão arrasados quanto estavam quando me procuraram. Pete disse a nossos produtores que não achava que podia mudar seu estilo de vida o bastante para deixar Curly equilibrado. Não queria devolver Curly ao abrigo, mas não sabia mais o que fazer.

Felizmente, minha esposa teve uma ideia. Curly era o cão ideal para morar no Centro de Psicologia Canina com a matilha. Ele era um cão de muita energia, que aproveitaria muito as sessões de caminhada, natação e patinação que realizamos. Além disso, viver com a matilha ajudaria a curar sua agressividade. Por fim, Curly poderia ser um ótimo cão para uma mulher ou um homem californiano adeptos de exercícios físicos. E já tínhamos mais uma viagem a Nova York marcada para um futuro próximo.

Em uma manhã muito fria de fevereiro, encontrei Pete e Curly na rua do prédio onde eles moravam, no Central Park West. Curly me reconheceu no mesmo instante, o que foi muito útil, já que era importante para ele não achar que sair comigo era um "problema", mas, sim, apenas uma nova aventura. Apesar de Pete ter me agradecido e dito que sabia que aquilo era o melhor para todo mundo, ficou muito triste ao ver Curly partir conosco. Pete tentou adotar um cão de baixa energia do Centro de Psicologia Canina, mas acabou admitindo a si mesmo que seu estilo de vida atual não permitia que ele cuidasse de um animal.

Apesar da tristeza, muitos problemas como o de Pete não terminam tão bem para o cachorro. Se não tivéssemos conhecido Pete, uma mordida ou um processo poderiam tê-lo obrigado a abrir mão de Curly ou levá-lo de volta ao abrigo. O Conselho Nacional sobre Política e Estudo dos Animais de Estimação estima que 40% dos cães são devolvidos aos abrigos em decorrência de incompatibilidade comportamental.[1] Ser devolvido várias vezes aumenta muito os riscos de um cão ser submetido à eutanásia. Aprender a reconhecer a energia de um cão — e compreender suas necessidades de energia — é o segredo para impedir que ocorram situações extremas. Curly havia transmitido a Pete muitos sinais de seu nível de energia no primeiro encontro no abrigo, mas Pete interpretou os saltos do cachorro atrás das grades, o fato de ele ter lambido sua mão e o seu jeitão "atrapalhado" como "felicidade". E como Pete admitiu posteriormente, ele não havia levado em consideração seu próprio nível de energia e estilo de vida quando levou Curly para casa com ele.

Avaliando a energia de sua família

Isso pode ser difícil, porque as famílias são formadas por indivíduos, e cada um pode ter um nível de energia diferente. No entanto, de modo geral, toda "matilha" desenvolve seu conjunto próprio de rituais e regras, mesmo que não sejam explícitos. Eis algumas perguntas que podem ajudar você a descobrir qual é o nível de energia de sua família.

1. Qual é seu estilo de vida, de modo geral?

As pessoas da sua matilha têm um estilo de vida ativo? Alguém acorda todos os dias às seis para correr na pista de corrida do bairro? Vocês costumam praticar juntos atividades ao ar livre, como acampar, fazer trilhas, ir à praia ou esquiar na neve? Uma família ativa terá mais sorte com um cão de energia alta que possa participar dessas atividades do que, por exemplo, uma família cuja atividade preferida seja passar o domingo fazendo palavras cruzadas ou jogando outros jogos. O segundo tipo de família certamente se daria melhor com um cão de baixa a média energia, que goste de relaxar ao lado deles em atividades que envolvam menos esforço físico, e não com um animal de alta energia, que vai ficar correndo e resmungando de frustração.

2. Como vocês resolvem problemas?

Todos nós conhecemos famílias que brigam, demonstram exageradamente suas emoções e saem batendo porta quando precisam resolver um conflito ou expressar uma opinião. Para alguns grupos de pessoas, esse estilo de resolução de conflitos parece funcionar muito bem — mas é importante perceber, logo no início, que gritar com um cão não trará nenhum resultado. Aprender a criar uma energia calma-assertiva uns com os outros deveria ser a primeira tarefa para esse tipo de matilha humana, ainda que seja praticado apenas com o cachorro por perto. Outras matilhas parecem se comportar exatamente ao contrário no caso de conflitos — não existe desacordo aparente, mas, no fundo, escondidos, a raiva e os ressentimentos fervilham. Essas emoções escondidas ficarão extremamente aparentes para um cachorro, e podem contribuir para a instabilidade dele. Aprender a estabelecer uma comunicação mais direta uns com os outros deveria ser o objetivo desse tipo de família... principalmente no que diz respeito ao cão.

3. *Vocês são um grupo de pessoas que atuam juntas, como uma unidade, ou parecem apenas compartilhar o mesmo espaço, enquanto cada um faz o que quer?*

Esta é uma pergunta importante a ser feita, porque apesar de as sociedades humanas funcionarem bem quando todo mundo parece seguir direções distintas, as sociedades caninas envolvem sempre o grupo. Não existe um cão "individualista" numa matilha. Uma família que nunca se conecta pode ser estressante para um cão, cujos instintos fazem com que ele deseje ver todos unidos. Isso não quer dizer que a sua família precisa mudar totalmente de estilo, mas quando falamos de comportamento e de tomar grandes decisões *envolvendo o cão*, é essencial que todos cooperem e façam a coisa certa *juntos*.

Seu cão e a comunidade

Apesar de o núcleo familiar ser visto normalmente como uma ilha isolada na sociedade, a verdade é que, ao adotar um novo cão, você também afetará seus amigos, seus vizinhos e sua comunidade. Além disso, o estilo de vida da região na qual você mora terá um impacto profundo em seu cão. Isso ficará claro assim que você levá-lo para um passeio pela vizinhança e tiver que lidar com os cães e gatos de seus vizinhos. A maioria de meus clientes tem mais problemas com seus cães fora do que dentro de casa, e isso geralmente faz com que eles isolem os animais ou os privem de exercícios, apenas para evitar transtornos. Muito antes de isso acontecer, você e sua matilha precisam, de modo honesto, avaliar as necessidades e os desejos de seu grupo com o bem-estar geral do ambiente em que vivem.

Deixe-me dar um exemplo de minha vida. Quando abri meu Centro de Psicologia Canina, no sul de Los Angeles, aluguei um terreno grande no meio de um bairro industrial. Logo descobri que muitos dos proprietários de armazéns da região mantinham cães ali dentro como guardas, e alguns até deixavam seus animais andarem livre do lado de fora para patrulhar a área! Para piorar as coisas, muitas gangues de Los Angeles se encontram na periferia da minha região. Sempre vi grupos de cães envolvidos em suas atividades ilícitas, desde o tráfico de drogas a rixas de cães. Alguns protegiam as propriedades ou andavam soltos, ou por terem escapado ou por terem sido abandonados. Ficou claro para mim, desde o começo, que eu teria de levar todos esses fatores em consideração ao criar uma área na qual minha matilha viveria. É por isso que há portões duplos no perímetro do centro — para impedir que os meus cães escapem, e também para manter longe visitantes indesejados. Além disso, tenho que considerar o temperamento de cada cachorro ao levá-los para caminhar, andar de bicicleta ou patinar na região. Não é preciso dizer que certos cães temerosos, ansiosos ou nervosos, e principalmente cães que sofrem de agressividade crônica, não devem ficar perto de cães imprevisíveis e soltos sem antes passarem por uma reabilitação. Agora que estou construindo um novo Centro de Psicologia Canina numa região menos populosa de Santa Clarita Valley, terei que adaptar meu centro e minhas práticas às regras e realidades desse novo bairro. Meus cães não vivem no vácuo — quando eu os levo a uma comunidade, preciso pensar em todos esses novos fatores, tanto para o bem dos cães quanto para o bem das outras pessoas e dos outros animais que vivem por perto.

A comunidade pode ter influências sutis e não sutis em seu cão. Se a atitude de seus vizinhos em relação a seu cão é "Como você ousa trazer esta fera para o nosso espaço?", muito provavelmente seu cachorro perceberá essa negatividade sempre que você estiver passeando com ele e encontrar esses vizinhos, e o pensamento deles se tornará realidade. Os cães sempre refletem nossa energia de volta para nós, e se um de seus conhecidos olhar com ódio para seu cão, é possível que o cão não goste dele também. Procure se familiarizar com as regras de sua vizinhança ou de seu condomínio no que diz respeito a animais de estimação, e preencha qualquer formulário necessário. Faça isso com muita antecedência, já que você não quer criar um vínculo com um animal de estimação e só depois descobrir que o dono do lugar tem o direito de tirá-lo dali. Se você mora em um condomínio, é preciso deixar claro seus planos para todos os vizinhos de seu andar e de sua área. Ainda que não gostem de cães, eles ficarão felizes por você ter tido consideração com eles antes de levar o cachorro para casa. Essas sugestões podem parecer óbvias, mas você ficaria surpreso se soubesse quantos casos já chegaram a mim nos quais o cão causou sérios conflitos entre seus donos e os vizinhos.

Hootie e os vizinhos

O caso de Pam Marks é um bom exemplo do que pode acontecer quando alguém se muda para um bairro sem levar em consideração o que seus cães poderiam causar na dinâmica da comunidade próxima. Pam tem quatro lindos e premiados australian shepherds. Há dois anos, ela me chamou para ajudá-la com Hootie, seu "astro" de corrida de cinco anos, que havia desenvolvido medo de crianças após um incidente traumático. Pam afirma que, agora, Hootie está 85% melhor durante as competições de agilidade — mas um pouco depois de nossa primeira consulta, ela entrou em contato comigo por causa de outro problema. Desde que Pam se mudou para o bairro de Woodland Hills, dois anos atrás, os vizinhos tiveram problemas com seus cães, e, recentemente, reclamaram de Hootie para a prefeitura. O que os levou a tomar uma medida tão drástica? "Quando Pam se mudou para cá, eu me aproximei da cerca para ver os cachorros, mas eles deviam estar muito alterados, porque ele (Hootie) me mordeu", contou-me Tim Bryson, vizinho de Pam. "A partir daquele dia, fiquei preocupada, porque tenho três filhos pequenos", completou a esposa dele, Carrie. Então, uma semana antes de minha visita, Hootie havia pulado a cerca e corrido atrás das crianças pela segunda vez desde a chegada de Pam, fazendo com que Carrie Bryson adotasse um comportamento de mãe superprotetora. "Aquilo foi mesmo a gota d'água", disse ela. "De repente, o cachorro simplesmente pulou a cerca — de novo — e eu explodi. Fiquei com muito medo."

O incidente e a reação dos Bryson haviam causado a grande hostilidade entre a matilha de cinco membros de Pam (ela e seus quatro cães) e a matilha de cinco membros dos Bryson. "É muito difícil morar ao lado de uma pessoa quando existe esse tipo de tensão. É muito difícil, mesmo", admitiu Pam. Quando cheguei, fiquei sabendo que mesmo quando não pulava a cerca, Hootie escutava as crianças brincando no quintal e batia na cerca, latindo sem parar. Seu comportamento instável agitava os outros três cães, que também se tornaram hiperativos. A causa do comportamento de Hootie ficou clara para mim quando pedi que Pam me recebesse à porta. Assim que a campainha tocou, a matilha de Pam ficou em polvorosa, latindo e correndo pela casa e entre os móveis. Pam os tirou da porta meio indiferente, mas claramente não tinha o controle dentro de sua própria casa! Ali, tínhamos uma treinadora de cães de competição e quatro cães extremamente habilidosos, mas, ainda assim, não havia qualquer estrutura na matilha. No quintal, era Hootie quem instigava. Sem qualquer estrutura, Hootie liberava sua ansiedade pelos seus genes de australian shepherd, tentando pastorear as crianças da vizinhança!

Conseguimos realizar um progresso incrível em um dia, apenas estabelecendo alguns limites básicos para os cães. Eles já estavam condicionados a reagir a Pam — mas ela não usava sua liderança nas competições em sua própria casa. Eu pedi aos Bryson e a seus filhos que não tocassem, conversassem nem olhassem para os cães — no fim do dia, as duas matilhas estavam calmas perto da cerca. Os Bryson ficaram aliviados e animados por ajudar Pam em sua busca para melhorar o comportamento de Hootie — eles só queriam paz. No entanto, a verdade é que essa situação não precisava ter acontecido. Quando Pam percebeu que moraria ao lado de uma casa cheia de crianças, ela deveria ter criado uma estratégia para apresentar a família a seus cães logo de cara; talvez até devesse ter incentivado as crianças a passearem com os cães. Admiro Pam por ter admitido que precisava de ajuda e por ter me procurado... porque viver ao lado de vizinhos hostis não era ruim apenas para Pam. Era ruim para seus cães ansiosos, de alta energia.

Antes de tomar a decisão de adotar um cão, verifique se há crianças ou idosos em seu bairro, cães potencialmente agressivos (e seus donos irresponsáveis), gatos, trânsito perigoso — ou qualquer circunstância que precise ser resolvida antes de levar seu cão para casa.

O que é preciso saber sobre uma raça?

Agora que você e os membros de seu grupo ou família conhecem suas necessidades individuais, níveis de energia e estilos de vida, está na hora de ir à biblioteca, à internet ou a um abrigo de animais e fazer pesquisas sérias a respeito do comportamento de cães em geral e das características específicas de cada raça. Se você conhece meu programa de TV e meus outros livros, sabe que eu, definitivamente, não acredito que a "raça define o destino" de um cachorro. Acredito que o nível de energia que um cão tem é muito mais importante do que a raça no que diz respeito à compatibilidade com um dono ou uma família. Ainda que certas raças possam ter muito mais propensão à energia do que outras, a verdade é que muitos cães da mesma raça — na verdade, muitos cães da mesma ninhada — podem ter níveis de

RELEMBRANDO

A identidade de seu cachorro

Muitos donos de cães se referem a eles primeiro pelo nome: "Ah, o Smokey não gosta de homens" ou "O Smokey sempre foi impossível na hora de passear". Referir-se a um cão pelo nome significa que seu cão tem controle consciente e lógico de seu comportamento, das coisas de que gosta e de que não gosta, da mesma maneira que um ser humano. Esse pensamento impede que você se relacione com seu cão como ele é de fato e o impede de ter influência sobre ele.

Recomendo que você se relacione com seu cão na seguinte ordem, principalmente ao estabelecer regras e limites e ao lidar com problemas que ele possa ter:

1. Animal
2. Espécie: cão (*Canis familiaris*)
3. Raça
4. Nome

Só depois de satisfazer as necessidades de seu cão como animal, espécie e raça, você deve se referir a ele pelo nome, do modo como se referiria a outro ser humano.

energia totalmente diferentes, ou o que a maioria das pessoas chama de "personalidades". Assim, todo dono em potencial deveria pelo menos se informar a respeito das necessidades especiais de sua raça favorita. Percebo que muitas pessoas se apaixonam por uma raça talvez porque lembre um cachorro que tiveram na infância, ou porque chame a atenção por ser bonita, elegante ou forte. Normalmente, as pessoas escolhem as raças de cachorro como escolheriam uma roupa — como algo que reflete a imagem que gostariam de passar aos outros. No entanto, um cachorro não é um guarda-roupa, ele faz parte da Mãe Natureza. É um ser vivo e sensível, com um conjunto completo de necessidades — e direitos — próprios.

Pensar em um cão primeiro como nome ou raça pode trazer problemas quando você acaba generalizando o comportamento de uma raça. Por exemplo, se uma mulher conviveu com labradores retrievers na infância, e se eles sempre foram calmos e bem-comportados, então ela tenderá a pensar que todos os labradores têm essas características. Quando ela adota um labrador que se torna agressivo, automaticamente culpará o animal pelo nome — ou aquele determinado cão. Contudo, na verdade, ela deveria levar em consideração quem da sua família na época era o líder da matilha de labradores, qual era o papel dos cães na casa, que tipo de exercícios e disciplina a família lhes oferecia e qual era o estilo de vida do grupo de modo geral. É possível que ela não tenha tido o azar de ter o único labrador "problemático" do mundo! Pode ser que ela seja uma líder de matilha mais fraca do que sua mãe ou a pessoa que era responsável pelos cães. Pode ser que ela não ofereça a estrutura ou os exercícios de que o cão precisa. Ou talvez ela tenha adotado um labrador de energia muito alta — com mais energia do que os cães de sua infância, e mais necessidades do que seu estilo de vida consegue satisfazer. Esse cachorro pode estar frustrado e transformando a frustração em agressividade. É um bom exemplo do fato de uma raça de cachorro não necessariamente determinar que tipo de animal de estimação ele será.

Gosto de pensar que a raça é uma espécie de "potencializador" do nível de energia com que um cão nasce. Quanto mais pura for a raça, mais provável que ele seja levado pelas necessidades e pelos impulsos próprios de sua raça. Lembre-se de que nós, seres humanos, criamos as raças de acordo com nossos próprios motivos egoístas! "Fabricamos" cães para nos ajudarem a pastorear o gado, a caçar ou a localizar uma presa a longas distâncias. Nós somos os culpados de colocar genes poderosos nesses cães; então, a meu ver, temos a responsabilidade de satisfazer as necessidades de cada raça. Não pense em um cão de raça pura como "a carinha bonita" de sua linhagem. Lembre para que essa linhagem foi originalmente criada.

Existem muitas maneiras de pensar em uma raça. Internacionalmente, existem cerca de quatrocentas raças relacionadas em organizações de registro em outros países, mas o American Kennel Club, fundado em 1884, não registra todas essas raças, ou porque existem poucos cães (dessas raças) nesse país, ou porque existe pouco interesse entre os donos de obter o seu registro no AKC. O AKC tem o maior registro de cães de raça pura no mundo, e atualmente registra 157 raças.[2] Felizmente, o AKC também separa essas raças em grupos gerais muito úteis, que eu explicarei aqui de acordo com as necessidades de comportamento e características:

O GRUPO ESPORTIVO

São os cães originalmente criados para ajudar os caçadores a localizar, buscar ou revelar presas — tanto na terra quanto na água. Os seres humanos de tempos passados descobriram que podiam usar o instinto de caça que os cães herdaram dos ancestrais do lobo e fazê-los parar antes de matar as presas. Entre os cães deste grupo estão os pointers, os retrievers, os setters e os spaniels.

O GRUPO DE CAÇA

Os cães de caça foram criados para ajudar os seres humanos a encontrar presas em uma caça. Esse grupo é grande, mas normalmente é dividido em duas categorias. Os cães que caçam pela visão, como os galgos, os afghan hounds, os basenjis e os salukis, usam a visão para detectar o movimento da presa. Os cães que caçam pelo olfato, como os beagles, os foxhounds, os dachshunds e os bloodhounds, usam as incríveis habilidades desse sentido. Muitos cães de caça foram criados para correr em matilha. Alguns foram criados para corridas curtas e vigorosas, enquanto outros têm a capacidade de caçar por horas sem se cansarem.

O GRUPO DE TRABALHO

Os cães do grupo de trabalho apareceram quando os seres humanos interromperam suas vidas de caçadores e coletores nômades e começaram a se estabelecer em vilarejos. Essas raças mais novas foram feitas para tarefas mais domésticas, como proteger, puxar e resgatar. Também é um grupo diverso, e muitos foram escolhidos pelo tamanho, pela força e, às vezes, pela agressividade. O dobermann, o husky siberiano, o boxer, o dogue alemão, o mastiff e o rottweiler fazem parte deste grupo. Muitos desses cães são aqueles a que me refiro como "cães de raças poderosas". Quanto mais pura é a raça, mais eles se guiam pelas necessidades dela. Normalmente, não recomendo que um dono de cão "iniciante" escolha cães de raças poderosas em sua forma pura, a menos que ele esteja disposto a dedicar muito tempo e energia para satisfazer a natureza de trabalho do cão.

O GRUPO DE PASTORES

O AKC costumava incluir o grupo de cães pastores no grupo de trabalho, uma vez que os dois grupos foram criados para ajudar os seres humanos com as tarefas da vida doméstica — ao contrário dos caçadores. Os criadores dessas raças conseguiram adaptar a habilidade que os lobos têm de usar movimentos coordenados para "encurralar" os animais que caçam, mas removeram o desejo de perseguir a presa e matá-la. Assim, os cães pastores têm a incrível habilidade de controlar o movimento de outros animais. São tarefas que exigem energia, paciência e concentração... e essas características normalmente aparecem nos pastores modernos — incluindo os sheepdogs, os corgis, os bouviers, os australians shepherds e os collies. Alguns cães de grupo de trabalho também são pastores, como os rottweilers, que já foram usados para pastorear grandes grupos de gado.

O GRUPO DOS TERRIERS

Os ancestrais dos terriers foram criados para caçar e matar animais daninhos. Eles variam de tamanho, desde os muito pequenos, como o Norfolk, o Cairn ou o West Highland White Terrier, até os muito maiores, como o Grand Airedale. Como você pode imaginar, tirar ratos de buracos e arbustos exigia que os criadores originais dessas raças escolhessem animais com alta energia, concentração e perseverança, ou o que alguns donos de terrier costumam humanizar como "implicância" ou "teimosia".

O grupo "toy"

Chihuahuas, malteses, poodles toy, King Charles Spaniels, Yorkshire Terriers, pequineses, pugs... não existe evidência histórica melhor do caso de amor entre seres humanos e cães do que o grupo "toy", muitos dos quais foram criados apenas para serem companheiros dedicados de seus donos. Alguns também foram criados para caçar aves e ratos, mas todos foram escolhidos por serem pequenos. Enquanto muitos donos de cães iniciantes escolhem os "toys" acreditando que eles serão fáceis, sou chamado para resolver tantos casos de cães pequenos descontrolados quanto os casos de raças mais fortes. Isso porque o fator "fofura" dos "toys" influencia o modo com que seus donos os veem, ou seja, não são vistos como animais, a princípio. Sempre aconselho os donos a imaginarem seu pequeno "toy" usando uma roupa diferente — por exemplo, a de um pastor alemão. Será que eles continuariam achando as mordidas e os rosnados "adoráveis"?

O grupo dos não esportistas

Este grupo inclui cães que foram criados para variações das finalidades de todas as categorias anteriores, mas que não se encaixam perfeitamente em nenhuma. É uma categoria ampla demais para ser útil na hora de escolher um cão, o que é uma pena, já que inclui algumas das raças mais populares, como o poodle, o buldogue, o Boston terrier, o bichon frisé, o buldogue francês, o lhasa apso, o shar pei, o chow-chow, o shiba inu e o dálmata. Se quiser saber mais sobre qualquer um dos cães que se encaixam neste grupo, recomendo que você realize uma pesquisa muito específica a respeito da história de cada raça e suas características gerais.

Uma das coisas mais inteligentes que você pode fazer por sua família, se todos ou alguns de vocês estiverem interessados em uma determinada raça de cão, mas ainda não a conhecem bem, é localizar um grupo de resgate. Então, leve todo mundo para visitar a organização de proteção e passe pelo menos uma hora no meio de uma matilha de cães da raça. Você pode acreditar que deve escolher um basset hound por causa dos olhos caídos, da sua expressão triste e das orelhas grandes e macias, mas ficará chocado ao ver um grupo deles uivando e latindo sempre que alguém novo entra no canil. Seu marido pode gostar da ideia de escolher um cão pequenino, como um pinscher miniatura, mas não conseguirá lidar com a energia de meia dúzia deles pulando sem parar, ao mesmo tempo, no abrigo. Voluntários em organizações de resgate específicas de uma raça costumam ser extremamente bem-informados a respeito das manias e dos cuidados necessários, e costumam estar bem-dispostos para responder a perguntas que você pode ter e oferecer ótimos materiais de leitura e referências. Eles querem que você tome a decisão certa ao adotar um dos seus cães — porque se não for o animal certo, pode ser que o cachorro seja devolvido a eles, normalmente em condição pior do que quando partiu.

Não tenha pressa

Quando um grupo de pessoas decide escolher um cão, a impaciência pode se estabelecer com facilidade. Todos têm uma imagem do cão na mente e o querem *agora*! Muitas famílias adotivas simplesmente visitam um abrigo, criador ou grupo de resgate e levam para casa o cachorro que consideram mais "bonitinho". Tomam a decisão usando as emoções, sem pensar nos problemas que podem vir mais tarde por não terem levado em conta os diferentes níveis de energia. Adotar um cão é uma decisão que mudará sua vida, a vida do cachorro e a da família toda. Apressar o processo pode causar erros que terão consequências duradouras. Se você não encontrar o cachorro que considerar perfeito para a sua família logo de cara, espere uma semana e tente de novo. É mais importante que você encontre um cão que seja o "ideal", e não o cão que esteja disponível naquele momento.

Escolher o cachorro certo na hora certa pode ser a melhor coisa que aconteça na vida de uma pessoa — ou na de um cachorro. Você se lembra de Curly, do Central Park West? Bem, nosso assistente de produção de *O encantador de cães*, Todd Henderson, levou Curly de Nova York à Califórnia, e os dois se aproximaram muito nessa viagem. Todd tem vinte e poucos anos e é um verdadeiro atleta, um corredor de longas distâncias. Tem um nível de energia muito alto e sabe lidar com um cão, depois de ter trabalhado no meu programa durante três temporadas. Durante a longa viagem, Curly e Todd correram e caminharam juntos. No entanto, quando Todd voltou a Los Angeles, sua situação de vida na época, além das viagens a trabalho que realizava com a nossa equipe, não permitiu que ele adotasse nosso cão nova-iorquino. Isso acabou sendo bom para Curly, que teve a oportunidade de viver durante um ano no centro e melhorar suas habilidades sociais. Ele se adaptou logo de cara a viver com a matilha, e como eu previra, não apenas se deu bem com os outros cães, mas também se tornou surpreendentemente popular com eles! Curly era um de nossos cães mais ativos, e adorava nossas sessões de patinação, nossas corridas nas montanhas e os dias na praia. Ele também ajudou diversos outros cães instáveis a conseguir equilíbrio. Sempre que podia, Todd cuidava de Curly nos fins de semana, e o relacionamento entre eles ficou cada vez mais forte. Este ano, Todd mudou-se para uma casa com a namorada e finalmente pôde ficar com Curly em tempo integral. Às vezes, Curly visita o escritório de produção com ele, e descansa embaixo da mesa enquanto ele agenda gravações e faz telefonemas. Ninguém reconheceria Curly como o mesmo monstro que conhecemos em Manhattan um ano e meio antes. E Todd não consegue imaginar a vida sem ele. "Assim que fomos para a estrada, eu soube que esse cão era especial", afirma Todd. "Ele leva muito amor, alegria e diversão aonde vai. Foi sensacional poder finalmente adotá-lo de vez, e ele está adorando a sua nova vida comigo, minha namorada e os dois cães dela."

Eu não tenho a menor dúvida de que o cachorro certo está por aí, esperando a sua família também.

2

DÊ-ME ABRIGO

Conhecendo abrigos, organizações de resgate e criadores

Você fez uma reunião de família, e vocês já pesquisaram tanto sobre raças e comportamento de cães que poderiam dar uma aula. Agora, como fazer para conseguir o cão de seus sonhos?

Adotando um cão de abrigo

Respeito muito as pessoas que decidem adotar animais de abrigos e canis de sua região. Muitos cães no mundo precisam de lares — atualmente, pelo menos de seis a oito milhões de cães e gatos param em abrigos todos os anos, de acordo com a Humane Society, portanto, essas pessoas estão ajudando a diminuir o grave problema de superpopulação de cães no país. Os abrigos ainda têm a vantagem extra de oferecer taxas de adoção muito mais baratas do que os criadores, os pet-shops, e até algumas organizações de resgate de raças específicas. Um animal de um abrigo de boa reputação também tem mais chance de ser vacinado, vermifugado e castrado. Entretanto, lembre-se de que um dos motivos pelos quais tantos animais vão parar em abrigos, antes de mais nada, é porque as pessoas costumam levar cães para casa por capricho ou por razões superficiais. As expectativas irreais do compromisso que envolve cuidar de um animal e passar a vida ao lado dele fazem com que as pessoas abandonem ou devolvam o animal, o que normalmente leva à eutanásia. A Humane Society dos Estados Unidos estima que cerca da metade dos animais de abrigos acaba sendo sacrificada, simplesmente porque não existem lares suficientes para eles.[1] Então, lembre-se de que escolher um abrigo ou canil para encontrar seu novo cachorro é um gesto admirável, mas pode ser ruim para você, para seu cão e até para a comunidade se você entrar nesse processo desinformado, ou se fizer sua escolha pelos motivos errados.

Quais são esses motivos errados? Nós, seres humanos, temos um importante conjunto de emoções que fazem com que sintamos empatia, simpatia e pena por outros animais em necessidade. No mundo animal, porém, essas emoções importantes podem ser nosso erro! Sentir pena é sempre uma energia fraca no mundo animal, e quando um cão fica cara a cara com uma energia fraca, ele se torna mais forte do que o ser humano que a está projetando. Se seu cachorro começar a relação como o ser dominante, provavelmente seu comportamento será rebelde, o que pode ser um problema. É por isso que os donos sentem "arrependimento de comprador" e devolvem os cães aos abrigos depois de adoções "fracassadas". Quanto mais vezes um cão é devolvido a um abrigo, mais riscos ele tem de ser sacrificado. Então, se você e sua família decidirem adotar um cão de abrigo, conversem antes sobre como se sentem tristes e frustrados com o abandono e a superpopulação de cães. Depois de todos expressarem suas emoções, peça que tomem uma decisão consciente de deixar esses sentimentos do lado de fora do abrigo. Entenda o seguinte: você vai adotar um cão para poder ajudá-lo, mas não conseguirá ajudar cão algum se ele considerá-lo fraco.

Recomendo que você escolha um abrigo que fique a uma distância razoável de sua casa. Assim, se precisar de um ou dois dias para pensar e decidir voltar uma segunda vez, você não terá que percorrer um longo caminho. Desse modo, o risco de tomar uma decisão precipitada também será menor. Alguns desses abrigos entraram na era da informática e têm sites com as fotos e as descrições dos animais prontos para adoção. Se o tipo de cachorro que você está procurando não estiver disponível na data de sua visita, muitos abrigos colocarão seu nome em uma lista de espera e avisarão quando esse animal chegar. Infelizmente, os animais não param de chegar à maioria dos abrigos. Para localizar um abrigo na sua cidade, procure na internet ou na lista telefônica, sob "canis ou abrigos", "Controle de zoonose" ou "Sociedade protetora dos animais".

Antes de entrar em um abrigo, respire fundo e reúna sua energia calma e assertiva. Você ficará cara a cara com dezenas de cães adoráveis que precisam de um lar... Nesse momento, não permita que isso o influencie. Você precisa de uma atitude racional para escolher o cão certo.

Na minha série de vídeos "Mastering Leadership", minha equipe e eu apresentamos um programa abrangente chamado "Your new dog, first day and beyond" ["Seu novo cão, a partir do primeiro dia"]. Nesse vídeo, eu me encontrei com uma mulher alegre e ativa, Sylvia Ellis, que queria adotar um cão de abrigo que combinaria com alguns aspectos de seu estilo de vida. Primeiro, o cachorro teria que ter menos de cinco quilos, para ficar dentro das regras de seu condomínio. As regras também determinavam que o animal tinha que ser bem-comportado e quieto — qualquer reclamação sobre um animal no condomínio resultaria em expulsão imediata. Por fim, o cão teria que ter um nível alto de energia para acompanhar Sylvia em seu estilo de vida atlético, e isso incluiria corridas e caminhadas, além de passeios diários de bicicleta.

Sylvia e eu fomos ao Downey Animal Shelter, em Los Angeles, onde eu lhe mostrei a maneira certa de se aproximar de um animal enjaulado em um abrigo — não cara a cara, sem olhar nos olhos nem falar, mas usando a regra de não tocar, não falar, não encarar, aproximando-se do cachorro pelos *lados*. Se você encara o cachorro, fala ou o acaricia, estará forçando o cão a alterar seu comportamento para poder *reagir* a você. Qualquer interação que se estabelece com um animal é uma conversa, exceto quando você usa a energia, que é muito mais sutil que a linguagem. Se você ignorar o cachorro ficando de pé, ajoelhando-se ou sentando-se ao lado dele, permitirá que o animal chegue até você, sinta seu cheiro e sua energia sozinho, e mostre a você como ele realmente é.

Assim como os seres humanos, os cães têm um conceito muito claro de espaço pessoal entre eles. Nos Estados Unidos, a prática comum é invadir o espaço pessoal do animal à vontade. Na verdade, os donos de animais costumam se ofender se, ao encontrar um cachorro novo, você não se ajoelhar e acariciá-lo imediatamente! No entanto, quando ensinamos essa prática aos nossos filhos, nós os tornamos alvos para mordidas. Assim como você não se aproxima de uma pessoa e a beija no rosto até que tenham uma certa intimidade, o cachorro quer sentir seu cheiro e sua energia antes de decidir se quer se envolver com você.

RELEMBRANDO

Dicas básicas: encontrando um cachorro pela primeira vez

1. Não se aproxime do cachorro. Os líderes de matilha não vão até seus seguidores: os seguidores é que vão atrás dos líderes de matilha. Se quiser ganhar o respeito e a confiança de um cachorro, permita que ele se aproxime de você.
2. Fique parado (porém relaxado) e aplique minha regra *Não toque, não fale, não encare*, até que o cachorro dê sinal de que quer se aproximar de você. Ele fará isso esfregando-se em seu corpo, olhando para você, lambendo-o ou de diversas outras maneiras.
3. Observe a energia e a linguagem corporal do cão. Se ele estiver com as orelhas e o rabo levantados, pode ser que esteja em um estado excitado e dominante. Não recompense esse estado com atenção e afeto, porque isso pode colocar você na categoria de "seguidor" na mente do cachorro. Em vez disso, dê afeto a um cão quando sua cabeça estiver levemente abaixada, rabo abanando a meia altura, e as orelhas para trás e relaxadas. Esses sinais demonstram um estado mental calmo-submisso.
4. Se o cachorro se afastar ou indicar que não está interessado em você, não vá atrás dele. Respeitar os limites de um cão é a melhor coisa que você pode fazer para incentivar esse mesmo cachorro a respeitá-lo.

Quando estava no abrigo com Sylvia, consegui lhe mostrar alguns sinais comuns de comportamento que indicavam uma combinação ruim para o tipo de cão que ela procurava. Alguns dos cães corriam para a frente da gaiola, pulando na direção dela, tentando arranhá-la com a pata. Eu disse a ela que era comum que muitas pessoas interpretassem aquilo como se o cão estivesse dizendo "Estou feliz!" ou "Eu gosto de você!" — lembrem-se de Pete e Curly —, mas que, na verdade, podia ser um sinal de superexcitação, ansiedade, frustração ou dominação. Ao mesmo tempo, outros cães se retraíam ou a ignoravam, não demonstrando curiosidade alguma por ela. Aqueles cães podiam ter problemas de timidez que, dentro de um condomínio pequeno, podem se transformar em agressão ligada ao medo. Se Sylvia tivesse um estilo de vida que lhe desse tempo, espaço e liberdade para reabilitar qualquer comportamento levemente ruim em um cachorro saudável, talvez tais reações tivessem sido aceitáveis. Contudo, Sylvia tinha pouca flexibilidade. Seu cão *precisava* se adaptar ao ambiente de seu condomínio logo de cara, ou a combinação não daria certo. Ela não podia arriscar errar; precisava encontrar um cachorro cujo estado mental ela pudesse manter, não reabilitar.

Depois de passar uma hora e meia vendo cachorros no abrigo, Sylvia e eu acabamos com apenas três opções: todas de cães que demonstraram curiosidade e leve entusiasmo com sua presença, mas que também eram submissos e respeitosos, e não procuravam invadir o seu espaço. O cachorro de que ela mais gostou foi um mix de chihuahua, que olhava nos olhos dela de modo ansioso.

— É este — disse ela depois de vê-lo, e parecia bastante convencida de sua escolha.

Em seguida, levamos os três candidatos a uma área externa do abrigo, para observá-los fora das gaiolas. Esse é outro passo que eu recomendo fortemente no caso de todas as adoções em abrigos, porque o comportamento de um cão pode mudar completamente dentro e fora da gaiola. Quando levamos os cães para fora, descobrimos que os três eram machos, o que demonstra que a energia não tem nada a ver com o sexo. Então Sylvia teria uma surpresa. Ao deixar os três cães se conhecerem em um espaço cercado, ficou claro que seu mix de chihuahua preferido era um carinha dominador, pelo menos interagindo com os outros cães. Ele e um dos outros candidatos logo começaram a se envolver em uma competição nada tranquila por território quase depois de se conhecerem. Enquanto isso, o candidato número três, a quem batizamos de "o cara tranquilo", fez o que eu sempre quis ver um cão equilibrado fazer antes de se concentrar nos outros cães ao redor — começou, respeitosamente, a explorar seu ambiente. É da natureza do cão fazer duas perguntas, nesta ordem, ao entrar em um novo lugar: 1. Onde estou? E depois: 2. Quem mais está aqui? Dentro e fora da gaiola, esse terceiro cão manteve o estado mental calmo-submisso, enquanto demonstrava um nível saudável de energia e curiosidade. Testei sua reação à comida — uma boa reação à comida pode ser extremamente útil se você quiser empregar métodos positivos de treinamento no futuro — e percebi que ele ficava entusiasmado, mas era educado no momento de pegar o alimento de minha mão. Aquele cachorro tinha todas as qualidades de uma boa companhia canina, e Sylvia mudou de ideia naquele momento. Decidiu levar "o cara tranquilo" para casa, e pelo que tem contado à minha equipe, parece que, um ano depois, ela ainda está muito feliz com a decisão que tomou.

NO ABRIGO

1. Prepare-se emocionalmente antes de entrar. Domine todos os seus sentimentos de pena e solidariedade com antecedência. Mantenha-se calmo-assertivo e o mais racional possível.
2. Sempre aplique a regra de não tocar, não falar, não encarar. Aproxime-se das gaiolas pelas laterais e deixe o cão se aproximar de você. Assim, ele mostrará mais sua verdadeira personalidade.
3. Procure sinais de calma-submissão. Entre eles, curiosidade saudável e respeitosa, consideração pelo seu espaço pessoal e sinais físicos, como cauda a meia altura, cabeça baixa e orelhas levemente para trás. Observe o nível de excitação do animal, o medo, a agressividade ou a ansiedade.
4. Se possível, observe o cachorro fora da gaiola. Veja como ele interage com seres humanos e outros cães. Teste para ver se ele se motiva com comida.
5. Veja se os funcionários permitem que você leve o cão para um rápido passeio com a guia. Observe com atenção o nível de energia do animal.
6. Se tiver outro cachorro em casa, leve-o e apresente os dois. Observe se as energias são compatíveis.
7. Pergunte aos funcionários do abrigo a respeito do comportamento e dos hábitos do cachorro desde que o conhecem. Ele já foi devolvido de outra adoção? Por qual motivo? Ele tem algum problema de saúde?
8. Se ainda estiver em dúvida, pergunte se pode voltar no dia seguinte. Assim, você terá a oportunidade de pensar em sua decisão de modo menos emocional e também ver o cachorro de novo, talvez em um estado mental diferente.

9. Quando decidir levar para casa um cão de abrigo, procure saber se ele é castrado, e leve o cachorro a um veterinário o mais rápido possível para que seja constatado se ele tem alguma doença ou infecção e para que ele tome as vacinas necessárias que o abrigo ou o dono anterior não deram.
10. Dê um longo passeio com seu cão ao sair do abrigo.

Adotando de uma organização de resgate

Assim como admiro abrigos, admiro muito as organizações de resgate pela dedicação que demonstram em encontrar bons lares para os animais abandonados. Muitos se comprometem com a política de "não matar", o que quer dizer que procuram manter a maioria ou todos os animais que resgatam, ainda que não possam encontrar lares para eles. Normalmente, dependem de um orçamento apertado e do trabalho de voluntários. Minha esposa, Ilusion, e eu criamos uma fundação sem fins lucrativos, a Cesar and Ilusion Millan Foundation, para ajudar essas organizações com suas obrigações e custos infindáveis. Contudo, nem todas as organizações que afirmam ser de resgate têm boa fama. Algumas "fábricas de filhotes" e sites de internet falsos podem se passar por centros de resgate. Antes de ir a uma organização para procurar um animal de estimação, recomendo que você verifique se realmente é uma organização sem fins lucrativos.

Diferentemente dos abrigos, muitas organizações de resgate não aceitam qualquer cachorro. Isso porque eles se comprometem com cada animal que recebem e não podem arcar com o alto índice de devoluções que os abrigos têm. Algumas organizações de resgate farão com você um processo de entrevista e até uma visita à sua casa antes de permitirem que você leve o cachorro de sua escolha. Um centro de resgate de galgos na Califórnia leva um "cão-teste" para sua casa, para ter certeza de que se trata de um ambiente adequado para um cachorro. Alguns até pedem referências a senhorios ou a empregadores. Todas essas regras variam, e é melhor conferir com alguém da organização com antecedência, para ter certeza de que você cumprirá as exigências.

História de sucesso de um abrigo

Allyson Tretheway — Uma adoção improvável

No outono de 2006, comecei a assistir a *O encantador de cães*. Tenho um mix de border collie e Brittany spaniel muito bem--comportado, de cinco anos. Eu pensava em ter um segundo cachorro para brincar com ele, mas temia que fosse muito difícil lidar com dois animais. Minha mãe me fez lembrar de algumas situações negativas envolvendo dois cães que eles tiveram ao longo dos anos — brigas, disputas de território, superexcitação —, e me alertou que quando se tem dois cães, um incentiva o mau comportamento do outro. Mas assistir a *O encantador de cães* me deu a confiança de que eu podia controlar os dois.

Então, em março de 2007, fui ao canil para escolher um segundo cachorro. Como o Cesar recomenda, eu levei meu cão, o Corey, para ter certeza de que ele se daria bem com o animal que eu escolhesse. Também levei minha energia em consideração. Tenho alta energia, gosto de correr, caminhar e passar tempo ao ar livre. Não me preocupei tanto em adotar um cão de alto nível de energia porque sou muito ativa.

Eu sempre acreditei nas histórias que ouvia a respeito dos pit bulls, de que eles eram monstros agressivos e atacavam crianças. Não pensávamos em pegar um pit bull, mas, infelizmente, é a raça mais encontrada nos abrigos. O programa de Cesar havia me dado a certeza de que (a) os pit bulls devem ser julgados como indivíduos, e (b) com boa liderança, eles podem ser ótimos cidadãos caninos. Naquele dia, eu adotei Dixie, um pit bull fêmea de um ano. Antes de conhecer o Cesar, eu desistiria dela só por causa de sua raça.

Assim que eu a levei para casa, comecei a aplicar as dicas do Cesar. Meu namorado, Randy, nosso cachorro, Cory, Dixie e eu fizemos uma caminhada antes de irmos para casa. Dixie havia acabado de ser castrada, por isso o passeio não podia ser muito longo, mas definimos que todos formaríamos uma matilha desde o começo. Eu sempre me certificava de que ela estivesse calma e submissa antes de lhe dar comida. Eu lhe dava um osso e o tirava dela, repetindo a ação algumas vezes, para que ela percebesse que eu controlava os alimentos e os petiscos. Uma das primeiras coisas que fiz foi comprar uma mochila de cachorro para ela. Eu a matriculei em uma aula de obediência que era um passeio ao ar livre. Além disso, ela está fazendo aulas de agilidade e *flyball*. Ainda não está ótima em nenhum exercício, mas continuaremos trabalhando.

Eu a levei a uma casa de repouso para visitar minha avó, e Dixie encantou todos ali. Nenhum idoso que a via conseguia resistir, e todos a acariciavam. E Dixie adorava cada carícia. Ela é a cachorra mais carinhosa que existe. Nunca se cansa do amor das pessoas. Se eu não tivesse assistido ao programa do Cesar, provavelmente não teria a confiança para adotar um pit bull. Fico muito feliz por tê-la adotado, porque ela é uma fofa!

Você deve evitar situações como a famosa história da comediante e apresentadora de *talk-show* Ellen DeGeneres, que, com sua parceira, Portia de Rossi, adotou um cachorro chamado Iggy de uma organização de resgate de animais em outubro de 2007. Iggy não se deu bem com os gatos de Ellen, que deu o cachorro a sua cabeleireira e suas filhas pequenas. Cerca de três semanas depois, um representante do abrigo foi à casa da cabeleireira e tomou a custódia de Iggy. O grupo de resgate alegou que Ellen havia assinado um contrato afirmando que se não mais pudesse ficar com Iggy, ele seria devolvido à organização de resgate, e reiterou sua política de não permitir que os cães convivessem com crianças com menos de 14 anos. As filhas da cabeleireira tinham 11 e 12 anos. O drama chegou ao clímax quando Ellen fez um apelo comovente em seu programa, alegando que as meninas estavam arrasadas e implorando que Iggy fosse devolvido. No entanto, como o grupo de resgate era dono do microchip que Iggy usava, legalmente o cachorro ainda era deles. A história teve um final feliz pelo menos para Iggy — ele foi enviado a uma nova família e aparentemente está muito bem —, mas o trauma sofrido por Ellen e pela família a quem ela deu Iggy, assim como o prejuízo à fama do grupo de resgate não puderam ser desfeitos.

Outra vantagem de grupos de resgate é que eles costumam empregar "famílias adotivas" voluntárias para cuidar dos cães sob seus cuidados. Normalmente, donos de cães experientes assumem essa tarefa porque amam o que fazem, e podem oferecer a você, o possível dono, uma gama de informações a respeito da raça do cão que você quer adotar. Normalmente, o grupo ou a família adotiva pré-avaliam os cães que estão sob seus cuidados para ver se eles são dóceis com crianças, se conseguem ficar perto de outros cães, de gatos, e assim por diante. Se você tem experiência com cães, adotar temporariamente é também uma boa maneira de descobrir se uma raça ou um cão servem para você. Caso se interesse, pergunte a abrigos ou a grupos de resgate locais se eles têm um programa de adoção temporária.

No vídeo "Your new dog: the first day and beyond", ajudei um jovem casal, Angelo e Diana Barbera, a adotar um basset hound para aumentar a matilha já equilibrada formada por um gato, um husky siberiano e um mix de mastiff/dogue alemão. Levei o casal e os cães a uma ótima organização de resgate, a Daphneyland, em Acton, Califórnia. O local é um modelo de resgate de raças específicas. A organização consegue abrigar, de uma só vez, até cem cães em seu espaçoso rancho, e a maioria deles chega por meio de outros grupos de resgate sem os recursos para cuidar de muitos animais. Dawn Smith, fundadora da Daphneyland, tem experiência prática com mais de mil basset hounds e compartilha minha filosofia de "poder da matilha". Por terem sido criados para caçar em grupo, os basset hounds costumam ser cães muito dedicados à matilha, e Dawn usa a socialização em grupo como uma maneira de criar equilíbrio entre todos os cães sob seus cuidados.

A primeira coisa que eu quis que Diana e Angelo fizessem quando chegamos foi observar os níveis individuais de energia dos diversos membros da matilha. Apesar de os basset hounds, como raça, terem o estereótipo de serem letárgicos e com baixa energia, a verdade é que alguns deles têm uma energia tão alta quanto a dos terriers de energia intensa; alguns Jack Russells têm menos energia do que os basset hounds. Lembre-se, não é a raça que determina a personalidade de um cão, mas, sim, a energia com que o animal nasceu.

Ao levar um cão a uma matilha que você já tenha em casa — independentemente de essa matilha ser humana, canina, felina ou as três —, é essencial escolher um cão que tenha um nível de energia igual ou mais baixo do que o da matilha já existente. A matilha de Diana e Angelo tinha um nível de energia de médio a alto, por isso procurávamos um basset hound com nível de energia de médio a baixo. Assim que entramos na organização, uma cadela curiosa, mas respeitosa, começou a seguir o casal, cheirando-os. Diana gostou da energia da fêmea, por isso testamos o comportamento dela quando Dawn Smith ofereceu petiscos ao resto da matilha. A fêmea em questão circundou o grupo, não procurou entrar de qualquer modo, mas também não se afastou dos outros cães. Isso mostrou que ela não era nem dominante nem temerosa — sinal de que se adaptaria bem aos outros cães dos Barbera. Nosso próximo passo foi fazer um "teste de apresentação" com o husky siberiano e o mastiff/dogue alemão. Os dois cães aprovaram a energia dela, apesar de ela ter ficado um pouco tímida a princípio. Expliquei que aquilo era normal, porque a fêmea obviamente ainda acreditava fazer parte da matilha da Daphneyland, não dos Barbera. Depois de passar algum tempo perto dos cães dos Barbera, o basset começou a se revelar, e os três cachorros cheiraram uns aos outros meticulosamente. Quando a fêmea passou a agir de modo amigável com o husky siberiano, percebemos que ela tinha a energia certa para a família. Mas como se comportaria com o gato? Como os bassets são caçadores por natureza, os gatos, às vezes, despertam neles o instinto de caça. Como os Barbera podiam saber que não teriam um conflito com o gato quando levassem o novo membro da matilha para casa?

Felizmente, Dawn Smith tem um gato em sua propriedade por esse motivo. Ela procura socializar todos os bassets com o gato, para identificar qual cachorro pode ter problemas com o felino. Quando fizemos o teste com o basset dos Barbera e o gato da propriedade, a cadela tratou o gato como se fosse um membro superior da matilha. Agora que todas as contingências possíveis tinham sido descartadas, os Barbera estavam prontos para levar o cachorro, preenchendo a papelada necessária e pagando a taxa para ajudar a cobrir as despesas médicas e garantir a continuidade do trabalho da Daphneyland. Depois de um banho refrescante para tirar a sujeira e o cheiro de sua passagem pela Daphneyland, a cadela que os Barbera batizaram de Daisy estava pronta para começar sua nova vida. Como sempre recomendo no caso da adoção em abrigos, pedi aos Barbera que passeassem com Daisy e os outros cães como uma matilha antes de colocá-la dentro do carro para a volta a Los Angeles. Assim, Daisy começaria a viagem para o seu novo lar como membro da matilha, não como uma estranha.

LISTA DA ORGANIZAÇÃO DE RESGATE

1. Assim como no caso de qualquer adoção, pense na sua matilha em casa.
2. Procure uma organização renomada, certificando-se de que não tenha fins lucrativos.
3. Telefone para a organização com o propósito de descobrir quais são os requisitos para adoção. Se você não concordar com a visita em casa, a entrevista, o processo seletivo ou a taxa exigida, procure outro lugar para adotar antes de se interessar por um determinado cachorro.
4. Informe-se sobre a raça.
5. Não sinta pena! Repito que é preciso assumir uma atitude calma-assertiva antes de conhecer o(s) cachorro(s) disponível(is) para adoção.
6. Se você tem outros cães, pergunte se pode levá-los para um encontro cara a cara.
7. Observe a energia do cão que você deseja adotar. Ele tem um nível de energia igual ou menor do que o de sua família e/ou dos outros animais de sua matilha?
8. Verifique se o seu cão foi castrado e tomou todas as vacinas antes de levá-lo para casa.
9. Passeie com o cachorro assim que sair do local.

Adotando de um criador

Se você decidiu adotar um cão de uma certa raça mas prefere não ir a uma organização de resgate, por favor, não compre nenhum cachorro em pet-shops ou pela internet! É possível que os cachorros que você encontre lá sejam cães de "fábricas de filhotes". As fábricas de filhotes, que a Humane Society dos Estados Unidos (HSUS) tem se esforçado para controlar desde os anos 1980, são criadores que literalmente produzem em série filhotes para serem vendidos em pet-shops ou pela internet. As condições em muitas dessas fábricas são deploráveis, principalmente as das fêmeas usadas para a procriação, que às vezes passam a vida toda enjauladas, geralmente sem exercício, sem companhia e sem cuidados veterinários. Essas cadelas têm uma ninhada atrás da outra, até se tornarem muito velhas ou doentes para reproduzir, quando podem acabar sendo abandonadas e até mortas por não terem mais "utilidade" para a fábrica. A endogamia é tão comum nas fábricas de filhotes que muitos deles sofrem de doenças genéticas graves. Mas essas práticas obscuras continuam prosperando porque pode-se lucrar muito com os amantes de cachorros que, desinformados, se apaixonam pelos filhotinhos irresistíveis expostos nas vitrines de pet-shops.

Se seu filho apontar para aquele "cachorrinho na vitrine", você pode aproveitar a oportunidade para lhe explicar que é errado os cães viverem em gaiolas, que eles não têm uma vida normal, que não caminham nem fazem exercícios físicos, que não recebem cuidados nem banho. Assim como aconselho meus clientes a não incentivarem o comportamento negativo de seus cães, você não deve recompensar uma pessoa que ganha dinheiro com as fábricas de filhotes.

A internet apresenta problemas parecidos para possíveis donos de cachorros. Na grande rede, você acessa uma foto e se apaixona imediatamente pelo animal. A internet tem sido uma ótima ferramenta para muitos abrigos e grupos de resgate, que usam os sites para mostrar os cães disponíveis, para que as pessoas saibam o que esperar antes de chegarem lá. Contudo, lidar com um criador é como jogar pôquer, principalmente se você "encomendar" seu cão de longe. Mesmo que o criador seja legítimo, nada melhor do que conhecer o cachorro pessoalmente, verificar o local onde foi criado e observar os pais dele. Na internet, há mais riscos de você encontrar pessoas que, como os donos de fábricas de filhotes, só querem saber de ganhar dinheiro. Não há garantias. Você pode ter sorte, mas sou um cara à moda antiga e gosto de conhecer os pais antes.

Em um mundo onde as pessoas abusam de animais apenas para ganhar um trocado, como encontrar um criador de boa reputação? Você pode conseguir recomendação de veterinários e de clubes de raça de sua cidade, ou da Confederação Brasileira de Cinofilia (CBKC). Não escolha, simplesmente, um filhote bonitinho de um proprietário cujos cães tenham "documentos" (certificado de linhagem). Se uma pessoa está disposta a ganhar dinheiro com a venda de um cão e deixa que você o leve sem fazer nenhuma pergunta, então não se trata de um criador confiável e responsável. Se o criador for bom, ele responderá a qualquer pergunta que você possa ter sobre cada cão e sobre a linhagem do animal (incluindo o temperamento dos pais e avós), e poderá dar referências de outras pessoas que já adotaram animais com ele. Sempre gosto de ver os pais do filhote, para conhecer sua saúde e seu temperamento. Se, depois de pesquisar sobre criadores, você ainda tiver dúvidas, contenha suas emoções e desista. Se não fizer isso, pode correr o risco de gastar muito dinheiro e se comprometer pela vida toda com um cão com anomalias genéticas ou falta de habilidades normais de socialização, problemas que podem custar dinheiro e causar tristeza para você e sua família pelos próximos anos.

A vantagem de comprar um cachorro de um bom criador é que ele vai saber tudo sobre o DNA do cão que você está escolhendo. Como você está procurando um cachorro com o nível certo de energia para sua família, poderá perguntar ao criador que tipo de cães ele está selecionando. Um criador que oferece, em sua maior parte, cachorros para delegacias ou para trabalho de busca e resgate pode selecionar os de energia mais intensa do que um criador cujos clientes são famílias ou donos de animais de exposição. Assim, há mais chance de encontrar um cão com o nível de energia que você procura.

Quando encontrar o criador certo e decidir tentar, não pegue o primeiro filhote ou cão adolescente que vir. Sugiro que você compare pelo menos três cães, para poder perceber as diferenças nos níveis de energia desde o começo. Lembre-se, até mesmo os cães da mesma ninhada podem ter níveis diferentes de energia. Se você não quer um cão de energia alta em casa, o filhotinho que fica pulando com as patinhas de trás para alcançar seu peito não será a melhor escolha. Da mesma forma, o cãozinho tímido no canto pode ser encantador, mas talvez você tenha uma família com crianças agitadas e corra o risco de ter de reabilitar um cão com baixa autoestima (muitas vezes, o menor na ninhada já vem com algumas inseguranças). Se os cães já forem maiores, siga os procedimentos que eu descrevo nas seções de abrigo e de organização de resgate e leve o cão a um local onde você possa observá-lo afastado de seus companheiros de matilha. Como ele lida com o ambiente? É receptivo e aceita correções de seu comportamento? Você consegue passear com ele e sentir o início de um elo?

Os criadores responsáveis não permitirão que você leve um filhote antes de ele completar pelo menos dois meses de vida. Isso porque os dois primeiros meses são essenciais no desenvolvimento da identidade de seu cão.

LISTA DO CRIADOR

1. Procure um criador com excelente reputação.
2. Pesquise a raça pela qual você está interessado. Quanto mais puro for o cachorro, maior a chance de a raça influenciar seu comportamento.
3. Tente comparar o máximo de cães possível para encontrar o animal com a energia certa para a sua família.
4. Leve o cão para passear antes de sair da propriedade do criador ou perto de sua casa. É importante que o passeio aconteça *antes* de o cachorro conhecer a nova casa.

Quando encontrar seu cão, chegará o dia em que você levará seu novo companheiro para casa. Acredite ou não, o modo com que você lida com essa situação simples é quase tão importante quanto escolher seu cão!

3

A CHEGADA

Recebendo um novo cão em sua casa

Então, aconteceu. Você terminou sua pesquisa sobre raças e comportamento de cães, e, mais importante, realizou pelo menos uma reunião em família com todos os envolvidos. Você colocou tudo sobre a mesa e avaliou com honestidade o nível de energia de sua família, suas necessidades reais e não as fantasias, e cuidou para que todos os membros tivessem os mesmos conceitos de comprometimento e constância no que diz respeito a criar um cão. Armado com essa nova gama de conhecimento e informação, você foi a um abrigo, a uma organização de resgate ou a um criador de sua preferência e escolheu o cão que você tem certeza de que em breve se tornará o próximo membro muito amado em sua casa.

Se tudo o que foi descrito acima for verdade, ótimo trabalho até aqui! Quando o assunto é prever o tipo de vida que você terá com o novo cachorro, enfatizo muito a importância de fazer a escolha certa no começo. Embora o processo de seleção seja tão importante, o trabalho árduo de criar um cão não para por aí. Já ajudei clientes a tomarem as decisões mais bem-informadas e inteligentes possíveis, e então fui chamado algumas semanas depois porque eles não seguiram os meus conselhos após a escolha. Até mesmo o cachorro mais alegre, doce e fácil de lidar do mundo pode desenvolver problemas se seus donos não obedecerem a algumas instruções assim que saírem do abrigo.

A regra mais importante a ser lembrada aqui — e você me verá repetindo-a muitas vezes nos próximos capítulos — é que, quando o assunto é se relacionar com um cão, tudo o que você faz *conta*. Um pai inteligente disse, certa vez, sobre seus filhos: "Eles são camerazinhas que nunca desligam", e a mesma coisa pode ser dita em relação aos cães. Como uma criança, o cão vai observar sua energia e seu comportamento o tempo todo, e processará essa informação para decidir como deve se portar. A diferença é que, ao contrário da criança, o cão não aprenderá a ser *humano* com você. O cão aprende qual papel e função desempenhará na matilha. E tudo o que você fizer, desde o primeiro momento em que o vir, terá um papel no que ele leva para casa dessa lição. Primeiro, vamos nos concentrar na adoção de um cão adulto, e depois trataremos dos filhotes, na página 67.

A primeira coisa que você precisa fazer ao tirar o cão de seu antigo lar (abrigo, canil ou organização de resgate) é levá-lo para passear, antes mesmo de entrar no carro e voltar para casa. Com isso, você conseguirá duas coisas importantes. Primeiro, a menos que esteja adotando um cão de um rancho enorme, onde ele tinha muito espaço para correr, ele provavelmente está em um espaço confinado há algum tempo e acumulou muita energia negativa. Uma caminhada intensa de dez a trinta minutos ajudará a consumir essa energia e dará início ao processo de descobrir o verdadeiro cão por trás da tensão. Em segundo lugar, e mais importante, é o processo de ligação que começará nesse primeiro passeio. O passeio é a melhor ferramenta que todos os membros da família têm disponível para criar o relacionamento ideal com seu cão, desde o primeiro dia.

DICAS BÁSICAS

Como passear

1. Sempre comece o passeio com energia calma-assertiva. Você não precisa "animar" seu cachorro dizendo a ele, com a voz alterada, o que vocês estão prestes a fazer. O passeio serve como aproximação e para criar uma experiência de matilha, não é uma ida à Disneylândia.
2. Não corra atrás do cachorro com o objeto que usará, seja uma coleira barata, como as que eu uso, ou uma focinheira. Para o seu cão, o objeto que você usa é uma extensão de sua energia, então, deve ter uma conotação agradável (mas não estimulante demais!). Deixe o animal se aproximar do objeto, não o contrário. Muitos cães parecem entender o conceito da coleira logo de cara.

Outros precisam de sua paciência. Crie uma experiência agradável envolvendo a guia, associe-a a comida e carinho. Lembre-se: até mesmo a sua aprovação é um carinho para um cão!

3. No primeiro passeio com seu cão, espere à porta de onde estiver — independentemente de ser um abrigo, seu carro ou sua casa. Verifique se o animal está esperando ao seu lado de forma calma-submissa, e então saia primeiro. Chame seu cão para segui-lo. Na mente do animal, quem sai da casa primeiro lidera o passeio. E você quer ser o líder!
4. Segure a guia de modo solto e relaxado, como se estivesse levando uma bolsa ou uma maleta. Mantenha a cabeça erguida, endireite os ombros. Seu cão deve caminhar ao seu lado ou atrás de você, não na sua frente. Se ele não compreender esse conceito logo de início, use um objeto, como uma vara ou um guarda-chuva, para criar um obstáculo até que ele entenda. Coloque, com delicadeza, o objeto na frente do animal para criar um limite que em breve se tornará invisível. O cão não deve sentir medo do objeto, apenas respeito. Sua energia determinará o que ele vai sentir.
5. Quando encontrar obstáculos ou distrações no passeio, não se torne reativo ao comportamento do cão. Lembre-se: é você que estabelece o tom para tudo o que fizerem juntos. Se um cachorro fica alterado ao ver uma confusão ou outro cachorro na rua, não é um sinal para que você também se altere! Mantenha o foco e, mais importante, sua energia calma-assertiva, e continue caminhando. Uma leve correção, como um puxão na guia, passará a mensagem: "Não se distraia, continue caminhando!" Seu cachorro vai entender como "tudo bem, não tem nada a ver conosco, vamos seguindo em frente". Se seu cão for difícil de convencer, faça contato visual com calma, peça a ele que pare e se sente a seu lado, e espere até que ele esteja calmo e submisso antes de continuar. Se necessário, vire seu cachorro de costas para a confusão que está causando a distração. Ao fazer isso (e, repito, esperar que ele fique calmo-submisso antes de continuar), você está passando a mensagem de que "ignoramos cães que causam problemas do outro lado da rua".

6. Depois de você e seu cão passarem 15 ou 20 minutos caminhando de modo bem-sucedido, deixe-o andar um pouco com folga na guia, cheirar o chão, urinar ou defecar. É uma recompensa! Depois de cerca de cinco minutos, retome a caminhada estruturada.
7. Ao chegar ao seu destino ou ao voltar para casa, repita o procedimento descrito no passo 3. Passe pela porta primeiro, depois convide seu cachorro para segui-lo. Lembre-se de que, na mente do cachorro, quem passa pela porta primeiro é o dono do pedaço! Verifique se ele está calmo-submisso ao tirar a guia.

É ideal que o máximo de membros da família se unam a você no primeiro passeio depois da adoção, mas não tantos a ponto de criar um caos desnecessário. Se você teme que ao chegar ao abrigo, ou criador, alguns membros da família estejam focados em sua reação emocional aos cães, então talvez seja melhor deixar parte de sua matilha em casa. Se teme levar seus filhos pequenos agitados ou adolescentes mal-humorados ao abrigo quando fizer essa primeira e essencial impressão em seu novo cachorro, então sua intuição provavelmente está certa. Tudo bem — desde que você siga os procedimentos corretos que explicarei adiante, ao apresentar o cachorro a *todos* os membros da nova matilha dele.

Enquanto isso, leve seu cachorro ao carro usando a mesma energia calma-assertiva e a técnica do "líder da matilha primeiro", que você empregou no passeio. Se estiver usando uma caixa, não force a entrada do cachorro. Procure atraí-lo para dentro da caixa oferecendo comida ou algo de que goste. Espere com a porta da caixa aberta até o cachorro descansar de modo calmo-assertivo; fechar a porta enquanto o animal ainda estiver ansioso fará com que ele se sinta preso. Então, coloque a caixa no banco traseiro do carro, virando-a para você, para que ele possa sentir seu cheiro e olhá-lo no primeiro passeio de carro. Isso ajuda a aumentar a sensação de que ele não está sozinho e de que vocês dois estão juntos nessa grande aventura. Certifique-se de que ele esteja num local seguro e num estado calmo-submisso antes de ligar o motor. Talvez tenha que esperar pacientemente, mas é um momento importante. Ao começar uma atividade com um cão ansioso, você corre o risco de ele sempre associar essa atividade à ansiedade. Lembre-se: quanto mais perfeitamente realizar cada um desses rituais na primeira vez, menor será a probabilidade de ter de "consertar" um problema depois.

Ao chegar em casa, lembre-se mais uma vez de que a energia calma-assertiva é a regra. Isso serve para todas as pessoas da família que estiverem esperando, ansiosas, para receber o novo membro! Você precisa explicar até mesmo para seus filhos pequenos que o cachorro é um ser vivo que merece respeito, e que, para acostumá-lo a sua nova casa, vocês terão que evitar enchê-lo com todo o afeto e toda a animação que eles estão sentindo, pelo menos no começo. Todos na casa, desde o mais novo ao mais velho, precisam ser educados e estar comprometidos com a regra de não tocar, não falar, não encarar. Aconselho você a analisar minhas dicas sobre comportamento canino e ensiná-las aos seus filhos mais agitados antes da chegada do cão.

Sempre aconselho os donos a levar o cachorro para um segundo passeio antes de entrarem na casa ou no quintal. Isso servirá para recriar o processo de "adaptação" de um lugar para outro. Se possível, estacione a alguns quarteirões e caminhe pelo novo bairro de seu cão o máximo de tempo possível — uma hora ou mais. Lembre-se de que ainda que esteja "resgatando" seu cão de uma caixa apertada para levá-lo a uma casa espaçosa e decorada com muito bom gosto, que você trabalhou muito para ter, na mente de seu cachorro você simplesmente o está levando de uma caixa para outra. As paredes não são naturais aos cães, por mais belas que possam ser.

Um quintal enorme cercado por árvores e arbustos, com certeza, é melhor do que uma caixa, mas se você não estruturar o espaço, de modo que seu cão o use da melhor forma, será como um apartamento pequeno. Na verdade, alguns de meus clientes que vivem em apartamentos em Nova York se saem melhor do que meus clientes de bairros residenciais de Los Angeles no que diz respeito a dar equilíbrio para os cães, simplesmente porque eles *têm* que levar o cão para passear! Para um nova-iorquino, um passeio de uma hora de ida e volta ao Central Park não é nada de mais, enquanto para uma família em Calabasas, na Califórnia, até mesmo a ida à padaria é feita dentro de um carro. Os moradores de bairros residenciais vão à academia para se exercitar, mas e os seus cães?

Para qualquer cão, caminhar sem rumo em um quintal grande — por mais cara que seja a propriedade — não substitui um passeio com um líder de matilha que inspira confiança e respeito. Esse fato é ainda mais importante quando seu cão chega em casa com você pela primeira vez. Por favor, resista à tentação de simplesmente deixá-lo andando solto pelo quintal. Dê mais um passeio, acostume-o aos cheiros, às paisagens e aos sons de seu novo bairro. E, mais importante, acostume-o a ver em você o líder da matilha.

Quando as pessoas vão à igreja, à mesquita, à sinagoga ou a qualquer outro templo, sabem que é preciso agir com respeito desde o momento da entrada. Conversamos em tom baixo e abaixamos a cabeça. Ao entrarmos, seguimos os rituais e regras daquela religião em especial — podemos tirar os sapatos, cobrir a cabeça, nos ungir com água ou nos ajoelhar para orar. A verdade é que reconhecemos que esse ambiente especial é um local que devemos respeitar obedecendo às regras, aos limites e às fronteiras que foram estabelecidas ali. Pense nessa metáfora do templo sempre que levar seu cachorro para dentro de casa. Se seu cachorro entra na sua frente e corre em qualquer direção assim que você abre a porta, ele não está respeitando o templo de sua casa.

Quando leva um cão para casa pela primeira vez, a maioria dos donos faz exatamente o oposto do que eu recomendo. Eles abrem a porta da casa e observam com alegria e fascínio enquanto o cachorro caminha sozinho, explorando, farejando, derrubando as coisas — fazendo tudo o que um cão normal e curioso deve fazer em um novo ambiente. O que há de errado nisso? Não se trata de um novo ambiente qualquer. É o *seu* ambiente. É a sua casa, e você — e o resto dos seres humanos da família — é o dono dela. Sua casa é seu templo... e você precisa mostrar isso para o seu cão logo de cara.

Para a primeira apresentação a sua casa, abra a porta e entre na frente do cachorro, e então convide-o para entrar em seguida. Já que vocês se cansaram na caminhada, leve seu cachorro diretamente para a cozinha, ou para onde ele vai se alimentar, e ofereça comida e água. Peça a ele que se sente enquanto você prepara a refeição, e não permita que ele explore a área sozinho. Recomendo que você mantenha a coleira no cachorro durante a maior parte do tempo em que o apresenta à nova casa.

Depois de fazer exercícios e comer, seu cão deve estar em um estado muito mais relaxado do que aquele no qual se encontrava quando você o tirou da caixa. Agora, apresente-o ao resto da família, pessoa por pessoa. Reduza a excitação ao mínimo. Quanto menos barulho fizer, melhor. Deixe o cachorro conhecer cada membro da família, um a um, de modo que ele se torne familiarizado com cada cheiro. Depois que os membros de sua família praticarem a regra de não tocar, não falar, não encarar, se o cão se aproximar de algum deles, *aí, sim,* poderão demonstrar carinho — mas só se o animal der o primeiro passo. Lembre-se de um conselho importante: o líder da matilha não vai atrás de ninguém, os seguidores é que vão ao líder da matilha!

Agora é um bom momento para caminhar pela casa. Imagine seu cachorro como um convidado novo que está em visita no fim de semana, ou finja que você é um corretor de imóveis mostrando a casa para um comprador em potencial (seu cachorro!). Mantenha a coleira no animal e o leve, com calma, a cada cômodo ou área da casa nos quais ele pode entrar. Pare à porta, faça com que ele espere e depois o convide a entrar. Deixe o cachorro explorar o cômodo de modo controlado, e então o leve para fora e vá ao cômodo seguinte. É a sua maneira de dizer a seu novo cão: "Este é o *meu* quarto. Este é o *meu* escritório. Este é o *meu* sofá." Apesar de seu cão não compreender que você pagou setecentos dólares pelo sofá, ele compreende o conceito básico de "posse". Nas matilhas, o cão dominante expressa posse ficando ao lado do objeto em questão, e "reivindicando-o" com sua energia. Isso mostra aos cães mais submissos da matilha: "Fiquem longe das minhas coisas."

Se você não quer que ele se aproxime de determinado sofá, o animal não levará isso para o lado pessoal. Ele não precisa saber por que você permite que ele suba em um sofá, mas não em outro. Nesse sentido, é mais fácil dar regras a um cão do que a uma criança questionadora. No entanto, você precisa comunicar essas regras ao seu cão *com clareza e firmeza*. Os cães vivem em um mundo claro no que diz respeito a códigos de conduta; por isso, se houver alguma área nebulosa, sua mensagem simplesmente não será compreendida. Leve seu cachorro de cômodo em cômodo assim que o levar para dentro de casa, dessa forma esses canais de comunicação se abrirão logo de início.

Por fim, você deve levar seu cão ao local onde ele vai dormir ou que será seu "cantinho". Ainda que permita que ele durma com você no quarto futuramente, não recomendo que permita isso na primeira noite, nem mesmo na primeira semana, por causa das três zonas proxêmicas: o espaço público, o espaço social e o espaço íntimo. Ainda que a maioria dos seres humanos não permita que outra pessoa entre em sua zona íntima sem um nível de confiança preexistente, costuma aceitar os cães em suas zonas íntimas instantaneamente, antes de a pessoa e o cachorro se conhecerem bem. Isso pode parecer estranho e pouco natural, mesmo para animais carinhosos e companheiros como os cães. Dormir com um animal ou com uma pessoa é a atitude mais íntima que você pode ter, ainda mais íntima do que o sexo. Isso porque, para que dois animais durmam juntos, os dois precisam ter confiança total. Quando você dorme e seus olhos se fecham, você está no estado mais vulnerável de sua vida. É preciso ter total confiança e submissão para conseguir fazer isso e ainda se sentir perfeitamente seguro e protegido. Quando adotamos um cão adulto, não devemos compartilhar esse tipo de intimidade logo de cara. Primeiro, devemos estabelecer nossa posição como líder de matilha; segundo, devemos ter total confiança um no outro. Acho ótimo dormir com os cachorros (e falaremos sobre dormir com filhotes na página 72), mas acredito que compartilhar a sua zona íntima é algo que deve ser conquistado por meio de regras e limites. Assim, terá um sentido ainda mais profundo para você e seu cão.

Em vez de levar seu cachorro para a sua cama logo de cara, coloque uma caixa ou cama para cachorro em uma determinada área onde ele possa dormir por uma ou duas semanas. Se seu cachorro fez exercícios e estiver cansado e alimentado, não terá muita dificuldade para se habituar ao novo local de descanso. Convide o animal para entrar na caixa na garagem, no quarto de empregada ou na lavanderia — e deixe que ele entre lá sozinho. Nunca o obrigue; ofereça petiscos, se preciso. A experiência deve ser tranquila e agradável. Verifique se o animal está totalmente relaxado, calmo, antes de fechar a porta ou o portão da área de descanso. Se o cachorro começar a chorar, olhe nos olhos dele e peça que relaxe, e então espere até que ele demonstre total submissão — independentemente de quanto tempo for preciso. Ele está aprendendo que a única maneira de conseguir sua aprovação é relaxando, e que o "cantinho" que você arrumou é o local onde ele deve praticar a submissão calma.

Pode ser que isso leve quarenta minutos na primeira noite, trinta na segunda e vinte na terceira, mas, por fim, seu animal de estimação se sentirá tranquilo no novo espaço. Se seu cachorro chorar durante as primeiras duas noites, não o console, mesmo que tenha o impulso de fazer isso. É uma boa psicologia humana, mas a mente dos cães não funciona como a nossa. Quando damos afeto à mente instável de um cachorro, apenas reforçamos e incentivamos esse estado mental. Depois de uma ou duas noites se habituando a esse ritual, seu novo cachorro vai se acalmar e dormir de modo mais confortável. E você também.

LISTA BÁSICA PARA A CHEGADA EM CASA

1. "Migre" com seu cão para dentro da casa nova dele.
2. Passe pela porta antes dele.
3. Apresente seu cachorro aos outros membros da matilha.
4. Caminhe com seu cão pela casa toda.
5. Apresente as regras e os limites de sua casa.
6. Mostre ao animal onde ele vai dormir, tomando o cuidado de lhe dar as associações mais positivas possíveis.

LIDANDO COM A ANSIEDADE DO NOVO CACHORRO

Seu novo cachorro está entrando em um ambiente desconhecido; por isso, se ele é ansioso, pode ficar ainda mais com a novidade de sua casa e de sua família. Se você já exercitou o cachorro e permaneceu calmo-assertivo durante o processo de apresentação, isso deve diminuir o estresse da nova situação. Em casos extremos de ansiedade, no entanto, seu cão pode ficar assustado e correr para debaixo dos móveis. Se ele fizer isso, não saia engatinhando atrás dele, não grite nem o acaricie. Em vez disso, afaste-se a uma distância confortável e use gestos para tentar chamá-lo. Os cães instintivamente compreendem nossos gestos; na verdade, eles são a única espécie do planeta, além dos primatas, que compreendem que, se apontamos, eles precisam olhar ou ir na direção indicada. Você também pode usar comida para chamar seu cão. Espere até que ele saia e demonstre uma postura calma-submissa para lhe dar o petisco.

Outra maneira de minimizar o estresse ansioso que um cachorro novo pode ter é apresentar-lhe algo barulhento e assustador logo de cara, comunicando com sua energia que ele não deve se preocupar. A campainha é um bom exemplo. Não espere receber visita para descobrir que seu cachorro dá um pulo de dois metros ao ouvi-la! Em vez disso, peça a um membro da família que use a campainha para entrar e sair com calma, ignorando o cachorro. Condicione-o a associar o som da campainha a algo que não seja a surpresa ou o entusiasmo com a chegada de alguém. Ao apresentar com cuidado esses fatores de possível estresse na vida de seu cão, você terá menos risco de enfrentar problemas com eles no futuro.

Acrescentando um novo cachorro à matilha

Se você já tem cães e seguiu minhas sugestões até agora, seu novo companheiro é um cachorro com um nível igual ou mais baixo de energia do que os cães que você já tem. Você também cuidou para que sua matilha atual seja equilibrada, tenha poucos problemas e todos os animais da matilha o vejam como líder.

O primeiro passo nesse processo é apresentar os cães uns aos outros de modo natural e sem ameaças. O ideal é que você já tenha marcado um primeiro encontro antes de tomar a decisão final de adotar o cão novo, assim como Virginia e Jack fizeram no capítulo 1, apresentando os cães candidatos ao membro da matilha, Spike. Esse primeiro encontro essencial convenceu Jack de que o cachorro ao qual se apegou mais não era uma escolha compatível com a energia de Spike. Da mesma maneira, os Barbera levaram seus dois cachorros à Daphneyland para ter certeza de que eles eram compatíveis com o basset hound que eles queriam levar para casa. Ao adotar um cão com nível de energia igual ou inferior aos dos cães de sua matilha já existente, você diminui a possibilidade de lutas por dominação. Se o novo cão tiver a energia certa, provavelmente ele vai se adaptar e se adequar à estrutura atual da matilha.

Seja antes ou depois da adoção, você deve fazer com que o primeiro encontro ocorra em ambiente neutro, longe de sua casa, para evitar disputas de território. Nunca permita que os cães se encontrem de frente. No mundo dos cães, encontros cara a cara e contato visual não desejado significam que um confronto está prestes a acontecer. Use seu corpo para mediar a interação, permitindo que seus cães explorem um ao outro ao seu redor. No mundo dos cães, o cão novo fica parado, permitindo que o resto da matilha cheire seu traseiro. É o equivalente a um aperto de mãos entre duas pessoas, ou, mais correto, um aperto de mãos e um cartão de visita, já que os cães que cheiram terão informações a respeito de quem o cachorro é e de onde ele esteve. Você, como líder da matilha, deverá estabelecer os limites, cuidando para que nenhum dos cães demonstre um comportamento inaceitável. No entanto, levar seus cães todos juntos em um "passeio de matilha" é a melhor maneira de começar a integrá-los em uma unidade cooperativa.

Antes do passeio da matilha, é uma boa ideia levar o cachorro novo e sua matilha atual em passeios separados para aliviar a tensão ou a energia física que podem estar acumuladas. Depois de todos os cachorros terem feito seus exercícios preliminares, será a hora de uni-los. Quando você começar a caminhar, mantenha sua matilha existente de um lado e seu novo cão do outro, para que eles se acostumem uns com os outros e se habituem a andar juntos, como um grupo. Você pode permitir que um cachorro ande na frente do outro; assim, o outro cão terá a chance de se familiarizar com os odores de seu novo companheiro. Depois, troque, deixe que o outro vá atrás e sinta o cheiro de seu novo amigo. O cachorro novo buscará orientações com você e com os outros cães, a quem terá como modelos. Se eles seguirem você, o cachorro novo perceberá. Os seus cachorros ensinarão ao recém-chegado a maneira certa de se comportar dentro da estrutura da matilha que você criou.

Apresentando crianças pequenas ao novo cachorro

Quando se trata de crianças e cães, minhas três principais regras são: supervisão, supervisão e supervisão. As crianças são atraídas para os animais como ímãs para o ferro. No entanto, desejar estar perto dos animais e da Mãe Natureza não quer dizer que as crianças compreendam regras e limites. Ensinar essas coisas às crianças é a tarefa de todo pai. Até ter certeza de que seu cão e seu filho compreendem as regras para ficarem juntos, você deve estar sempre atento a como eles estão interagindo.

Repita os mantras de "não toque, não fale, não encare" a seu filho bem antes de ele conhecer o novo cachorro. É possível que seu filho tenha um amigo ou conheça alguém que não age desse modo perto de seu cão, e perguntará por que a amiguinha pode puxar o rabo do cão, brincar de cabo de guerra ou fazer algumas coisas que você diz que não devem ser feitas. É hora dos "por quês", e é bom tirar todas as dúvidas antes da chegada do cachorro. Este também é um assunto que deve ser abordado na reunião de família: discutir como a *sua* família faz as coisas e não como seus amigos, parentes e vizinhos as fazem. Talvez ajude falar algo ruim sobre o cachorro daquela amiguinha — por exemplo, que ele salta todas as vezes em que você se aproxima da porta. Explique que esse comportamento não quer dizer que o cachorro está "feliz" — quer dizer que o cachorro está agitado e não aprendeu boas maneiras. Não fale mal dos vizinhos, apenas explique que você teve acesso a boas informações que o convenceram de que é assim que sua família deve agir. As crianças pequenas quase sempre querem seguir o plano da família, mas elas precisam entendê-lo com clareza, de modo correto.

Quando seu filho vir o cachorro pela primeira vez, é importante que ele esteja em um estado instintivo/psicológico, não físico, o que quer dizer que a criança já fez exercícios e está relaxada, muito bem-comportada. Se a criança estiver alterada, pode superestimular um cão ansioso ou hiperativo ou um cão com tendências agressivas ou dominantes, ou, ainda, pode intimidar um cão temeroso e tímido. Peça a seu filho que fique parado (mas relaxado) e deixe o cachorro se aproximar para sentir seu cheiro. Se o cão for exageradamente assertivo, você precisa reivindicar o espaço ao redor da criança e passar ao animal a mensagem: "Este é o espaço de meu filho, você precisa ser convidado a entrar!" Quando fizer isso, não apenas estabelecerá um círculo de respeito ao redor de seu filho, como o ensinará a reivindicar o seu espaço no futuro. Se o cachorro demonstrar hesitação ou medo, cuide para que a criança não siga o impulso natural de acariciar o animal para confortá-lo. Agora, espero que você tenha passado a todos em casa a ideia de que demonstrar afeto ou solidariedade para cães sob estresse não os ajuda, apenas os machuca.

DICAS BÁSICAS

Reivindicando seu espaço

1. Reivindicar espaço significa usar seu corpo, sua mente e sua energia para "possuir" o que você gostaria de controlar. Você cria um círculo invisível ao redor de uma pessoa, um local ou uma coisa que lhe pertence, um espaço em que o cachorro não pode entrar sem sua permissão.
2. Quando você quiser reivindicar espaço, procure projetar uma linha invisível ao redor do local ou objeto do qual não quer que seu cachorro chegue perto. Diga a si mesmo: "Este é o meu sofá" ou "Esta é a minha bola". Você terá uma conversa verbal consigo mesmo, mas uma conversa psicológica/energética com seu cão. Nunca puxe um objeto de um cachorro, nem tire um cachorro de um lugar nem o afaste de uma pessoa ou um objeto. Ao puxar uma coisa de um cachorro, você o está convidando ou a competir por ela ou para brincar. Isso só aumenta o instinto de caça dele. Em vez disso, ande calma e assertivamente em direção ao cachorro, estabelecendo contato visual firme, até que o animal se afaste ou relaxe.
3. Para fazer seu cão soltar um objeto, você deve pedi-lo primeiro com sua mente e sua energia. Não pode ser hesitante e deve ser totalmente claro em relação à sua intenção. Não negocie nem implore a seu cachorro, nem verbal nem mentalmente. Seu cão não vai levar isso para o lado pessoal. Ele não vai ter problemas em dar a você o que sabe que lhe pertence.

Sempre recomendo que as pessoas evitem dar ao cão afeto em excesso nos primeiros dias ou semanas depois de levá-lo para casa, mas percebo que a maioria das pessoas não segue o meu conselho. A lógica para esse pedido é o que é melhor para o cão. Quando um cão está em um novo ambiente e em uma nova matilha, as primeiras coisas com as quais ele se preocupa são "Quem manda aqui?" e "Este lugar é seguro?". Ao oferecer liderança e limites antes do afeto, você responde a essas perguntas para ele — *você* está no comando e *você* vai mantê-lo (e o restante da matilha) em segurança. Só depois de saber as respostas para essas perguntas é que um cachorro consegue relaxar, relacionar-se e tornar-se um membro da família completo, confiável e respeitável.

Crianças pequenas são naturalmente carinhosas e podem não entender por que não podem acariciar o cão logo de cara. Você pode ajudá-las a controlar seu impulso explicando, antes de o cão chegar, como elas devem interagir com ele, e sempre supervisione a interação. Quando o cão estiver vivendo com você, as crianças entenderão que o que é bom para o ser humano nem sempre é o melhor para o cão.

Outra ótima maneira de ajudar seu filho a se aproximar do novo cachorro, ao mesmo tempo em que estabelece regras e limites, é fazer com que o animal e a criança façam exercícios juntos desde o início. Se seu filho ainda estiver no carrinho de bebê, mostre como você sai de casa com o cachorro e como ele o segue. Depois do passeio, deixe a criança acariciar o animal e lhe dar um petisco, quando o cão estiver calmo e relaxado. Se seu filho for mais velho, nunca é tarde para começar a lhe ensinar a liderar o passeio. Leve a família toda até ter certeza absoluta de que seu filho consegue levar o cachorro sozinho; ao observar você, ele vai absorver o modo calmo-assertivo correto de se comportar perto do animal. Crianças e cachorros são ótimos companheiros de caminhada, e eles se atraem porque vivem totalmente no presente. Quando você ensina ao cachorro e à criança regras, limites e respeito mútuo a partir do primeiro dia, passa a formar uma ótima equipe criança/cachorro. Ao alimentar esse lindo relacionamento, você criará um líder de matilha maravilhoso, num mundo que precisa do máximo possível de líderes calmo-assertivos!

Apresentando seu novo cão ao seu gato

Como sou um amante de cães, costumo me esquecer de que amantes de gatos também consideram seus felinos membros da família. Para que o encontro entre gato e cachorro seja tranquilo, você precisa realizar um trabalho antes de levar seu novo cão para casa. A experiência dos Barbera na Daphneyland é um ótimo exemplo. Eles sabiam que o cão que adotaram já estava socializado com gatos, uma vez que esse tipo de serviço era oferecido pelo grupo de resgate Daphneyland. Muitos grupos de resgate avaliam os cães para ver como eles reagem a gatos, crianças e outros cães. Alguns cães com impulso de predador não são os melhores candidatos para casas onde há pequenas criaturas correndo soltas.

Outra coisa a lembrar é aquele conceito muito importante: a energia. Um ser humano é energia, um cão é energia e um gato é energia, por isso você precisa levar em conta a energia inata de seu gato ao escolher o cachorro que levará para casa, assim como deve levar em conta a energia dos cães que já tiver. As energias atraem e as energias repelem, então o ideal é que você escolha uma energia que seja compatível com a energia do animal de estimação que você tem em casa. Se tiver um gato de alta energia e dominante, ele cuidará de si mesmo em quase qualquer situação. Várias vezes, pediram-me que ajudasse pessoas com um cão "incontrolável" — e descobri que o gato da família não tinha problema nenhum em estabelecer limites e regras ao cão.

No entanto, se seu gato é arisco com as pessoas, tímido, velho, fraco ou doente, você precisa tomar o cuidado de levar para casa um cão muito submisso e de baixa energia para ajudar a manter o equilíbrio de sua casa. Se tiver dúvidas, apresente o gato ao cachorro como se fosse parte do seu espaço. Se você se apresentar como o líder da matilha ao gato — em outras palavras, você *possui* o gato —, o cachorro respeitará o felino em respeito a você. Não mantenha os dois separados. Seu objetivo é criar uma matilha na família, não várias. Em um caso de *O encantador de cães*, eu aconselhei um casal a passear com o cachorro e o gato (em um carrinho!) juntos, para fortalecer o elo da matilha. Por mais estranho que a minha sugestão possa parecer, o casal me disse que deu certo, e o gato e o cachorro, antes inimigos mortais, agora são amigos de brincadeiras.

Ensinando um cão adulto a fazer as necessidades

Às vezes, um cão disponível para adoção pode não ter aprendido a fazer as necessidades em seu lar anterior. Por exemplo, os animais resgatados de fábricas de filhotes, de laboratórios ou de pistas de corrida podem ter passado a vida toda sem estabelecer uma rotina para isso. A boa notícia é que o cão normalmente não quer fazer as necessidades no "cantinho" dele. Você pode ajudá-lo oferecendo uma rotina rígida, com a qual você terá que ser extremamente disciplinado nos dois primeiros meses.

DICAS PARA CÃES ADULTOS FAZEREM AS NECESSIDADES

- Leve o cão para fora logo cedo, e então, a cada quatro horas, se possível. Diminua gradualmente para três vezes por dia.
- Se você trabalha durante o dia, mantenha seu cachorro em uma pequena área ou cercado enquanto se ausenta e limpe e desinfete bem qualquer área onde ocorreram acidentes.
- Leve seu cão ao mesmo local todas as vezes.
- Não permita que o cachorro passeie por uma área grande logo no começo.
- Recompense com afeição — um elogio, um petisco ou apenas sua energia — depois de o cachorro usar o banheiro fora de casa.
- Alimente seu cachorro em horários regulares e controle a quantidade de água que oferece, pelo menos até uma rotina ser estabelecida.

Alguns cães dominantes vão querer urinar para marcar território, ao contrário de apenas se aliviarem. É importante que você interrompa esse hábito logo de cara, verificando se seu cão está em um estado calmo-submisso sempre que sair para urinar. Se tiver um cachorro que urina de um ponto de vista dominante, sempre que o vir indo em direção a uma árvore com essa energia, você precisa segurá-lo e esperar até que ele esteja em um estado submisso para soltá-lo. Você ensinará, dessa maneira, que não é a ansiedade que o faz urinar, mas que é você que o permite fazê-lo. Isso é, basicamente, reprogramar os órgãos dele por meio da mente, controlando a fisiologia por meio da psicologia. Em um cão adulto, isso pode exigir muita paciência e compromisso de sua parte, mas não se esqueça de que precisará de poucos meses para estabelecer um padrão duradouro de bom comportamento.

Primeiro dia do filhote em casa

Levar um filhote para casa depois de tirá-lo de um criador, abrigo ou organização de resgate é um processo bem diferente de receber um cão adulto. Um cão adulto pode machucar alguém, por isso você precisa ter certeza de que ele respeita o ambiente, recebendo-o dentro da matilha do modo como descrevi. Enquanto o respeito é a primeira coisa que você quer de um cão adulto, a *confiança* é a primeira coisa que deve estabelecer com um novo filhote. O filhotinho precisa aprender a confiar no novo ambiente no qual você o colocou. Ele não pode machucar ninguém, mas pode machucar a si mesmo.

Seu papel com o filhote é assumir o papel da mãe como líder de matilha, ao mesmo tempo que permite que o filhote explore e entenda as coisas sozinho. Isso quer dizer que você deve segurar o filhote pela nuca, como a mãe faz, e quando colocá-lo no chão, sempre permita que duas de suas patas toquem primeiro, de modo que ele possa sentir o local onde você o está colocando com seu próprio corpo. Podem ser as patas traseiras, se você estiver segurando o filhote de pé, ou as duas dianteiras, se estiver colocando o animal dentro de um objeto desconhecido, como um carro. Coloque as duas patas do filhote e, em seguida, as outras duas. A maioria das pessoas carrega os filhotes de um lado para outro como se fossem bebês, de modo que eles nunca percebem como chegam a cada local.

Quando você for colocar o filhote dentro do carro para voltar para casa, não coloque o filhote na caixa e leve-a ao carro. Leve o filhote ao carro, coloque as duas patas dianteiras no chão, e o cérebro dele, automaticamente, desejará colocar as quatro patas onde as duas primeiras pousaram. Se você esperar esse momento, o filhote conseguirá entender como ficar no colo de uma pessoa, dentro de um carro ou em um ambiente novo. Ao apresentar o filhote a novos lugares como a mãe dele faria, ele compreende instintivamente: "Certo, isso faz com que eu me sinta como me sentia em casa. É importante que eu siga esta pessoa que é familiar para mim desde o momento em que me pegou." Você se torna o último elo do filhote com a mãe, ou com sua primeira matilha. O filhote vai querer explorar primeiro com o corpo e depois com o focinho, por isso, se você quiser levar o filhote dentro de uma caixa ou uma gaiola, pode usar comida para atraí-lo de modo que ele entre sozinho.

Se você tirou o filhote corretamente de sua mãe e o levou para o carro do modo como descrevi, será natural que ele siga você, pois você será o mais próximo de sua família. Agora, está na hora de levar o filhote para dentro de casa. É importante que ele perceba o ambiente no qual viverá, que sinta os cheiros, os sons e a paisagem de seu quintal, da sua casa e do seu bairro.

Digamos que você tenha um quintal com cerca branca na frente. Deve ser passada a mensagem ao filhote de que essa cerca marca o começo de seu território. Coloque a coleira no pescoço de seu filhote, para você ter bom controle. Depois, coloque o filhote no chão, com as patas traseiras primeiro, então caminhe em direção a sua casa, permitindo que ele siga você para dentro. Se você mora em um apartamento, coloque o filhote do lado de fora e espere que ele o siga para dentro. A paciência é essencial aqui, porque ele pode estar um pouco desorientado e um tanto reticente no começo. A hesitação é normal nos filhotes, porque tudo é novo para eles, mas não force o animal a entrar se ele "travar". Espere até que ele comece a usar o focinho. Então, ele demonstrará curiosidade natural e vontade de segui-lo, e nesse momento você pode ajudá-lo a entrar. Lembre-se de que a energia que você compartilha com seu filhote se tornará a energia dele. Se estiver tenso e impaciente com ele, ele refletirá essa tensão de volta. A boa notícia é que todos os filhotes estão programados para seguir, por isso, dê tempo... ele acabará entrando na casa.

Dentro de casa, observe como o filhote se adapta ao novo ambiente. Alguns filhotes olham ao redor e começam a chorar, uma maneira de dizer: "Não me sinto familiarizado com este local." Alguns podem explorar cuidadosamente um espaço pequeno; mas não se esqueça, quando for apresentar um espaço novo, você deve ser o primeiro a atravessar a porta. Se o filhote começar a andar na sua frente, use sua perna como obstáculo para bloqueá-lo, para comunicar silenciosamente: "Este é o limite que você não deve cruzar." Alguns filhotes podem entrar e imediatamente se fechar por medo e confusão. É importante que você não sinta pena nesse momento. Lembre-se de que a cadela mãe nunca sente pena dos filhotes! Fique por perto, mantenha-se calmo e assertivo e deixe o filhote passar pelo período de transição sozinho — é assim que ele se torna autoconfiante. Se você o pegar no mesmo instante para fazer carinhos e confortá-lo, vai impedi-lo de desenvolver a autoestima necessária de que ele precisará para saber lidar com novas situações no futuro.

A melhor coisa que você pode fazer por seu filhote nesse momento é usar o odor para destravar o cérebro quando este se fechar. Os filhotes dessa idade são guiados por duas necessidades principais —

comida e companhia —, então você pode levar o filhote para onde quer que ele vá tanto com a sua presença quanto mostrando petiscos diante do focinho dele. Quando ele caminhar em direção ao cheiro, você deve dar o alimento, e rapidamente ele perceberá que, se seguir esse cheiro, será alimentado. Você também estará fazendo a associação entre ir adiante e uma experiência segura, positiva e agradável.

Nesse momento, um cão mais confiante esperará que você dê a orientação, como se perguntasse: "O que vamos fazer agora?" Se for o caso, deixe o cão seguir você pelo ambiente até que se canse. Quando ele demonstrar sinais de estar indo mais devagar, permita que ele o siga até o seu cantinho de descanso. Se ele já estiver cansado ou com sono, você deve aproveitar a oportunidade para lhe apresentar seu cantinho ou sua cama, indicando: "É aqui que praticamos o comportamento tranquilo." Mais uma vez, não o pegue simplesmente e o coloque em cima do tapete — além de desorientar o filhote ao fazer isso, também se corre o risco de associar o local de descanso com uma experiência negativa. Pode ser que você tenha criado o paraíso do sono mais lindo e confortável do mundo, mas se apresentá-lo de modo negativo, sempre será feio para seu novo filhote. Em vez disso, procure guiar o filhote com comida, ou coloque-o a meio metro do local onde quer que ele descanse. Ao seguir sozinho para lá — principalmente se for guiado por um petisco —, ele associará o novo "cantinho" com um relaxamento agradável.

O local de descanso também é uma questão diferente entre um filhote e um cão mais velho. Os filhotes sempre dormem com a mãe e os irmãos no mundo selvagem. Como eu sempre levo uma matilha comigo, todos os meus filhotes dormiram com a matilha nova desde o primeiro dia; no capítulo 4, falarei sobre como meu pit bull Daddy se tornou uma figura paterna para meu filhote, Junior. Se você não tiver um cão equilibrado que esteja pronto e disposto a assumir o papel de "babá" de seu cãozinho, depende de você reduzir qualquer trauma que o filhote possa ter na primeira noite longe da família original. Isso significa manter uma forte presença de líder de matilha perto do filhote nas primeiras duas ou três noites para minimizar qualquer sentimento de abandono que o filhote possa ter. Leve uma toalha, um cobertor ou um brinquedo que tenha o cheiro da primeira família do filhote. O cheiro da mãe e dos irmãos vai acalmá-lo enquanto ele tenta se adaptar à vida sem eles.

Em seguida, coloque a caixa ou gaiola do filhote próximo ou ao lado da cama de um membro adulto da família. A caixa mantém o filhote seguro, ajuda a dar início ao treinamento dentro de casa (uma vez que os filhotes não gostam de sujar o local onde dormem), dá início ao treinamento e permite que os novos "pais" humanos consigam dormir sabendo que o filhote está seguro e protegido. A caixa deve ser forrada com uma esteira macia ou com toalhas, que tenham tanto o cheiro da família original do filhote como o da sua nova família. Coloque um ou dois bichinhos de pelúcia com cheiros familiares para oferecer calor físico e conforto. Muitos pet-shops vendem brinquedos macios com "corações que batem", que fazem com que o filhote se lembre do som das batidas do coração da mãe. Lembre-se: nunca feche a porta de uma gaiola ou caixa se o filhote não estiver totalmente relaxado.

Se você não planeja deixar o filhote dentro de seu quarto, três dias devem ser tempo suficiente para acostumá-lo com seu novo ambiente. Pode ser que ele chore durante a noite quando você mudar seu local de sono, mas se você cansá-lo e esperar que fique relaxado antes de levá-lo para dormir, não demorará muito para que ele se acostume com o local onde você quer que ele durma. Não se esqueça de que sua energia e sua atitude em relação ao local de descanso de seu filhote terão um forte impacto no modo como ele o vê. Se você se sente muito mal em colocar a caixa de seu filhote no quarto de empregada e fica com receio de que ele se sinta solitário, seu filhote provavelmente perceberá e passará a compartilhar suas emoções negativas. Decidir o local de descanso de modo a sentir que está oferecendo conforto a seu filhote é a melhor maneira de garantir que ele fique à vontade dormindo ali.

As primeiras noites de seu filhote são apenas o começo de uma nova e excitante vida com sua família humana. Ao cuidar de um filhote, você terá uma oportunidade excelente de "criar" o cachorro dos seus sonhos.

4

CRIANDO O FILHOTE PERFEITO

Tudo sobre filhotes

Meu pit bull Daddy tem, hoje, 14 anos, e vem levando uma vida incrível até aqui. Já viajou a vários lugares dos Estados Unidos, passou pelo tapete vermelho no Emmy Awards e esteve até na Casa Branca. Daddy pertencia a um rapper chamado Redman. Na cultura do rap, ainda é considerado símbolo de status ter um cachorro grande e forte, como um pit bull ou rottweiler. Daddy fazia esse estilo. Entretanto, quando Redman levou Daddy para casa, viu amigos e colegas dele com pit bulls malcomportados que mordiam as pessoas — que acabavam processando os donos dos animais. Redman viajava muito, passava muito tempo em estúdio ou em shows, e não podia vigiar seu cão o tempo todo. Também não podia enfrentar processos e mais processos para explicar por que seu cachorro era hostil com as pessoas. Então, Redman tomou uma decisão responsável e procurou um profissional para ajudá-lo. Felizmente, esse profissional fui eu.

Daddy tinha apenas três meses na época, e eu tive a oportunidade de lhe dar tudo de que precisava para ser um cão satisfeito, equilibrado e motivado. Eu, minha família e uma matilha de rottweilers que eu reabilitava na época criamos o Daddy. Claro, todos sabemos que Daddy acabou se tornando o grande embaixador de sua raça mal-afamada. Apesar de ele ter passado a maior parte de sua vida comigo, oficialmente pertencia a Redman até poucos anos atrás, quando, legalmente, passou a ser meu. Apesar de eu não gostar de favorecer nenhum cão, Daddy e eu temos um elo que vai além de qualquer coisa que a natureza ou a ciência explicam. Chegamos a um nível maravilhoso de companheirismo no qual lemos os pensamentos um do outro e nos comunicamos sem palavras quase instantaneamente.

Contudo, a verdade é que o trem da vida segue apenas em uma direção, e Daddy agora é um cidadão idoso. É um fato. Um dia, ele não estará mais neste planeta comigo.* Como os pit bulls são muito malvistos em nossa sociedade, acredito que seja importante sempre ter um desses cães ao meu lado para desfazer todos os estereótipos terríveis da raça. Na minha matilha, muitos pit bulls incríveis ajudaram a reabilitar cães, tanto no Dog Psychology Center como em outros locais, mas nenhum deles tem a maravilhosa energia média de Daddy, além de sua calma, experiência e sabedoria. Posso levá-lo a qualquer lugar, e sei que todas as pessoas e todos os animais que o conhecerem também se apaixonarão por ele.

Durante muito tempo, não consegui admitir para mim mesmo que Daddy estava envelhecendo. Ele sobreviveu a um câncer e à quimioterapia com muito louvor, e lida bem com a artrite. Apesar de eu monitorá-lo de perto, cuidando para que não sinta muito calor nem cansaço, nem passe tempo demais sem ir ao banheiro, tento viver o presente e nunca penso no dia em que não o terei mais ao meu lado. Um amigo meu, um excelente veterinário de Sina Loa, no México, não foi tão delicado. "Você sabe que ele não vai viver para sempre, não é?", perguntou ele. Então me disse que tinha um pit bull fêmea que fora maravilhosa com os filhos dele anos atrás, e que acabara de ter uma ninhada. Ele falou: "Venha à minha casa, talvez você encontre o próximo Daddy."

Apresentando Junior

Meu amigo foi muito sincero a respeito de algumas coisas que eu não estava preparado para enfrentar, mas aceitei o convite. Queria ver o pit bull interagindo com os filhos dele, por isso fui à sua casa. Ela era absolutamente linda — o cachorro perfeito para uma família, muito submisso às crianças. Meu amigo me mostrou uma foto do pai dela, que também era muito bem-cuidado e saudável — um cachorro de exposição, na verdade. Quando entrei para ver os filhotes, um deles

* Quando da publicação da edição original, em 2008, Daddy completou 14 anos. O pit bull, grande companheiro de Cesar Millan, faleceu em fevereiro de 2010. (N. do E.)

logo chamou minha atenção. Ele era todo cinza, com uma mancha branca no peito, e tinha olhos azul-claros, mas o que mais me atraiu foi sua energia. Apesar de não ser parecido com Daddy fisicamente, a energia dele me levou de volta ao passado, como se estivesse vendo Daddy de novo, quando ainda era filhote. Em meu coração, eu me ouvi dizer: "É ele. É este."

Por mais interessado que estivesse naquele filhote, eu não podia levá-lo para a matilha sem que antes conhecesse Daddy, o cara que eu queria que fosse seu "pai adotivo". Como sempre, um cachorro pode lhe dizer muito mais sobre outro animal — cachorro, gato ou ser humano! — do que qualquer pessoa. Primeiro, decidi ver como Daddy reagia perto de outros filhotes da ninhada. Percebi que um deles agia de modo um pouco dominante com as crianças da família, então tentei apresentá-lo ao Daddy, que logo rosnou para ele e se afastou. Outro filhote que escolhi não despertou nenhum interesse nele; Daddy o ignorou totalmente. Os cães mais velhos costumam ignorar os filhotes que os irritam, porque não têm energia nem paciência para lidar com as atitudes dos pequenos. Mas como Daddy reagiria ao cachorrinho cinza de que eu havia gostado? Torci para dar certo, mas eu conheço o Daddy, e tinha a sensação de que ele e eu nos sentiríamos atraídos pelo mesmo cachorro.

Ergui o filhote cinza pela pele da nuca, como uma mãe o carregaria, e mostrei o traseiro dele ao Daddy, que o cheirou e fez um sinal para que eu o colocasse no chão. Quando baixei o filhote, ele automaticamente abaixou a cabeça de modo muito educado e submisso para o Daddy, que continuou a cheirá-lo, e ficou claro que havia interesse e afinidade ali. E o mais incrível aconteceu logo depois! Quando o Daddy terminou de cheirar o cachorrinho e começou a se afastar, o filhote começou a segui-lo. Meu coração acelerou: eu sabia que aquela bolinha de pelos cinza seria o "filho" espiritual do Daddy.

Os meses cruciais na vida do filhote

Uma das coisas mais importantes a se lembrar a respeito da fase de filhote é que ela é o estágio mais curto da vida do cachorro. Um cão é filhote até os oito meses; depois, adolescente dos oito meses aos três anos. Com boa alimentação e cuidados veterinários, a expectativa de vida de um cão atualmente pode variar de 10 a 12 ou 16 anos, às vezes mais.[1] Então, quando uma criança assiste ao filme *101 Dálmatas* e implora aos pais "Eu quero um filhote, eu quero um filhote!", os pais e os filhos precisam se lembrar de que, em um piscar de olhos, aquele filhote logo será um cachorro adulto. Um filhote não é um bicho de pelúcia que permanecerá pequeno e fofinho para sempre. Se alguém na casa estiver apaixonado apenas pelo tamanho e pela forma de um filhote, então aconselho vocês a não cederem ao capricho e não adotarem um cachorro. Infelizmente, isso é algo que acontece com muita frequência. Os seres humanos naturalmente se interessam por animais que parecem bebês indefesos, com cabeças e olhos grandes e corpos pequenos. Eles despertam carinho e cuidado em nós, sejamos crianças ou idosos. Isso poderia explicar por que os filhotes e os cães pequenos costumam ser adotados primeiro, deixando os cães mais velhos e maiores esperando por donos que nunca chegarão. Normalmente, esses cães são os primeiros a serem mortos. Uma pessoa que adota um filhote por impulso, ou que ganha um filhote de presente, pode acabar levando o cachorro crescido a um abrigo ou centro de resgate quando ele deixa de ser "bonitinho". Os filhotes exigem comprometimento, concentração, energia e, acima de tudo, paciência. Se você não estiver preparado para cuidar de um cão pelo resto da vida dele, então, por favor, não leve para casa um animal por capricho, só por causa de sua carinha adorável.

Se tem certeza de que quer se comprometer com um filhote pela vida toda, no entanto, apesar do trabalho duro, você tem uma oportunidade maravilhosa a sua frente. É sua chance de criar o cachorro dos sonhos de sua família. Os filhotes são bichinhos adoráveis, programados em seus DNAs para assimilar as regras e os limites das sociedades nas quais vivem. Se você comunicar claramente as regras de sua família ao filhote a partir do primeiro dia, poderá ter uma companhia que vai respeitar, confiar e se ligar a você de uma forma que nunca pensou ser possível. No entanto, assim como as crianças, os filhotes estão sempre observando, explorando e procurando entender como se encaixam no mundo que os cerca. Se você enviar sinais errados durante essa fase, será muito mais difícil reabilitá-los quando esses hábitos estiverem enraizados.

A Mãe Natureza é equilibrada, e eu recorro à natureza sempre que quero explicar a maneira correta de criar os filhotes. Desde que os filhotes nascem, a mãe canina lhes mostra, de modo gentil, porém firme, que eles devem seguir suas regras se quiserem sobreviver. A mãe canina não "afaga" os filhotes. Na verdade, quando um dos filhotes de sua matilha sente dificuldade para encontrar um lugar para se alimentar, ela ajuda até certo ponto. Se ele não consegue se adaptar, pode ser que a mãe permita até que ele morra. Pode parecer duro, mas depende de cada cachorro sobreviver na matilha, e até o mais fraco da ninhada precisa aprender a se adaptar sozinho.

Quando os filhotes têm de seis a sete semanas de idade, a mãe começa a se tornar menos possessiva e permite que outros membros da matilha participem da sua socialização. Nas matilhas de cães selvagens, criar os filhotes é um trabalho de família. Na espécie dos canídeos, como lobos, chacais e cães selvagens, muitos dos adultos, além da mãe, compartilham a tarefa de alimentar os filhotes, voltando das caças para regurgitar o alimento para eles. A matilha toda também educa e disciplina os pequenos.[2] Se outro membro adulto da matilha sente que os filhotes estão ficando muito empolgados na brincadeira, pode usar um toque físico — uma focinhada, ou até uma mordida firme, mas leve — para mostrar os limites. A mãe não vem correndo, gritando: "Como ousa tocar no meu filhote? Eu sou a mãe dele!" Isso porque as regras da mãe são as mesmas regras básicas que são reforçadas constantemente na matilha. Dessa maneira, todos os filhotes aprendem, logo de cara, que precisam se orientar pelos adultos, e ainda que testem os limites deles como todos os mamíferos em desenvolvimento fazem, entram na linha bem depressa. Esse é o modelo que sua família humana deve seguir para criar o novo filhote.

A mãe sabe o que é melhor

Quando um filhote nasce, primeiro ele sente a energia da mãe, depois o seu toque. Quando uma mãe canina dá à luz, ela o faz em particular, e a experiência toda é muito calma e tranquila. É de seu instinto ser muito protetora em relação à experiência do parto, e aos recém-nascidos, de modo geral. No mundo selvagem, ela costuma ameaçar outros cães que se aproximem dela nesse período. Ainda que a mãe canina tenha um temperamento submisso e uma energia mais baixa por natureza, o nascimento dos filhotes despertará nela seu lado calmo-assertivo. A primeira energia que qualquer cão sente ao chegar ao mundo é a energia calma-assertiva da mãe, e esta continuará sendo a energia que os atrai pelo resto da vida. A energia calma-assertiva sempre fará com que eles se sintam seguros, estáveis e protegidos.

O focinho dos filhotes se abre assim que eles nascem, e, depois do toque, o olfato se torna o sentido mais forte. Apenas quinze dias depois do nascimento eles abrem os olhos, e só depois de vinte dias de nascidos passarão a usar os ouvidos de modo completo.[3] É por isso que aconselho a quem gosta de cães que lide com eles com a seguinte ordem em mente:

1. Olfato
2. Visão
3. Audição

Quando estamos perto dos filhotes, costumamos fazer uso do som — normalmente, um som animado. "Ah, meu Deus, que lindos!" provavelmente seria a resposta mais comum de uma pessoa diante de cãezinhos recém-nascidos. Contudo, os cãezinhos não são seres humanos pequenos, eles são cães pequenos, e experimentam o mundo de um modo completamente diferente do nosso. Relacionar-se com os cães por meio de olfato-visão-audição oferece o respeito de que eles precisam e nos dá melhor acesso para influenciá-los de modo natural. Nos primeiros meses, o filhote cinza de pit bull que adotei para ser "herdeiro" espiritual de Daddy ficou sem nome. Eu raramente usava o som para me comunicar com ele, procurando usar apenas o cheiro, a energia e o toque para passar minhas mensagens. Quando percebi que nós dois falávamos de modo fluente sem palavras, decidi dar a ele o nome de "Junior", em homenagem ao papel dele como "filho de Daddy" na matilha.

A menos que você seja um criador, não deve tirar um filhote de sua mãe antes dos dois meses de vida. Esse período é essencial para a identidade do filhote como cão, e os filhotes retirados de sua família canina natural antes desse período costumam ter problemas de comportamento logo cedo. Se seu cachorrinho teve a sorte de ter uma mãe confiante e dedicada, você terá a vantagem de criar um filhote feliz e equilibrado. Os cães são ótimos pais, e a matilha é a melhor sala de aula do mundo para aprender a se adaptar e sobreviver.

Os pesquisadores chamam os primeiros três meses do filhote de seu *período de desenvolvimento*, e o dividem em três estágios distintos:[4]

QUADRO DE DESENVOLVIMENTO DO FILHOTE

Período neonatal

Até 2 semanas	• Dorme 90% do tempo. • Os únicos sentidos são o tato e o olfato. • Mama, engatinha, busca o calor dos irmãos e da mãe. • Precisa de estímulo para urinar e defecar. • Consegue se endireitar sozinho quando é virado. • O sistema nervoso se desenvolve depressa.

Período de transição

2 a 3 semanas	• Olhos abertos. • Primeira formação dos dentes. • Fica de pé e dá os primeiros passos. • Começa a lamber. • Não precisa mais de estímulo para fazer as necessidades.

Período de socialização

Estágio 1: Ganhando consciência	3 a 4 semanas	• Consegue ouvir e ver. • Olfato muito mais apurado. • Começa a comer alimentos. • Começa a latir, a balançar o rabo e a morder os irmãos.
	4 a 5 semanas	• Caminha e corre bem, mas se cansa depressa. • Corre atrás de objetos e brinca de matar a presa. • Mostra os dentes e rosna. • Arranha com a pata.

Estágio 2: Período de curiosidade	5 a 7 semanas	• Começa o desmame. • É muito curioso. • Brinca de dominar os irmãos.	
Estágio 3: Refinamento comportamental	7 a 9 semanas	7 semanas	• Todos os sentidos funcionam. • Explora tudo.
		8 semanas	• Torna-se amedrontado e se assusta com facilidade. • Toma cuidado com tudo de novo no ambiente.

A CRIAÇÃO NATURAL

Para compreender como os cães aprendem as regras e os limites desde o nascimento, a melhor coisa a se fazer é observar como uma cadela cria seus filhotes em uma matilha. Felizmente, há pouco tempo, isso ocorreu no Centro de Psicologia Canina, quando resgatamos Amy, um pit bull fêmea prenhe, do canil da cidade. Quando Amy chegou ao Centro, imediatamente procurou um local para fazer seu ninho. Uma cadela prenhe se torna muito reservada e protetora de seu espaço, e consegue afastar outros cães apenas com o olhar. Eu queria que meus filhos testemunhassem o milagre do nascimento, porque era algo que ainda desconheciam. Como passei muito tempo na fazenda de meu avô quando era criança, com a idade de meus filhos eu já tinha visto muitos animais nascendo, e acredito que isso me ajudou a admirar as maravilhas da natureza. Amy foi uma mãe incrível. Ela pacientemente deu à luz cada filhote, removeu-os da bolsa, comeu a placenta e roeu o cordão umbilical. Sempre que uma mãe canina lambe o filhote, ela fortalece o elo entre eles em ambas as direções. Começa a reconhecer os filhotes pelo cheiro e pelo gosto, e os filhotes aprendem o cheiro de sua saliva e passam a reconhecer que aquela é a mãe deles. O rastro de saliva também ajuda os filhotes a chegar às tetas, onde logo mamarão.[5] Nas duas primeiras semanas (o período neonatal), os filhotes fazem pouco mais do que comer, dormir, defecar e procurar o calor confortante do corpo da mãe. Amy foi uma mãe dedicada, lambia os filhotes para estimular a eliminação de resíduos, e depois limpava o ninho consumindo o que restava dos dejetos. Apesar de observar Amy com frequência e examinar os filhotes pessoalmente todos os dias, não permiti que nenhum outro ser humano interrompesse aquele período de ligação entre mãe e filhotes. Pesquisas mostram que o toque cuidadoso de seres humanos torna os filhotes mais espertos e seus mecanismos de defesa mais apurados, mas estímulo demais é ruim para eles.[6] Por isso o melhor é que apenas especialistas lidem com filhotes recém-nascidos.

Ao fim da segunda semana, os filhotes de Amy estavam entrando no chamado "período de transição". Seus olhos estavam abertos e a audição começava a se desenvolver, mas o interesse principal ainda era sua mãe e os irmãos. Com quatro semanas, os filhotes começavam a ter curiosidade em relação às coisas de fora de seu ambiente imediato, incluindo os seres humanos que visitavam seu espaço.

Como mostra a experiência de Amy, durante os primeiros dois meses da vida de um cão, os filhotes não se importam em conhecer os outros cães da matilha. Estão extremamente felizes com os irmãos e com a mãe, e não exploram nada além de dois metros ao redor do local onde dormem. A mãe ensina a eles limites sociais, e eles também aprendem os limites com as brincadeiras com os irmãos.

No entanto, depois de dois meses de idade, os cãezinhos começam a dar sinais de que querem ver o mundo além de onde ficam. Nesse momento, a mãe não está mais amamentando, por isso começa a se distanciar um pouco deles, como se dissesse: "Certo, agora vocês estão bem fortes e saudáveis. Está na hora de conhecerem a matilha." Mantivemos os filhotes de Amy em uma área fechada de um lado por uma cerca, e conforme eles foram passando para os estágios de maior curiosidade, eu os encontrava sentados perto da cerca, observando os outros cães, esperando até serem convidados para ir ao outro lado.

Quando os filhotes começam a se aventurar e a conhecer o resto da matilha, mantêm o corpo baixo porque os outros cães são mais altos, e começam a examinar os membros adultos da matilha cheirando cuidadosamente os pés, as unhas e as partes inferiores de seus corpos. Graças à disciplina firme da mãe e aos instintos sociais com os quais nascem, os filhotes respeitam muito o ambiente e os outros cães. Alguns dos animais rosnam logo de cara, e os filhotes recebem as primeiras reprimendas. Então, eles tentam conhecer outro cão e experimentar uma sensação diferente — podem ser convidados para brincar, ou simplesmente para relaxar e deitar. Alguns dos cães adultos se afastarão e passarão a evitá-los, mas outros permanecerão ali e pacientemente deixarão os filhotes examiná-los. Outros, ainda, examinarão os filhotes, e os filhotes se manterão sentados ou parados de pé, tentando descobrir como se sentem quando ficam submissos e deixam um estranho cheirá-los. Quando desafiados, os filhotes rolam no chão logo e aprendem muito rapidamente a deixar os adultos cheirá-los completamente antes de se afastarem. É uma lição importante que precisamos aprender com o mundo canino — a matilha espera um bom comportamento social dos filhotes a partir do primeiro dia, e sempre o terá.

No começo, os filhotes de Amy se socializavam passando com a matilha entre 15 e trinta minutos, e então voltavam para seu canto. Permaneciam ali por até cinco horas, apenas descansando e observando. Então, a vontade de explorar ressurgia e eles voltavam para o território da matilha. Naturalmente, eles querem aprender com os outros cães. A cada vez, eles ficavam um pouco mais com a matilha.

Embora uma matilha de cães domésticos sem parentesco não se una para criar os filhotes como os lobos fariam na natureza, muitas das ninhadas que já tivemos no Centro de Psicologia Canina ao longo dos anos transformaram em "babás" alguns membros especiais da matilha que tinham um forte instinto materno. Já falei sobre Rosemary, um pit bull fêmea resgatado que havia sido incendiada pelas pessoas que cuidavam dela depois de perder uma rixa de cães ilegal. Depois que reabilitei Rosemary e a integrei à matilha, ela se tornou uma ótima babá para todos os filhotes que passaram pelo Centro. Normalmente, esse papel atrai fêmeas como Rosemary, que nunca tiveram filhotes, mas que ainda mantêm seus instintos maternos. Como babá, Rosemary era melhor do que Mary Poppins. Cuidava dos filhotes na matilha, cuidava de seus pelos, os confortava, os corrigia delicadamente quando preciso, mas também os protegia de outros cães que não tinham muita paciência.

Respeite os mais velhos

Aos seis meses, os filhotes estão se aproximando da adolescência, numa fase de suas vidas de maior exploração, e ficam com a matilha o tempo todo. Começam a querer fazer passeios mais longos com o grupo e a explorar um espaço mais amplo em torno do território da casa. No Centro, eu procuro desafiá-los constantemente com a pista de obstáculos, a piscina, as brincadeiras com estímulos olfativos e visuais e outros recursos de enriquecimento comportamental — é um período essencial em seu desenvolvimento do aprendizado. Também é a idade em que eles começam a comer com a matilha, e aprendem como os membros mais velhos são fortes. Observar um filhote aprendendo a dividir uma refeição com o resto da matilha é uma ótima maneira de entender como os cães usam a dominação — não a agressão! — para manter a ordem e a paz entre eles. Os filhotes são atraídos para a comida pelo cheiro, mas quando sentem a intensidade dos mais velhos perto do alimento, param espontaneamente a três metros de distância. Quando se aproximam, rolam e mostram a barriga, mesmo sem serem desafiados. Demonstram grande respeito pelos cães mais velhos quando estes estão comendo, praticamente se derretem na frente deles. Eles se aproximam da comida, mas não tocam nela, nem sequer olham para ela, apesar de ela estar perto deles. Estão dizendo aos mais velhos: "Estou submisso a você, evitando a comida. Não sou uma ameaça à posse que você tem sobre a comida."

Se um filhote comete o erro de avançar para pegar comida, ou se chega muito perto do alimento sem permissão, um cão adulto vai se virar, rosnar e atacá-lo. A reação entre os filhotes será como um *tsunami*: um rosnado do cão mais velho e todos os pequenos se afastarão. Ali, eles permanecerão e esperarão pacientemente, e quando o cachorro maior for embora, eles se aproximarão e lamberão o prato, ainda que não tenha mais comida ali. Assim eles aprendem que só podem chegar perto da comida quando os grandes se afastam. Aprendem a se comunicar na linguagem social canina, que é muito específica a respeito do momento certo e do momento errado de tomar a iniciativa na matilha. E os filhotes aprendem depressa a lição.

Se eles persistirem no erro, um dos cães mais velhos os corrige instantaneamente. Ele vai rosnar para alertar, e, se isso não funcionar, imediatamente vai corrigi-los com uma mordida. Morderá o filhote no músculo, mas haverá um enorme controle no corretivo. O cachorro adulto nunca arranca sangue quando está corrigindo, ainda que, às vezes, segure a cara toda do filhote dentro da boca. A mordida e o *timing* são incrivelmente precisos. O filhote pode gritar, como se dissesse "Não fiz por mal! Não fiz por mal!", mas o cachorro mais velho não permitirá que ele se afaste até que se acalme e pare de se mexer. Ainda assim não há mágoas no mundo dos cães.

Ninguém se sente mal, nem quem corrigiu, nem quem foi corrigido. Os cães não guardam ressentimentos quando são avisados de que não devem infringir as regras, e, na verdade, quem corrige e quem foi corrigido podem estar brincando juntos momentos depois. Isso é o mais bonito entre os cães. Os seres humanos precisam entender que se sentir mal por aplicar uma reprimenda merecida em um cãozinho vai *contra* as leis da Mãe Natureza.

Desafios adolescentes

Para os filhotes, esse estágio respeitoso, educado e submisso continua até cerca de oito meses, quando eles chegam ao período da adolescência. Quando os carneiros ou os búfalos chegam à idade da maturidade sexual, você os vê batendo a cabeça. No mundo dos cães, você verá os filhotes antes submissos desafiarem uns aos outros e mesmo os cães mais velhos com tentativas de demonstrar dominação — colocam a cabeça no ombro do outro cão, tentam tirar sua comida e competem uns com os outros de um modo muito mais intenso. Se os cães não forem castrados, o impulso sexual aumenta a rebeldia adolescente. É aí que os adolescentes inconscientemente desafiam os mais velhos; como o desejo sexual é muito forte, vai atrapalhar o bom comportamento. Infelizmente, esse desejo sexual também diminui o nível de tolerância dos cães adultos, que demonstrarão pouco da paciência que demonstravam em ensinar ao filhote como se comportar perto da comida. Se um cão adolescente desafiar um cão mais velho por causa de uma parceira, dessa vez o filhote sairá sangrando. O lado bom é que o desejo sexual dura apenas 15 dias, no máximo, então, se passarem por essa fase, os adolescentes podem chegar inteiros à fase adulta.

Outro comportamento que surge com a adolescência é o de urinar para marcar território, principalmente entre os machos. Quando levamos um cão para casa e não queremos que ele se reproduza, castrá-lo aos seis meses diminuirá a frustração física e psicológica dos cães de ambos os sexos. A castração também tem sido eficaz para reduzir o risco de câncer.

No restante de sua curta fase de filhote (a fase de adolescente dura de oito meses a três anos), o cão aprende a se envolver totalmente na dinâmica social da matilha. Eles aprenderão a sua posição no grupo, onde caminhar, como caçar, como rastrear. Os cães gostam muito de ser aceitos como membros da matilha e de ajudá-la a sobreviver, mas é importante lembrar que em seu hábitat nem todo mundo sobrevive. Ainda que os cães selvagens africanos cheguem a ter até vinte membros em uma matilha, para a maioria dos caninos — lobos, coiotes, chacais, hienas, raposas e cães selvagens —, as matilhas são muito pequenas, com um máximo de oito a dez membros. Um dos motivos pelos quais há uma superpopulação tão grande de *Canis familiaris* é porque, vivendo na civilização, os cães não encaram os perigos e as dificuldades que naturalmente selecionam apenas os mais fortes.

Filhotes e energia

Encontrar um cão com o nível certo de energia para você é o passo mais importante que se pode dar para criar uma vida satisfatória com seu animal de estimação. Quando você examina um cão adulto em um abrigo, pode ser difícil separar a verdadeira energia do cão dos problemas que ele enfrentou em experiências anteriores, mas no caso dos filhotes nenhum problema atrapalha sua escolha. Os filhotes nascem com um determinado nível de energia e, de modo geral, essa energia permanecerá com eles pela vida toda.

Os criadores costumam empregar um processo chamado "teste de temperamento do filhote", realizado por um profissional quando o filhote tem cerca de sete semanas de vida para tentar prever a "personalidade" que o cão adulto terá.[7] Com base na reação do filhote a diversos desafios básicos, o teste procura avaliar as reações em áreas como: atração social, obediência, controle, perdão, aceitação da dominação humana, vontade de agradar, sensibilidade tátil, auditiva e visual e nível de energia. Os criadores usam os resultados desses testes para ajudar a classificar seus cães, de atentos a agressivos, e a avaliar se são adequados para certas tarefas, como cão terapeuta, cão de busca e resgate, cão policial, e assim por diante. Se você for comprar o cachorro de um criador, pode ser que queira perguntar se ele tem os resultados dos testes do cachorro pelo qual você está interessado. Ele pode ajudá-lo a avaliar se a personalidade do filhote combina com seu estilo de vida.

No entanto, mesmo os criadores que usam esses testes religiosamente dirão que os resultados nem sempre mostram toda a verdade. Ao avaliar a energia, outros fatores podem fazer grande diferença, como a linhagem do cachorro, a ordem de seu nascimento ou, mais importante, sua interação diária com outros cães. Como os cães se comunicam com energia o tempo todo, um cão pode dizer mais sobre outro cão do que qualquer sistema humano de medidas. Quando levei Daddy para conhecer o filhote de pit bull que levaria adiante seu legado de energia calma-submissa à geração seguinte, permiti que ele me mostrasse os níveis de energia dos demais filhotes que eu estava observando. Você lembra que Daddy rosnou para o filhote que eu percebi que demonstrava dominação em relação aos filhos de meus amigos? Daddy soube, logo de início, que o comportamento do filhote não significava "simpatia" nem "entusiasmo", mas o tipo de energia dominante que pode causar problemas dentro de uma matilha. Aprenda com Daddy e não deixe que suas emoções atrapalhem a sua avaliação da energia do filhote.

Seu filhote em casa

A maioria dos filhotes é adotada por seres humanos com cerca de dois a três meses. Quando nós nos tornamos seus professores, eles entram em uma nova fase — a fase de aprender a viver não apenas como um cão, mas também como um cão no mundo dos seres humanos. Durante essa época, devemos mostrar a eles que os seres humanos estão no controle nessa nova estrutura social. A natureza não os programou para saber sobre carros, portas de vidro ou fiação elétrica. Como eles viverão no nosso mundo complicado, é muito importante que nós nos tornemos seus líderes de matilha para guiá-los.

Sobrevivendo à fase de filhote

Quando trouxe Junior para casa, ele tinha apenas dois meses de vida — a idade perfeita para se adotar um filhote — e já havia recebido as primeiras vacinas. Entre a sétima e a 12ª semana é o melhor período na vida de um cão para que ele consolide a socialização com as pessoas e aprenda a se relacionar com você como seu líder de matilha. Se você levar para casa um filhote de dois meses vindo de um criador, é provável que ele já tenha tomado duas doses das vacinas, apesar de muitos veterinários recomendarem quatro.

Um cão recém-nascido não tem anticorpos, ou seja, ele não tem imunidade natural a nenhum vírus ou doença. Claro que a Mãe Natureza deu aos filhotes uma proteção natural para os primeiros meses de vida, que vem na forma de colostro, um leite especial que a mãe secreta logo depois de dar à luz. O colostro tem todos os anticorpos da mãe e oferece um escudo temporário para proteger os filhotes. Nem todos os filhotes recebem a mesma quantidade de colostro; na luta pela sobrevivência, o primeiro a nascer e o que mais mama terão mais proteção dos anticorpos do que o último da ninhada ou o que menos mama. Contudo, o colostro é uma proteção temporária. A cada nove dias, o nível de anticorpos dos filhotes cai pela metade, até que, com cerca de quatro meses, o nível fica baixo demais para protegê-los, e eles se tornam alvos potenciais para qualquer vírus do ambiente. É por isso que a primeira dose das vacinas geralmente é aplicada com seis semanas de vida e continua até as 16 semanas (quatro meses). No entanto, há um período de uma semana, aproximadamente, durante o qual os filhotes não têm mais a imunidade recebida da mãe e as vacinas ainda não fizeram efeito. Esse período é perigoso, e até os filhotes mais bem-cuidados podem adoecer.

RECOMENDAÇÕES PARA AS VACINAS DOS FILHOTES

Antes de 12 semanas, a imunidade da mãe protege contra a parvovirose, então, a menos que a mãe esteja desprotegida, a vacina contra essa doença só é recomendada a partir da sexta semana de vida. Eis um calendário comum de vacinas recomendadas:

3 semanas	vermífugo
6 semanas	vermífugo para os parasitas comuns transmitidos pela placenta e pelo leite da mãe, exame de fezes para detectar coccídios e uma vacina combinada contra cinomose, hepatite infecciosa, parainfluenza e parvovirose.

9 semanas	vermífugo, vacina combinada contra cinomose, hepatite infecciosa, parainfluenza e parvovirose.
12 semanas	talvez vermífugo, vacina combinada contra cinomose, hepatite infecciosa, parainfluenza e parvovirose, talvez antirrábica. Leptospirose e doença de Lyme, se estiver numa área endêmica. (As últimas duas devem ser reforçadas em três semanas, se aplicadas.) Talvez contra bordetela, se o filhote for viajar ou se for tosado com frequência.
16 semanas	talvez vacina combinada contra cinomose, hepatite infecciosa, parainfluenza e parvovirose, exame final de fezes e antirrábica, se não tiver sido aplicada anteriormente.[8]

A maior preocupação durante esse período é a parvovirose. O parvovírus é um organismo extremamente contagioso que se aloja no revestimento intestinal dos filhotes. Se for detectada cedo, nem sempre é fatal, mas o tratamento exige quarentena e é extremamente caro. A parvovirose é transmitida pelas fezes de cães infectados, e alguns cães adultos têm o vírus mas não apresentam os sintomas. É muito resistente e não pode ser eliminado apenas com sabão; você pode desinfetar as áreas contaminadas pelo parvovírus com uma solução de uma medida de cloro para dez medidas de água. É arriscado vacinar um filhote contra a parvovirose, porque se houver anticorpos da parvovirose provenientes do colostro da mãe no corpo do filhote, eles atacarão a vacina como se fosse a doença. É por isso que muitos veterinários recomendam que os filhotes não fiquem em locais públicos — o parque, o playground, as aulas de treinamento de cães, um centro de cuidados caninos — até que sejam totalmente vacinados, com 16 semanas de vida. Eles também devem ficar longe de cães que você não conheça.

Na minha opinião, o medo da parvovirose deixa as pessoas obcecadas a ponto de manterem os filhotes totalmente isolados do mundo, o que pode ser prejudicial à sua saúde física e psicológica. Donos extremamente protetores às vezes mantêm os cachorros dentro de casa até a adolescência, estágio em que o cachorro se torna muito forte, não precisa tanto de sua orientação e é mais difícil de ser treinado. O que esses donos bem-intencionados esquecem é que, do nascimento aos quatro meses, os filhotes têm um programa pré-instalado para "seguir", e esse é o período ideal para que regras e limites comecem a ser ensinados. A grama de seu jardim ou o quintal dos fundos são ótimos lugares para começar a condicionar o animal a andar com a guia, o que pode ser ensinado com facilidade mantendo a sua cabeça erguida, sem cheirar o chão. Quando os filhotes têm menos de quatro meses, naturalmente não querem se afastar muito de casa. A guia então pode ser muito útil, e é o momento perfeito para introduzi-la. Se ainda estiver preocupado, limpar a calçada em frente à sua casa com uma solução de cloro pode aumentar a proteção. No que diz respeito à socialização, um cão mais velho que já tomou as vacinas corre poucos riscos de estar infectado com o parvovírus e provavelmente é um colega seguro para as brincadeiras.

Muito se discute a respeito de quais vacinas são necessárias e com que frequência devem ser aplicadas. Alguns veterinários acreditam que estamos vacinando em excesso os animais e causando tantos problemas quanto evitando. Acredito que devemos encontrar um equilíbrio entre a Mãe Natureza e a ciência. As vacinas podem proteger o cão de muitas doenças fatais, mas o corpo também tem seus sistemas de defesa naturais. É igualmente importante que você mantenha seu cão saudável física e psicologicamente, a fim de que ele desenvolva resistência para combater possíveis doenças.

Por acreditar que um estilo de vida saudável e equilibrado é melhor para um cachorro do que vacinas demais, não dei mais a Junior a vacina contra a parvovirose depois da primeira dose. A partir dos dois meses de vida, eu o levava comigo a todos os lugares, e comecei a usá-lo na reabilitação de outros cães. Eu treinei Junior com a coleira desde o início para que ele mantivesse a cabeça erguida e afastada do chão, e eu, obviamente, o mantinha apenas na companhia de cães saudáveis. Na minha opinião, muitos exercícios físicos, além de exposição ao mundo externo e todas as aventuras e desafios que oferece, funcionaram para Junior como um tipo de vacina. Fico feliz em dizer que Junior tem uma saúde excelente e não adoeceu nem uma vez em seis meses. Não recomendo essa medida para todo mundo, e eu nunca aconselharia você a ir contra o conselho de seu veterinário, mas isso foi o que funcionou para mim.

As vacinas podem desempenhar um papel importante para ajudar seu cão a ter uma vida longa e saudável, mas você deve ter certeza de que seu cão não está tomando vacinas desnecessárias. Recomendo que discuta as opções com seu veterinário, faça sua pesquisa e converse sobre as vacinas com profissionais e donos de cães confiáveis e respeitáveis. Tome uma decisão consciente a respeito de quais vacinas seu cão deve tomar e com que frequência. Veja o capítulo 7 para mais informações sobre vacinas.

Aprendendo a fazer as necessidades

Dos dois aos quatro meses, a maioria dos filhotes aprende a fazer as necessidades com facilidade, já que é, de certo modo, parte de sua natureza. Quando os filhotes nascem, eles comem e se aliviam onde dormem, mas a mãe sempre os limpa. A mãe estimula as funções corporais, e o ambiente onde ela fica sempre está limpo. Nunca há cheiro de urina ou fezes onde eles dormem e vivem. Não é natural para um filhote viver em meio a sua sujeira, então o DNA do filhote está a seu favor.

Outra vantagem no que diz respeito às necessidades fisiológicas é o sistema digestivo do filhote, que funciona com rapidez. De cinco a trinta minutos depois que o filhote se alimenta, ele vai querer defecar. Desde que seu filhote nasce até cerca de oito meses, você deve alimentá-lo três vezes por dia. Recomendo que você mantenha uma rotina de alimentação muito constante, e que leve seu filhote para fora de casa logo depois de comer, e também depois de cochilos e longas sessões de brincadeiras. Sempre que ele comer, você deve estar pronto a levá-lo para fora, o que se tornará o padrão. Os filhotes estão à procura de orientação, e rapidamente assimilam as rotinas e os padrões. Uma rotina faz o filhote se sentir seguro e protegido. Você deve levar o cachorro a uma área externa onde haja terra, grama, areia, pedras — as coisas naturais que estimulam o cérebro do filhote para que ele procure um local onde possa se aliviar. Você também deve tornar esse espaço familiar para ele, de modo que ele se sinta à vontade ali. Quando um cachorro está assustado, nervoso, incerto ou inseguro, ele vai travar e não vai conseguir fazer as necessidades. Se você estiver impaciente ou tentando apressar o filhote, isso também poderá estressá-lo. Compartilhe apenas a energia calma-assertiva, e seu filhote vai se conectar a seus instintos naturais e aprender a fazer as necessidades da maneira certa.

ALIMENTAÇÃO

IDADE	ESTÁGIO	ROTINA DE ALIMENTAÇÃO
0-8 meses	Filhote	3 vezes por dia
8 meses — 3 anos	Adolescente	2 vezes por dia
3 — aproximadamente 8 anos	Adulto	1 vez por dia
Aproximadamente 8 anos e mais	Idoso	2 vezes por dia

Onde, quando e por que usar toalhas absorventes

Muitos donos de cães — principalmente os donos de filhotes que vivem na cidade — não querem ter o trabalho de levar o cachorro para fora cinco ou seis vezes por dia, por isso decidem ensinar o cachorro a fazer as necessidades em toalhas absorventes. Apesar de essas toalhas serem uma ótima invenção e meus cães usarem-nas o tempo todo quando viajamos, é muito importante que os filhotes não aprendam a fazer as necessidades dentro de casa. Para os cães, o chão, as paredes e o teto formam um ninho, uma base. Não é natural para eles fazerem as necessidades onde dormem. Normalmente, quando as pessoas começam a condicionar os filhotes a usar as toalhas absorventes, ficam chocadas ao verem que o cão não faz as necessidades fora de casa. Aprender a fazer as necessidades apenas dentro de casa também aumenta a possibilidade de acidentes e sujeiras, porque retirou-se o ímpeto natural do filhote de não fazer as necessidades num ambiente fechado.

A melhor maneira de incorporar as toalhas absorventes em sua rotina é colocá-las do lado de fora em momentos em que você não poderá supervisionar. No início, abra quatro toalhas, para descobrir a parte exata onde o filhote vai se aliviar. Conforme o filhote começa a usá-las corretamente e amadurece seu comportamento, você pode retirar as toalhas até restar apenas uma, que cubra o local onde ele se aliviará todas as vezes. Para atrair o filhote à toalha, encontre uma área com grama ou terra com o cheiro de urina ou fezes de outro cachorro. Pode parecer desagradável, mas a presença do excremento de outro cachorro estimulará o cérebro de seu filhote para que ele defeque ou urine bem ali em cima. Em determinado momento, quando o filhote se acostumar às toalhas, você não terá mais que fazer isso.

Na área de minha casa ou quarto de hotel onde mantenho as toalhas, sempre uso um filtro de ar para que o cheiro não passe para outras partes, e cuido para dar aos cães um local para dormir que fique longe das toalhas, já que, como os seres humanos, os cães gostam que o quarto e o banheiro fiquem em locais diferentes. Assim que acordo, tiro as toalhas usadas e limpo o chão onde elas ficaram para que não haja mais cheiro. Isso é *essencial* se você usa toalhas, jornais ou qualquer coisa que coloque no chão para o filhote se aliviar: *sempre* substitua imediatamente o material usado e limpe o chão, porque um cão não quer urinar em um local onde já urinou. Além de ajudar a treinar seu filhote a usar esse espaço de novo, você manterá seu ambiente limpo e desinfetado.

As toalhas absorventes são convenientes e podem ser vantajosas para você e seu cão — mas apenas se você usá-las com uma rotina de eliminação de fezes e urina fora de casa. Lembre-se: na verdade, essas toalhas são para os seres humanos, não para os cães!

Aprendendo pelo exemplo

Uma das melhores maneiras de ensinar um filhote a usar o "banheiro" adequadamente é deixar que um cão mais velho dê o exemplo. Apesar de o Daddy ser o exemplo de Junior na maioria das coisas, por ser um cão mais velho, o Daddy não precisa sair muito. Ele defeca duas vezes por dia, de manhã e à noite, em horários definidos, e só sai para urinar uma vez a cada quatro horas. No entanto, Junior também vive com nossos cães pequenos — o chihuahua Coco, a dachshund Molly, o buldogue francês Sid e Minnie, nossa mix de chihuahua com terrier. Os cães pequenos têm uma rotina mais regular, e Junior automaticamente os imita. Eles também já foram treinados para usar as toalhas, assim Junior aprendeu logo de cara. Os filhotes são condicionados a ver os outros cães como modelos, e na nossa família nunca faltam cães dispostos a compartilhar seu conhecimento com um novo membro da matilha!

Claro que os acidentes fazem parte dessa fase. Nunca "culpe" o filhote por um acidente; não fique bravo com ele por uma função corporal que ele não consegue controlar, e não adote a ideia antiquada de que é preciso esfregar o focinho do filhote nos excrementos ou bater nele se ele defecar ou urinar dentro de casa. Procure manter-se calmo e assertivo, e imediatamente leve o animal para fora (ou para a toalha), onde ele deve fazer as necessidades. Se flagrar um filhote fazendo as necessidades no lugar errado, use um toque ou um som simples para fazê-lo parar, leve-o imediatamente para o local fora de casa e espere até que ele relaxe e termine o que tem que fazer. Então, limpe e desinfete totalmente a área onde ocorreu o acidente, para que o odor não se prolongue. Não se irrite nem brigue por conta de um acidente, e não passe um sermão no animal, porque o cachorro pode entender que, se ele defecar em determinado local, consegue chamar sua atenção. Também pode interpretar sua reação de um modo errado, como um sinal para nunca defecar na sua frente. Seja firme e mantenha a energia neutra. A digestão de seu cão é uma parte normal de sua biologia, portanto você deve ensiná-lo a ter certo controle sobre os momentos e os locais adequados.

ENSINANDO SEU CÃO A FAZER AS NECESSIDADES NO LOCAL CERTO

1. Leve o filhote para fora de casa assim que você acordar, logo depois de cada refeição, depois que ele acordar de um cochilo e depois de longas sessões de brincadeiras.
2. Leve o filhote ao mesmo local todas as vezes.
3. Supervisione seu filhote com atenção! Você está investindo muito tempo nos primeiros meses para estabelecer uma vida toda de

bom comportamento. Mantenha o filhote por perto o máximo que conseguir. Se não pode ficar com ele, coloque-o em um local fechado e seguro ou dentro da gaiola. Se acha que pode acabar se esquecendo das necessidades de seu filhote, coloque um *timer* para tocar em intervalos de 45 minutos.

4. Mantenha a firmeza! A firmeza diária é a chave para os bons hábitos. Alimente e passeie com seu filhote no mesmo horário todos os dias. Lembre-se de que os cães não compreendem o conceito de fins de semana ou feriados. Se quiser dormir até tarde num domingo, leve seu filhote para fora primeiro, depois volte para a cama.
5. Não castigue um filhote por um acidente, nem faça nada que crie uma associação negativa com as necessidades fisiológicas. Mantenha-se calmo e assertivo, retire com cuidado o filhote e leve-o para o lugar certo.
6. Não ensine seu cão a fazer as necessidades fisiológicas apenas nas toalhas absorventes. Não é natural para um cão aliviar-se dentro de seu "ninho". Tome o cuidado de alternar os hábitos de fazer as necessidades dentro e fora de casa.

Treinando um cão para usar a coleira

Acredito que nunca é cedo demais para começar a condicionar seu filhote à coleira ou a qualquer trabalho de obediência que você queira que ele domine na fase adulta. Para os filhotes ou cães pequenos, costumo usar uma coleira barata e leve, que coloco em volta da cabeça do animal. Os filhotes são facilmente guiados e direcionados, e se saem melhor com menos — uma coleira de náilon macio ou uma de couro fino. Nunca use um enforcador ou coleira pesada em um filhote; confira se a ferramenta que comprar é segura para cães menores ou mais jovens. A coleira deve ficar suficientemente apertada para não sair, mas deixe espaço suficiente para enfiar dois dedos entre a coleira e o pescoço do cachorro. Lembre-se de que, com essa idade, o desejo do filhote é segui-lo. Sempre que usar uma ferramenta com um cachorro — seja um filhote, um adolescente ou um cão mais velho —, nunca force-a ao animal. Nunca permita que o cachorro associe uma ferramenta de treino ou condicionamento a algo negativo!

Em vez disso, permita que a curiosidade natural do cão o leve à ferramenta. Se for preciso, use reforço positivo — comida, um brinquedo ou qualquer item ou atitude que atraia seu cachorro a algo novo. Acredito muito no reforço positivo, mas sempre digo a meus clientes que eles não devem pensar no reforço positivo apenas como petiscos e brinquedos. Lembre-se de que, em seu ambiente natural, as mães e os cães adultos nunca precisam subornar os filhotes com alimentos ou brinquedos para fazer com que se comportem. Para mim, o reforço positivo é cuidar para oferecer estímulos saudáveis, que acionem uma resposta boa e natural. Pode ser um elogio, um carinho ou simplesmente sua alegria ao ver o que o cão fez. Se estiver feliz com seu filhote, pode dizer isso a ele sem palavras. Sua energia, sua linguagem corporal e seu olhar passarão a ele a mensagem clara do que você está sentindo.

Quando você for usar a coleira para corrigir um filhote ou para interromper um comportamento indesejado, lembre-se de que os filhotes são pequenos, leves e muito sensíveis. Também são programados para seguir as orientações de seu líder de matilha. Uma puxada muito suave, mas firme, na coleira deve ser o suficiente para você se comunicar com o filhote. É importante lembrar que, se você se mantém firme, constante e amoroso durante os primeiros anos de seu cão, estará investindo em um seguro que evitará que você lide com problemas de comportamento extremos que costumo ser chamado para ajudar a corrigir. Ao condicionar um filhote à coleira desde cedo, você também está *se* condicionando a passar sua energia calma-assertiva pela coleira, reduzindo muito os riscos de precisar de métodos mais ríspidos no futuro.

Dentição

Entre quatro e seis meses, a maioria dos filhotes passa pela fase da dentição. Esse processo é desconfortável, e as mordidas que você verá com cada vez mais frequência no comportamento do cão nessa fase são tentativas de aliviar o desconforto — normalmente, nos seus sapatos mais caros, já que estão no nível dos olhos dele e têm seu cheiro. É muito importante entender que a roedura não é um ato de rebeldia nem um ataque pessoal a você. Também não se trata de brincadeiras. Durante essa fase, o filhote só pensa "Como posso aliviar essa irritação que sinto na minha boca?". É muito errado, nesse momento, usar luvas e deixar o cão mastigá-las, ou fazer brincadeiras nas quais você permite que o cão morda alguma parte de seu corpo. Pode parecer algo inofensivo agora, mas você estará condicionando seu cão a ver suas mãos ou seu corpo como fonte de alívio de sua frustração.

O comportamento adotado na época da dentição não é a mesma coisa que a mastigação obsessiva que vemos em um cão adulto, e não deve ser corrigido, mas, sim, redirecionado. Há centenas de brinquedos para isso nas lojas de produtos para animais. Coloque seus sapatos à sua frente e então, cada vez que o filhote tocar um sapato, chame a atenção dele com um petisco e o direcione para o brinquedo de morder. Assim, você reivindica o *seu* espaço em torno dos sapatos. Isso se torna um desafio psicológico: o filhote está aprendendo o conceito sofisticado de "só porque está aqui não quer dizer que é meu". Também aprenderá o que é apropriado mastigar. Puxar o sapato do cachorro não é a coisa mais sábia a se fazer. Não envia uma mensagem clara a ele; sem querer, você entra em um jogo de dominação, que você pode acabar vencendo nas primeiras vezes, se o filhote for pequeno, mas que não vai ganhar sempre. Quando o filhote ganhar, ou quando aprender a fugir com o sapato na boca, você estará em uma situação na qual ensinou seu cão a usar da força e da velocidade como armas para derrotá-lo.

O desconforto com o nascimento dos dentes também pode ser minimizado por meio dos exercícios. Já usei a natação, e não necessariamente em uma piscina grande. Uma banheira ou piscina inflável permitirá que um cão de pequeno ou médio porte mexa as patas na água, fará com que ele tenha algo saudável em que se concentrar e irá distraí-lo do que está ocorrendo dentro da boca dele. Consegui distrair Minnie, minha pequena mix de chihuahua e terrier, fazendo com que mexesse as pernas dentro de um balde d'água! Depois do exercício, dê ao cão um objeto de sua escolha para que ele mastigue, e fique tranquilo, porque a fase da dentição nos filhotes passa depressa — um ou dois meses, no máximo.

Quando os filhotes se aproximam da adolescência — dos seis aos dez meses de idade —, eles passam por uma segunda fase de mastigação. Os dentes permanentes estão nascendo e a vontade de mastigar é forte. Lembre-se de deixar os brinquedos apropriados disponíveis para o seu "adolescente" nessa fase, e ofereça o máximo de exercícios saudáveis que conseguir. Normalmente, os cães cujos dentes não nascem nesse período podem ter problemas dentários no futuro, então visite o veterinário regularmente e fale sobre a dentição de seu filhote.

Crianças e filhotes

Acredito que todas as crianças deveriam vivenciar o ciclo de vida dos animais. Assim temos a oportunidade de ensiná-las a respeitar a Mãe Natureza, e as ajudamos a compreender a vida de um modo mais profundo. No entanto, as crianças — principalmente as pequenas — precisam de supervisão quando estão perto dos filhotes. É importante condicionar seus filhotes (com menos de sete semanas) ao toque humano, mas, se muitas pessoas os tocarem com frequência ou da maneira errada, os filhotes podem passar a temer os seres humanos. Se você tem filhotes em sua casa com menos de dois meses, não permita que as crianças os toquem, levantem ou brinquem com eles sem a supervisão de um adulto.

Quando levar um novo filhote para casa — imaginando que o cachorro tenha mais de sete semanas —, reserve um tempo para ensinar a seus filhos a maneira correta de receber o cão. Lembre-se de que os filhotes entre oito e dez semanas de vida podem ser muito tímidos e retraídos no que diz respeito a novas experiências, por isso, explique a seus filhos a regra de não tocar, não falar, não encarar até que o filhote demonstre estar à vontade com o novo humano presente. Assim como você desafia seu filhote brincando de "espera" e "paciência", essa é uma maneira de desenvolver a paciência dos seus filhos, uma vez que eles aprendem a observar o filhote e a esperar que ele mostre que os aceita. Explique a seus filhos sobre as zonas públicas, sociais e íntimas de espaço que existem entre todos os animais, incluindo os seres humanos. Também é uma boa maneira de ensinar aos filhos seus direitos quando um adulto ou outra criança invade o espaço deles de modo ameaçador. Depois, reserve um tempo para observar seu filho brincando com o cachorro; afaste-se se for necessário, mas supervisione qualquer comportamento perigoso.

Quando as crianças são pequenas demais para compreender os conceitos do espaço pessoal ou a regra de não tocar, não falar, não encarar, ainda assim elas podem aprender essas habilidades por meio de uma simples correção e do redirecionamento. Se um bebê estiver engatinhando em direção a um cão que está emitindo o tipo errado de energia, você simplesmente tem que bloqueá-lo e redirecioná-lo. Quando meus filhos começavam a engatinhar no território de um cão se este não os havia convidado, eu costumava bloqueá-los fisicamente apenas colocando o braço diante deles. Se a energia dos meninos estivesse alta, agressiva ou instável demais para um cão, eu fazia a mesma coisa. Expliquei a meus filhos, desde que eles eram pequenos, que os cães não são brinquedos, e que eles não podem puxar o rabo ou as orelhas do cachorro nem provocá-lo. Da mesma maneira, eu bloqueava um filhote e evitava que brincasse quando eu sentia que ele não estava respeitando o espaço pessoal de meus filhos.

Lembre-se de que você está lidando com duas espécies de animais, ambas jovens, e ambas aprendendo, pela primeira vez, a se aproximarem uma da outra. No entanto, quando seu filho estiver andando, você pode começar o ritual da caminhada em matilha com o cão e a criança juntos. Ensinar uma criança a passear com um cachorro ou filhote é uma maneira maravilhosa de melhorar a autoestima dela, e a criar o tipo de elo humano-canino que enriquecerá a vida de seu filho.

Minha esposa, Ilusion, e eu sentimos enorme satisfação quando temos a chance de palestrar em escolas ou em grupos de crianças a respeito da segurança com os animais. Sempre explico às crianças o que a linguagem corporal de um cão pode significar, com ênfase especial no mito do rabo sendo abanado. Os livros de crianças no mundo todo enfatizam que uma cauda balançando é sempre sinal de que o cachorro está feliz, e isso é verdade na maior parte do tempo, mas se você assiste ao meu programa, já deve ter visto cães balançando o rabo logo antes de um ataque. Qualquer gesto no repertório de linguagem corporal de um cão pode significar muitas coisas, assim como uma palavra no inglês pode ter diversos significados, dependendo de seu contexto em uma frase. No caso de um cão, o contexto inclui a situação que o cachorro está enfrentando e, mais importante, a energia que está projetando. É preciso prática para uma pessoa de qualquer idade conseguir entender de modo correto a energia de um cão; então, a coisa mais importante a se ensinar aos filhos a respeito de cães ou filhotes é que eles não devem nunca se aproximar de um cão que não conhecem sem a permissão de um adulto. Ilusion e eu já observamos muitas vezes que, quando as crianças compreendem o conceito de como mostrar respeito aos animais, elas ficam mais dispostas a obedecer.

Comportamento nas brincadeiras

Os cães são animais brincalhões por natureza, mas, para os filhotes, brincar é a vida deles. Na natureza, todos os animais jovens usam a brincadeira como uma maneira de praticar as habilidades necessárias para sobreviver na vida adulta. É natural para os filhotes fazerem brincadeiras imitando as coisas que seus ancestrais selvagens teriam que fazer para sobreviver na natureza — brincadeiras envolvendo caça, dominação e submissão. Os cães de raça mais pura começam a demonstrar sinais de sua raça nas brincadeiras: querem perseguir, farejar, buscar e cavar. Como líder da matilha, depende de você observar as brincadeiras do seu filhote desde cedo e ajudar a canalizá-las de modo produtivo.

Os filhotes são exploradores por natureza, por isso, dar a eles áreas seguras e recreativas para explorar é uma maneira maravilhosa de desafiá-los e de aumentar sua confiança. Já criei muitas pistas de obstáculos no Dog Psychology Center e miniversões mais seguras e simples para os filhotes brincarem. Um filhote também pode aprender a buscar objetos para treinar a coordenação, e brincadeiras de esconde-esconde com alimentos e cheiros são métodos excelentes para aguçar os sentidos. É importante ter brinquedos macios e mastigáveis disponíveis para a fase de nascimento dos dentes.

Um modo com que gosto de desafiar os filhotes é pedindo a eles que esperem pacientemente pela comida. Seguro o prato de comida acima da cabeça deles até que fiquem sentados, esperando e olhando para mim. Ensinar paciência é importante, uma habilidade que exige concentração psicológica — algo essencial que um cão saudável desenvolva. Às vezes, eu faço uma pista de obstáculos com a brincadeira de comida, colocando o prato atrás de uma cadeira, caixa ou mesa. Peço ao cão que espere, e depois ele tem que encontrar o prato onde eu o escondi.

COMPORTAMENTOS RUINS COMUNS NOS FILHOTES E AS CAUSAS

COMPORTAMENTO	POSSÍVEIS CAUSAS	SOLUÇÕES
Mastigar e abocanhar ("mordidas moderadas")	Explorar o ambiente, aliviar a frustração, aliviar a dor pelo nascimento dos dentes, testar a dominação.	Ofereça brinquedos adequados para morder e monitore a fase do nascimento dos dentes, mas não permita mordidas fortes para mostrar dominação ou para aliviar a ansiedade — isso pode se tornar um hábito. Em vez disso, ofereça distração com exercícios e brincadeiras.
Mordiscar	Comunicar que algo é desagradável; uma consequência do ato de abocanhar, que não foi desestimulado desde cedo.	O ato de mordiscar nunca deve ser permitido. Lembre-se de que, na natureza, os cães mais velhos intervêm e corrigem o filhote na primeira vez em que ele sai da linha. Um toque firme deve bastar para lidar com o ato de mordiscar de um filhote. Não permita que ele perceba que essa é uma maneira de controlar os seres humanos e os cães ao seu redor.
Marcar território	Pode indicar maturidade sexual (o cão pode começar a marcar território de cinco a seis meses de idade). Na natureza, serve para impedir a aproximação de rivais. Pode também significar dominação.	Castre seu filhote aos seis meses de vida e reforce sempre as regras e os limites que se aplicam ao treinamento para fazer as necessidades.

COMPORTAMENTO	POSSÍVEIS CAUSAS	SOLUÇÕES
Urinar por submissão ou excitação	Pode ser um sinal de total submissão ou respeito, temperamento nervoso, ou pode ser um sinal de que o filhote ainda não aprendeu a controlar completamente os músculos da bexiga.	Consulte o veterinário para ter certeza de que não há nada de errado fisicamente. Mantenha-se calmo e assertivo ao ensinar as regras de treinamento para fazer as necessidades, e aplique a regra de não tocar, não falar, não encarar com um filhote que parece reagir de modo nervoso nos primeiros encontros.
Cavar	Comportamento inato usado para extravasar a energia ou a frustração, ou para encontrar um local frio quando está calor. Para algumas raças (como os terriers), uma atividade criada para encontrar a caça.	Nunca puna um cachorro por cavar. Em vez disso, procure oferecer um local seguro, "permitido" para isso. Se seu cachorro estiver frustrado, ofereça exercícios e outras maneiras para ele extravasar a energia.
Chorar ou latir	Os filhotes fazem isso para chamar a mãe e os irmãos quando estão perdidos. Ao viver com seres humanos, às vezes eles choram em momentos de separação, fome ou quando precisam se aliviar.	Procure cansar seu filhote antes de dormir, e alimente-o e leve-o ao banheiro com frequência.

Você pode pensar em inúmeros desafios para seu novo filhote, e o cérebro dele, em rápido desenvolvimento, absorverá todos eles. O mais importante ao iniciar brincadeiras com um filhote, no entanto, é cuidar para que você, o líder da matilha, comece a brincadeira, estabeleça as regras e pare quando quiser. Quando meus clientes reclamam que um cachorro está "obcecado" com uma bola de tênis ou brinquedo de morder, quase sempre o que ocorre é que esses clientes pularam o importante processo de estabelecer regras e limites na brincadeira logo no começo.

Costumam me perguntar como os donos podem diferenciar entre a brincadeira saudável de filhotes e os possíveis problemas de comportamento. Descobri que donos inexperientes se preocupam demais com o fato de uma determinada característica do filhote — como hesitação ao entrar em um novo ambiente — significar que o cão acabará temeroso e retraído, quando, na realidade, é perfeitamente normal que um filhote com menos de três meses queira ir mais devagar e com mais cuidado em cada nova experiência. Outros donos vão ao extremo oposto, justificando o comportamento ruim, como o fato de o filhote saltar e morder os convidados que entram na casa, como "apenas uma fase". A melhor resposta que posso dar aqui é que a brincadeira normal de um filhote tem um jeito destrambelhado, leve e inocente. O filhote está testando os limites e aprendendo quais habilidades vai precisar como um cão adulto. Assim, pode ser que você veja um filhote saudável e normal demonstrando dominação, agressão, medo, ansiedade ou insegurança em qualquer momento.

O que você, como dono, precisa observar com atenção é a frequência do comportamento e, mais importante, sua intensidade. O comportamento que envolve brincadeiras, tocar ou explorar você com a boca é perfeitamente normal. No entanto, conforme os filhotes se empolgam na brincadeira, se não recebem nosso *feedback* de que "já basta!", eles podem intensificar o comportamento até que se torne uma obsessão. Lembre-se de nossos modelos, a matilha natural. Um cão mais velho pode deixar um filhote abocanhar ou mordiscar sua pata ou orelha, mas quando o filhote fica agressivo demais, o adulto se vira, rosna e até alerta o cãozinho com os dentes. O filhote entenderá a mensagem na hora. Como não nos comunicamos com os cães em sua linguagem, costumamos dizer "Ai, ai, ai! Cachorro feio!" e nos afastamos se um filhote nos morde com agressividade. Nós nos esquecemos de que, quando nos afastamos, acionamos o impulso de caça no cérebro do filhote, e isso faz com que eles vão atrás e nos segurem com mais força.

Da mesma maneira, é da natureza de um filhote querer explorar, examinar e compreender o ambiente. Digamos que seu filhote faça um rasgo no tapete enquanto você não está observando. Isso pode ser causado por uma curiosidade acerca do ambiente — ele sentiu o cheiro de algo interessante embaixo do tapete e queria descobrir o que era. Contudo, se você notou seu filhote arranhando o tapete com atenção e ferocidade, a ponto de você não conseguir distraí-lo com um petisco ou outra coisa de que ele goste, então, pode ter certeza de que ele aprendeu que arranhar o tapete é uma maneira de extravasar a frustração. Quando um cachorro se concentra intensamente em algo como modo de extravasar a frustração ou a ansiedade, você está diante do começo de um problema de comportamento, que pode se tornar uma obsessão ou uma fobia. O segredo é redirecionar o cachorro imediatamente e verificar se você está oferecendo a ele coisas saudáveis com as quais possa trabalhar a energia — mais exercícios na forma de passeios estruturados, mais tempo na esteira, mais pega-pega ou outras atividades desafiadoras.

Quanto mais tempo você vive com seu filhote e quanto mais tempo passa com ele, mais estará consciente e alerta das mudanças de humor, energia e foco. Se conseguir monitorar a intensidade de seu filhote em todas as atividades e, como se fosse um adulto na matilha dele, limitar a brincadeira antes de se tornar uma obsessão, você criará um cachorro feliz, mas que respeita limites e regras.

Erros humanos

Ainda que adotar um filhote seja a melhor chance de criar um cão sem problemas, não se trata de uma garantia incondicional. É fácil "arruinar" um filhote, assim como um cão adulto que você escolheu no abrigo, se não observar regras básicas da psicologia canina. Os erros mais comuns que as pessoas cometem com os filhotes são, para mim, os mesmos erros que os seres humanos cometem quando criam os filhos — eles costumam ser superprotetores, lenientes demais com a disciplina, ou as duas coisas. Muitas vezes, esses erros começam quando o filhote é muito pequeno, quando a pessoa insiste em carregar o cachorrinho a todos os lugares como se ele fosse um macaco. Levar um cachorrinho no colo como um bebê ou em uma bolsa pode ser bonitinho e fazer com que você se sinta um pai caloroso e protetor, mas é totalmente incomum para o cachorro. A mãe de um filhote só o carrega para tirá-lo de um lugar e levá-lo a outro; de dentro do ninho para fora do ninho, por exemplo. Assim que os filhotes conseguem se virar, ela permite que eles explorem o mundo sozinhos. É uma parte essencial da experiência de aprendizagem do filhote na vida. Sem conseguir andar de um lugar para outro, os filhotes não têm senso de geografia nem do ambiente. Têm dificuldade para fazer associações entre as coisas, e o mais importante, não desenvolvem a autoconfiança que vem com a exploração e com os erros e acertos. Isso também vale para levar comida ao filhote, não o condicionando a ir até o alimento, ou levar o filhote no colo escada acima em vez de permitir que ele aprenda a subir. Na natureza, se o filhote não aprender as lições da vida sozinho, ele não serve para a matilha. No nosso mundo, um filhote assim se sentirá inútil. Não é natural para o filhote conseguir tudo na vida de mão beijada, e essa situação pode fazer com que ele se torne um adulto problemático no futuro.

Relatório de progresso do Junior

O Junior agora tem seis meses e acabou de ser castrado, para que nunca passe pela experiência desagradável da frustração sexual. Ele está crescendo a cada dia, mas apesar de ser cheio de energia e brincalhão como qualquer filhote normal, já se mostra respeitoso, fácil de lidar e é muito parecido com o Daddy. O Junior tem uma vida ideal, porque está sendo condicionado, protegido e cuidado por seu "pai" adotivo — um cão que tem 14 anos de experiência e sabedoria. Ele também está sendo cuidado e condicionado por um ser humano que criou muitos cães e está certo de que vai ganhar sua confiança, seu respeito e seu amor. O Junior passa horas exercitando-se com a matilha, e meus filhos e eu brincamos com ele e o desafiamos com frequência em casa. Desde que o Junior tinha três meses, eu o levo aos casos do programa *O encantador de cães*. Seu primeiro caso foi em Santa Barbara, com cães muito exaltados. Apesar de, obviamente, não ter a experiência de vida para ajudar como o Daddy ajuda, ele consegue avaliar a situação e copiar o modo com que o Daddy reage. Daddy, basicamente, ensina a ele que "não reagimos a cães superexcitados assim; nós apenas os ignoramos". Junior aprende com uma rapidez impressionante. E, de certo modo, eu acho que um dia ele pode até superar a capacidade de Daddy de reabilitar cães, não apenas porque ele tem acesso à sabedoria de Daddy, mas também porque, com o tempo, eu aprendi a cuidar melhor de cães do que há 14 anos, quando Daddy entrou na minha vida. Grande parte disso eu devo ao Daddy. Ele foi o meu melhor guru.

É possível "criar o filhote perfeito"? Acredito que a Mãe Natureza é perfeita. O equilíbrio é perfeito. E afirmo que podemos criar relacionamentos perfeitos com nossos cães quando nós os criamos com exercícios, disciplina e afeto, quando estabelecemos regras e limites, e quando oferecemos a eles constância e novos desafios todos os dias. A perfeição, para mim, é a paz e a alegria, é a conexão e a compreensão. É saber como satisfazer outro ser, e tornar-se mais feliz por ter tido êxito nesse desafio. Isso é a perfeição, e é meu objetivo na vida, que minha família e eu dividiremos com o Junior.

5

REGRAS DA CASA

Estabelecendo regras e limites

Desde o momento em que seu cachorro novo chega em casa, é sua responsabilidade deixar claras as regras do novo lar. Lembre-se de que, em uma matilha de cães, cada um deles é responsável por preservar e fortalecer as regras do grupo, portanto, sua primeira tarefa é realizar outra reunião de família e determinar quais serão as regras. Todo mundo, desde as crianças pequenas até os avós idosos, deve ter em mente, de modo claro, quais serão as regras. Muitos de meus clientes escrevem as regras (e as dicas para reforçá-las) e as colocam em locais de destaque da casa. Por exemplo, "O Sparky não pode subir no sofá de veludo. Comando: Saia!". Ou "O Sparky precisa se sentar e ficar quieto antes de nós o alimentarmos". Como sua casa é seu castelo, você tem o direito de criar as regras que fazem sentido ao estilo de vida de sua família. No entanto, sugiro que todos os cães de família respeitem alguns limites gerais. São regras compatíveis com os limites que um cão dominante ou líder estabeleceria para os cães de classificação inferior à dele na matilha:

REGRAS RECOMENDADAS POR CESAR

Não morder nem mordiscar (a menos que seja convidado para brincar).

Não puxar as pessoas na hora do passeio.

Não pular nos convidados nem nos membros da família.

Não sair na frente dos convidados nem dos membros da família.

Não brincar de despertador (você — não seu cão — decide quando acordar).
Não roubar comida das pessoas dos balcões ou das mesas.
Não chorar nem implorar por comida durante a refeição das pessoas.
Não roubar nem destruir coisas que pertencem às pessoas.
Não dominar a cama de uma pessoa.

Na minha opinião, outra coisa essencial para o bem-estar psicológico do cachorro é que sua matilha de seres humanos cuide para que ele trabalhe por comida e água todos os dias de sua vida. Na natureza, os cães não vão ao mercado comprar ração. Não vão a restaurantes quando sentem fome. Assim que têm idade suficiente para sair à caça com a matilha, aprendem que seu propósito na vida é trabalhar por comida e água. Eles migram juntos, às vezes caminhando muitos quilômetros até encontrarem o alimento que procuram. Depois que comem, eles comemoram juntos e descansam. É o condicionamento que a natureza implantou neles. É o tipo de rotina que faz com que se sintam bem consigo mesmos, confirmando que têm algo importante a fazer e contribuindo com a sobrevivência da matilha. Quando saímos da cama e damos a comida ao cão antes que ele possa trabalhar por ela, estamos roubando dele um ingrediente muito importante de sua autoestima. É por isso que recomendo que você leve seu cão para uma caminhada de, no mínimo, trinta minutos todas as manhãs, antes de alimentá-lo.

Mais importante, toda disciplina deve começar com regularidade! Se as regras não forem aplicadas com regularidade por *todos* os líderes de matilha humanos, não é razoável esperar que os cães as sigam regularmente também. O primeiro passo no estabelecimento de regras e limites para seu cão é criar para ele uma vida estruturada na qual todas essas regras façam sentido.

Criando a agenda da família

Quando reunir todo mundo à mesa da cozinha para falar sobre a rotina de seu cão, pegue lápis e papel (ou abra uma planilha do Excel no notebook da família). Em seguida, repasse a agenda de todos, e veja qual estilo de vida combina melhor com cada tarefa do cachorro. Quem acorda mais cedo? Quem tem mais tempo para os passeios mais longos do dia? (Lembre-se de que seu cachorro deve, no mínimo, realizar dois passeios de pelo menos trinta minutos de duração por dia, independentemente do tamanho do quintal, independentemente de seus filhos jogarem bola com ele diariamente!) Quem é o último a se deitar? Se alguém da família se recusar a assumir a responsabilidade, lembre-lhe de que, já que a família toda decidiu levar o cachorro para casa, todos os membros devem participar da melhor maneira que puderem para deixar o cachorro satisfeito e cuidar para que ele se encaixe bem naquela matilha.

Eis um exemplo de uma família imaginária que conseguiu estabelecer uma agenda bem-sucedida para cuidar de seu cão adulto: um terrier de cinco anos e de alta energia chamado Sparky. Digamos que Caitlin, de 15 anos, acorde às 5h15 todas as manhãs, mas precisa estar no treino de corrida na escola às seis horas. As outras pessoas da casa só acordam às seis e meia. Caitlin concorda em acordar quinze minutos mais cedo, passear com Sparky por cerca de dez minutos, até o fim do quarteirão e voltar, para ele fazer as necessidades. Esses passeios logo pela manhã permitem que a adolescente ocupada tenha um tempo tranquilo para se aproximar de Sparky, fazendo com que ele se lembre de que, ainda que ela não passe muito tempo por perto, continua sendo um de seus líderes de matilha. Antes de sair de casa, Caitlin serve água a Sparky e verifica se ele está tranquilo em sua cama.

A próxima pessoa a acordar é "o pai", Eddie, às seis e meia. Ele tem pressa de preparar o café da manhã para Tom e John, os gêmeos de dez anos, e sair de casa com eles às sete e meia. Como Sparky já fez as necessidades e bebeu água, a única responsabilidade que eles têm nesse momento é cuidar para que Sparky permaneça calmo e submisso no quintal — apesar de todo o caos —, e recompensá-lo com afeto quando ele obedecer. Às oito horas, a "mãe", Betty, desce a escada. Ela trabalha à noite, das 19h30 às 23h30, todos os dias da semana. Betty prepara para si uma xícara de café e leva Sparky para um passeio de matilha de 45 minutos. Quando voltam, ela o alimenta, verificando se ele se encontra em um estado calmo-submisso antes de lhe dar comida. Betty passa o resto da manhã fazendo tarefas e tem uma aula de informática no começo da tarde, então verifica se Sparky está descansando confortavelmente antes de sair.

Às 14h30, a mãe chega em casa a tempo de receber Tom e John, que chegam da escola de ônibus. Agora, é a vez dos gêmeos. Eles saem de bicicleta com Sparky correndo ao lado deles. O destino é o parque da cidade (que fica cerca de vinte minutos dali), onde eles o supervisionam enquanto ele se socializa com os amigos por mais meia hora. Depois, são mais vinte minutos de volta a casa, água para Sparky, e hora de os meninos fazerem a lição de casa.

Caitlin tem atividades depois da escola, então ela e Eddie chegam em casa aproximadamente no mesmo horário, por volta das 18h. Caitlin vai para o quarto fazer a lição de casa, enquanto o pai relaxa jogando *frisbee* com Sparky no quintal por cerca de dez minutos. A família se reúne para jantar. Sparky está cansado das atividades da tarde, assim, depois de beber água e receber uns petiscos saudáveis, ele se deita em sua cama enquanto a família come. Então, a mãe sai para o trabalho. Caitlin dorme cedo, enquanto o pai e os gêmeos assistem à TV no andar de baixo até dar a hora de irem dormir, às 21h30. Sparky está calmo e submisso, então os gêmeos deixam que ele se aconchegue com eles no sofá. Às 22h, o pai leva Sparky para mais um passeio de dez a 15 minutos até o fim do quarteirão, para que o cão possa fazer as necessidades antes de o pai subir para ler na cama. Quando a mãe chega em casa às 23h30, por ser a última pessoa a passar pelo andar de baixo, ela leva Sparky para fora mais uma vez, se ele precisar, verifica se tem água e cuida para que ele se deite antes de ir para o quarto.

Mostramos um quadro da agenda semanal dessa família imaginária na próxima página.

É um exemplo imaginário, claro, mas eu o uso para ilustrar como até mesmo uma família muito ocupada pode trabalhar junta para fazer com que o cão tenha uma vida feliz e realizada. Nessa situação, Sparky faz muitos exercícios, está sempre tranquilo quando fica sozinho, e tem a chance de se aproximar de todos os membros de sua matilha com frequência. Tem exercício, disciplina e afeto, tudo na medida certa.

RESPONSABILIDADES DA FAMÍLIA COM SPARKY

AGENDA DE SEGUNDA A SEXTA-FEIRA

Horário	5h	8h30	9h30	14h30	18h	20h	22h	23h30
Caitlin	Passeio de 10 minutos; urina; água.							
Gêmeos				Passeio de ida e volta de bicicleta de 40 minutos; 20 minutos no parque (ou outro exercício ou atividade parecidos); água.		Dar afeto e carinho enquanto assistem à TV apenas se o cachorro estiver calmo e submisso.		
Mãe		Passeio de 45 minutos.	Ritual da hora da refeição e água. Verificar se o cachorro está descansando antes de sair de casa.					Levá-lo para fora a fim de que ele faça as necessidades, se for preciso; água; cama.
Pai					Jogar *frisbee* no quintal; água.		Passeio de 15 a 20 minutos; água; deixá-lo descansando antes de ir para a cama.	

Fins de semana, feriados e ocasiões especiais

No mundo dos cães, não existem fins de semana nem feriados. Os cães não compreendem o conceito de "tirar o dia de folga"; eles trabalham por comida e água e esperam seguir regras e limites todos os dias de suas vidas. Assim, o fato de ser fim de semana não quer dizer que os membros de sua família podem fugir das responsabilidades que têm com o cão. Entretanto, o cão é um dos animais mais adaptáveis que existem na natureza. Apesar de se sentir bem com a rotina, ele não tem que fazer — nem quer fazer! — a mesma coisa todos os dias da vida dele. Os cães adoram novas aventuras e desafios. A estrutura básica da vida deles deve permanecer a mesma, mas um dia não deve ser uma repetição do dia anterior.

No caso de nossa família imaginária, talvez, em alguns dias da semana, os gêmeos possam dividir a responsabilidade com Sparky durante a tarde, quando um deles tem treino de futebol ou quer ir à casa de um amigo. Assim, eles podem pensar em modos diferentes e criativos de exercitar Sparky e fazê-lo gostar de novas atividades. Sparky também não tem que se levantar às cinco horas da manhã todos os dias. Ele precisa compreender que, nas manhãs em que Caitlin não desce às cinco, ele precisa esperar quietinho até, digamos, sete e meia. Talvez aos sábados, Caitlin desça às sete e meia para poder correr sozinha por uma hora. Pode levar Sparky com ela nessas manhãs, estreitando ainda mais o elo entre os dois membros da família que não conseguem passar muito tempo juntos. Nessas manhãs, talvez os gêmeos queiram o privilégio de alimentar Sparky antes de saírem para as atividades do fim de semana. Nas manhãs de domingo, às oito, a família toda vai à igreja junta, e é claro que não podem levar Sparky. Então, o pai se oferece para acordar meia hora mais cedo e levar Sparky para um passeio antes de todos partirem. Esses tipos de variação deixam a vida do cachorro mais interessante, e também permitem que todos da família experimentem as diferentes dimensões de ser um líder de matilha na vida de Sparky. O segredo é manter o básico da rotina parecido, cuidando para que Sparky realize uma quantidade mínima de exercícios e trabalhe pela comida e pela água na mesma hora todos os dias.

Os fins de semana também são excelentes para acrescentar desafios específicos à rotina de seu cão.[1] Talvez, nas tardes de domingo depois da igreja, a mãe e os meninos levem Sparky para uma aula de agilidade. Ou, depois de fazer um longo passeio, a família toda o leve dentro do carro para visitar a vovó, que mora na cidade vizinha. A vovó tem um cão mais velho com quem Sparky adora brincar, mas como o cão mais velho tem menos energia do que o terrier, a família cuida para que Sparky faça um passeio mais longo ou uma corrida antes de juntarem os dois cães. Quanto mais desafios e aventuras novas você introduzir na vida do cachorro, mais realizado e adaptável ele se tornará. Mas o segredo é uma regularidade geral, na qual as regras básicas da casa continuam as mesmas.

Unindo a matilha

Quando falamos de vida em família, acredito que os cães devem unir, não separar. Muitas vezes, sou chamado para ajudar uma família na qual o comportamento incontrolável de um cão parece deixar todo mundo muito nervoso. Isso me entristece, porque acredito que os cães chegam a nós para nos ajudarem a nos conectarmos com nossa natureza animal, nossa intuição e nosso instinto de matilha. Eles devem ser uma ferramenta para ajudar uma família a se comunicar e para ensinar todos os membros a atuar juntos, não um obstáculo que deve ser superado. Quando os cães dividem uma família, isso não só cria uma família disfuncional, como também cria um cão disfuncional.

Uma casa dividida

Shelley Gottlieb é uma decoradora de interiores que divide uma casa grande e elegante em San Fernando Valley com a irmã e o cunhado, os dois sobrinhos, a mãe, três cães e um gato. Eles fazem o que famílias unidas fazem: ajudam uns aos outros em épocas de transição. Tanto Shelley quanto sua irmã e seu cunhado, Deborah e Mike Jacobson, estão economizando dinheiro, e a casa é grande o bastante para todos eles. Para seis pessoas vivendo juntas, todo mundo se dá muito bem — exceto quando se trata de Peanut, o chihuahua fêmea de Shelley de dez anos. Como se não bastasse o fato de a cadela ansiosa e antipática latir sem parar sempre que a campainha toca e morder qualquer visitante que atravessa a porta, Peanut também se comporta mal com todo mundo que mora com ela. Shelley recebeu a cadelinha de presente de sua família, dez anos atrás. No entanto, quando conheci a família Gottlieb-Jacobson, essa mesma cadelinha estava afastando todo mundo.

Mike, cunhado de Shelley, é o maior alvo do domínio territorial de Peanut. Quando Mike entra em qualquer cômodo, Peanut começa a latir e a rosnar, e só para quando Mike sai do cômodo. Tem sido quase impossível Mike e Shelley permanecerem no mesmo cômodo juntos e totalmente impossível ficarem próximos, por exemplo, no mesmo sofá. Não é preciso dizer que isso tem causado muito estresse a todo mundo. E tem mais um problema. O labrador calmo-submisso de Mike, chamado Scout, o segue a todos os lugares. Quando Peanut começa a latir para Mike, Scout para no meio e começa a latir para Peanut. O nível de barulho na casa é ensurdecedor, e os níveis de estresse são extremos.

"Eu me preocupo com o estresse dela", diz Shelley a respeito de Peanut, segurando as lágrimas. "Ela está mais velha agora e acho que isso não é bom para ela." Eu concordei. Um animal que não se sente satisfeito e que está sempre em alerta não é feliz. E os hormônios do estresse são tão ruins para os cães quanto para os seres humanos.

Quando conheci a família Gottlieb-Jacobson, imediatamente senti a energia de uma casa caótica. Apesar de todos ali se amarem, estavam sempre ocupados com suas tarefas, sem qualquer regra que unisse a família. Costumamos nos esquecer de que a energia dos seres humanos em uma casa é transferida aos animais com os quais vivem, e que eles aprendem a se adaptar de acordo. Peanut parecia especialmente sensível àquela energia caótica. Sentia o estresse e a tensão de todos e os reproduzia em seus acessos de dominação.

O problema começava com Shelley, que via Peanut como *sua* cadela, e só dela. Shelley também projetava uma energia muito suave e incerta a Peanut, porque não queria perturbá-la. Isso criou dois grandes problemas. Em primeiro lugar, Shelley não estava se comportando como parte da matilha. Por mais independentes que sejam os membros de uma casa, quando levamos um cão para viver com a família, esse cão precisa ser de todos, e todo mundo desempenha um papel de líder de matilha. Os cães não têm problema em compreender esse conceito se comunicarmos isso a eles. "O cão não sabe que foi dado de presente", eu disse a Shelley. "O cão só sabe que chegou a um ambiente. E todo mundo no ambiente tem energias diferentes e está praticando atividades diferentes. Ela está pensando: 'Estou confusa! Eu deveria viver com uma matilha equilibrada!'" No caso de Peanut, ela cresceu acreditando que ela e Shelley eram uma matilha separada dos outros da casa. Ela sentia que era sua obrigação ser protetora e dominadora em relação a Shelley, e que todas as outras pessoas da casa eram uma ameaça ou inimigos. Não é à toa que ninguém gostava de Peanut! Shelley havia transformado Peanut em um animal que dividia a casa, porque Peanut acreditava ser seu trabalho.

Quando me sentei para conversar com Shelley e Mike — o principal alvo de Peanut —, ele não hesitou em me dizer como se sentia em relação ao cão. "Odeio essa cadela", disse ele. Claro, os cães nos devolvem o que damos a eles, e Mike estava exacerbando o problema ao provocar Peanut sempre que ela tentava mordê-lo, aumentando seu nível de frustração e de estresse. Eu disse a Mike que, quando ele entrava no cômodo com Scout e o cão tentava se colocar entre ele e Peanut, o único que estava fazendo a coisa certa era Scout. Ele era o mediador, um papel que costuma ser desempenhado por cães no meio de uma hierarquia de matilha. Assim como um filho do meio na família, Scout estava tentando entender por que niguém conseguia se dar bem. Enquanto Mike e Peanut agiam como se fizessem parte de matilhas diferentes, Scout estava tentando fazer todo mundo atuar junto. Scout tinha muito mais sabedoria do que qualquer um dos seres humanos na casa, e eu estava ali para ajudá-lo.

Criando a matilha da família

Situações como a que ocorreu na casa dos Gottlieb-Jacobson são extremamente comuns em famílias que têm cães e nas quais um membro "toma" o animal só para ele. Sempre me pego tentando unir diferentes "matilhas" vivendo sob um mesmo teto. Se quisermos que nossos cães se comportem de modo calmo e equilibrado, não podemos colocá-los em situações nas quais eles tenham que se alinhar com um lado da família e ficar contra o outro. Isso transforma os outros membros da família em rivais ou alvos, e faz com que os cães estejam sempre em alerta dentro da própria casa — o local onde eles deveriam relaxar e se manter calmos-submissos. Ainda que nós nos sintamos bem, como seres humanos, em ter um cão que "nos ame mais", isso não é bom para o cão nem para o interesse geral da matilha.

COMO CRIAR UMA MATILHA NUMA FAMÍLIA DIVIDIDA

Imponha regras firmes para todos os membros da família.
Cuide para que cada um desempenhe um papel nos cuidados e na satisfação do cão.
Dê a todos uma chance de "migrar" com o cão pelo menos uma vez por semana.
Troque as responsabilidades com os cuidados do cão de vez em quando.
Não permita que o cachorro desrespeite nenhum membro da família.
Ensine todos os membros da família a alcançar uma energia calma-assertiva.

Um cão sempre vai retribuir o que você dá a ele. Se você der caos, receberá caos como retribuição, muitas vezes. No caso de Peanut, ensinei Mike e Shelley a trabalharem juntos para projetarem a mesma energia calma-assertiva para Peanut. Shelley tinha que se tornar mais assertiva e Mike tinha que aprender a se tornar mais calmo. Estava na hora de todos eles serem mais sinceros em relação a seus sentimentos e energias. Mike se sentia irritado e ressentido; Shelley se sentia frustrada e derrotada. Para um cão, cada um desses estados mentais é uma energia desequilibrada que ele precisa dominar ou atacar. Shelley precisava começar a ver a si mesma como fonte de energia harmônica e não caótica, e Mike tinha de se enxergar como o alvo.

Em seguida, aconselhei todos os membros da família a corrigir Peanut quando seu comportamento neurótico começasse a sair do controle. Embora tenha dez anos, Peanut é como todos os cães: sempre está disposta a voltar a um estado equilibrado. Shelley e Mike se tornaram ótimos alunos. Quando a equipe de *O encantador de cães* e eu saímos para almoçar, eles continuaram trabalhando com a Peanut e viram que podiam controlar sozinhos a cadela, sem a equipe por perto! Dois meses depois de minha visita, a família Gottlieb-Jacobson relatou que tinha um cão mudado, e uma casa muito mais pacífica.

Impondo as regras

Em meus livros anteriores, *O encantador de cães* e *Cães educados, donos felizes*, escrevo em detalhes sobre como comunicar os limites a seu cão e como lidar com qualquer problema de comportamento que possa surgir. São habilidades básicas que todo mundo da família precisa dominar para controlar o comportamento de um cão:

1. Ter em mente o comportamento que deseja que o cão tenha.
2. Expressar de modo claro e firme o comportamento desejado. Nessa comunicação, a energia, a intenção e a linguagem corporal são mais importantes (e mais facilmente compreendidas pelo cão) do que os comandos verbais.
3. Ignore maus comportamentos leves usando a regra de não tocar, não falar, não encarar (eles normalmente são corrigidos sozinhos quando não são reforçados).
4. Corrija imediata e firmemente maus comportamentos mais graves.
5. Corrija sempre com energia calma-assertiva — nunca leve o mau comportamento de seu cão para o lado pessoal!
6. Sempre dê ao cão um comportamento alternativo aceitável quando corrigir um comportamento indesejado.
7. Recompense bons comportamentos — com afeto, petiscos, elogios, ou simplesmente com sua alegria e aprovação, que seu cão perceberá e compreenderá imediatamente.

Pulos

Um exemplo de comportamento que sempre deve ser proibido é deixar que seu cão adote o hábito de pular em você, em seus filhos ou em suas visitas. No mundo dos cães, pular em uma visita ou em um líder de matilha que esteja voltando seria considerado o máximo da falta de educação e de respeito, mas meus clientes sempre insistem dizendo que o cachorro fica "feliz em vê-los!" quando praticamente são derrubados pelos animais quando chegam em casa toda noite. Se seu cachorro sempre pula na pessoa que chega, significa que ele está excessivamente agitado — talvez tenha muita energia acumulada e não esteja fazendo exercícios físicos suficientes. Normalmente, os seres humanos, sem querer, aumentam esse estado hiperativo fazendo carinho no cão quando ele pula, ou gritando "Ei, amigo, chegamos!" quando abrem a porta. Quando um cão pula em você ou na sua visita, também significa que ele não tem regras nem limites suficientes para criar a paz e o equilíbrio em sua vida. Ele também pode estar comunicando ao novo visitante que é ele quem está no controle.

Eis algumas sugestões para impedir esse comportamento indesejado:

- **Verifique se seu cachorro está fazendo exercícios físicos regularmente.** Os saltos podem ser um sinal de hiperatividade, causada pela energia acumulada. O exercício oferece um modo positivo de extravasar essa energia.

- **Pratique a regra de não tocar, não falar, não encarar.** Não exagere nos carinhos ao atravessar a porta. Pular costuma ser, simplesmente, um comportamento usado para chamar a atenção; se você der atenção, estará reforçando o comportamento. Ignorar o cão até que ele se acalme costuma ser uma estratégia eficiente.

- **Corrija o mau comportamento.** Se os pulos forem muito excessivos, pode ser que apenas ignorar o comportamento não baste. Lembre-se de que as correções devem ser imediatas — não cancele o passeio ao parque no dia seguinte nem diga ao cachorro que ele não vai ganhar um petisco mais tarde. Nunca bata nem machuque seu cachorro... em vez disso, use som, energia e contato visual, ou um "toque" físico firme como correção.

Comportamento na refeição

A hora da refeição é um ritual de grande importância no mundo canino, e quando os cães vivem conosco, podemos usar esse tempo como uma excelente oportunidade de nos conectarmos a nossos animais de estimação e ajudarmos a moldar o bom comportamento. Numa matilha de cães, os animais de classes mais inferiores sempre respeitam o alimento que pertence aos superiores a eles, e ninguém perturba um líder de matilha enquanto ele está comendo! Ao criar regras e limites firmes na hora da refeição, você não apenas nutre o seu cão, mas também o ajuda a levar uma vida mais equilibrada e feliz.

ERROS MAIS COMUNS NA HORA DA REFEIÇÃO

- **Não permitir que seu cachorro trabalhe por comida.** Na natureza, todos os animais trabalham pelo alimento e pela água. Para os cães, isso significa migrar em busca de uma refeição. Você pode recriar essa experiência para o seu cão fazendo um longo passeio. Desafiando seu cão corretamente antes da refeição, você permite que ele se mantenha ligado à Mãe Natureza.
- **Associar comida a diversão.** Muitas pessoas falam e fazem gestos de modo animado ao oferecerem alimentos a seus cães. Isso cria e incentiva o estado agitado do cão, o que pode causar problemas ou aumentar os já existentes. Você precisa estar calmo, e pedir a seu cão para manter-se *calmo* antes da refeição.
- **Recompensar os comportamentos negativos.** A agitação é apenas um dos estados que não devem ser recompensados com comida. Os cães costumam se tornar ansiosos, territorialistas ou agressivos diante da expectativa de serem alimentados. Se você alimenta seu cão quando ele demonstra mau comportamento, está reforçando o comportamento, que quase certamente será repetido.
- **Não estabelecer uma rotina.** Enquanto enche a tigela, peça a seu cão que se sente. Se ele ficar sentado em silêncio e projetar energia calma-submissa sem comportamento negativo, coloque a tigela de comida na frente dele. Alguns de meus clientes consideram essa rotina muito rígida, mas pelo ponto de vista de seu cão, é instinto. Concentrar a mente e o corpo coloca o cão de novo em um estado natural e equilibrado.

Comportamento social

Normalmente, os cães que levo ao meu Centro de Psicologia Canina para a reabilitação pesada são os que não têm qualquer noção de bom comportamento social, ou seja, eles nem sequer aprenderam as regras básicas e as normas de etiqueta que permitem que se deem bem e aproveitem a companhia de outros cães (e, às vezes, de seres humanos). "Meu cachorro simplesmente não 'gosta' de outros cães", foi o que uma cliente me disse. "Mas tirando isso, ele é perfeito." Preciso revelar a clientes que dizem isso que um cachorro que não "gosta" de outros cachorros está longe de ser perfeito. A natureza preparou os cães para serem animais sociáveis. Para terem curiosidade uns pelos outros, para cheirar e entender a energia de outro cão, seu estilo de vida e sua história, e brincar uns com os outros é exatamente o que cães saudáveis e equilibrados devem fazer.

Normalmente, os donos, sem querer, reforçam o comportamento antissocial de seus cães confortando-os quando eles rosnam ou se retraem diante de outros cães, pegando-os e levando-os para longe dessas situações, ou evitando completamente contato com outros cães. Um cachorro antissocial é sempre infeliz, no limite, que não experimenta a alegria de ser um cão compartilhando atividades com outros de sua espécie. Se você tem a sorte de criar um filhote, tem a oportunidade de começar a socializá-lo com cães equilibrados e simpáticos, com diversos seres humanos, e até mesmo com outros animais desde cedo. Contudo, alguns cães que foram adotados de abrigos ou de organizações de resgate têm tendências antissociais já formadas. Fazer com que esses cães voltem a um estado social normal pode exigir paciência de sua parte, mas raramente é impossível. Eis algumas atividades que sugiro:

1. Cuide para que seu cão faça muitos exercícios antes de apresentá-lo a outros cães. Se preciso for, use uma mochila em seu passeio, ou acrescente passeios de bicicleta ou de patins com seu cão em sua rotina, para ajudá-lo a extravasar a energia frustrada acumulada.

2. Procure cães com o mesmo nível de energia ou com nível mais baixo do que o de seu cachorro como companhia. Cuide para que os cães que se aproximarem do seu tenham energia calma-submissa e equilibrada.

3. Antes de apresentar dois cães para que eles brinquem juntos, passeie com eles como uma matilha. Comece com um cão de cada lado, e então, quando vocês estiverem no meio do passeio, colo-

que os dois cães do mesmo lado, para que eles andem lado a lado. Um passeio de matilha é a melhor maneira de criar laços — tanto humano-cachorro quanto cachorro-cachorro.

4. Se seu cão costuma se encolher ou manter contato visual hostil logo no começo, ajude-o a voltar a se comunicar do modo natural, usando "olfato-visão-audição". Mantendo controle da situação, manuseie os dois cães de modo que um possa cheirar o traseiro do outro. Esse ritual é o equivalente ao aperto de mãos entre duas pessoas, ou uma reverência. No mundo canino, cada animal se reveza ficando parado e simbolicamente "submetendo-se" ao outro, permitindo que este o examine.

5. Mantenha a coleira em seu cão — pelo menos no começo. Isso fará com que você continue no controle enquanto o seu cão ainda estiver desenvolvendo um comportamento canino normal.

6. Controle sua energia. Se estiver ansioso e "prendendo a respiração" para ver o que acontece, estará comunicando a seu cão que ele deve ficar tenso também. Aceite o fato de que poderá não ter sucesso nas primeiras vezes, mas que nada o impedirá de repetir o processo até seu cão reconquistar o direito natural de fazer amizade com outros cães.

7. Quando seu cão conseguir brincar tranquilamente com outro animal, coloque, de forma gradual, mais cães no "parquinho". Quando ele aceitar novos membros no seu círculo sem medo nem desconfiança, você pode levá-lo ao parque — mas só depois de verificar se não há cães fora de controle ou donos dominando as atividades ali!

8. Cuide para que seu cão socialize-se com animais que brincam com o mesmo nível de intensidade. Os cães brincam com quatro níveis: baixo, médio, alto e muito alto. Os cães que brincam com nível alto ou muito alto podem facilmente chegar a um estado agressivo, o que pode resultar em briga. Se possível, condicione seu cão a brincar num nível de intensidade baixo ou médio e encontre outros cães que também brinquem nesse nível.

* * *

Para ajudar seu cão tímido ou desconfiado a ficar mais à vontade socializando com pessoas desconhecidas, você tem uma vantagem, pois pode orientar seus amigos a ajudá-lo, ensinando a eles o modo correto de agir. A coisa mais importante a ensinar a eles, claro, é como projetar energia calma-assertiva e como respeitar a regra de não tocar, não falar, não encarar. Peça que eles ignorem o cão até que a curiosidade natural dele o leve a investigar. Você pode dar a seus amigos petiscos como "chamariz", mas eles devem dá-los ao cachorro apenas quando este tomar a iniciativa de se aproximar. Quando seu cão estiver à vontade entre seus amigos, convide-os para uma festa — mais uma vez, instruindo-os a ignorar seu cachorro. Por fim, o instinto natural dele deve levá-lo a querer fazer parte do grupo.

Sozinho em casa

Na natureza, os membros da matilha raramente são separados uns dos outros. Às vezes, um ou dois "tios" ficam para trás a fim de cuidar dos filhotes enquanto a mãe e o resto dos adultos saem para caçar, mas essa é uma das raras situações nas quais os canídeos selvagens se separam. Agora que eles vivem em um mundo moderno e urbano, os cães costumam ficar sozinhos em casa enquanto o restante da matilha humana sai para trabalhar. Como ficar sozinho em casa não é nada natural para um cão, muitos deles sofrem de ansiedade por separação. Esse problema pode surgir até nos cães mais equilibrados sem qualquer outro problema de comportamento. Na maior parte do tempo, meus clientes pioram a ansiedade pela separação — e às vezes até a criam —, preocupando-se demais com o cachorro antes de saírem de casa. Acredite, nem toda a explicação do mundo a respeito do fato de que você precisa trabalhar para pagar pela ração do animal e que você estará de volta em poucas horas não conseguirá controlar a ansiedade de seu cão; na verdade, provavelmente vai intensificá-la. Você deve se lembrar de que qualquer interação que estabelece com seu cão começa e termina com a energia. Se quiser livrar-se dos choros, dos uivos e dos objetos destruídos, e outros sintomas da ansiedade pela separação, você deve controlar a energia de seu cão.

Amigo nervoso

Na segunda temporada de *O encantador de cães*, fui chamado para ajudar uma mãe recém-divorciada, Cindy Steiner, e sua filha de dez anos, Sidney, que estavam sendo despejadas do apartamento em Los Angeles por causa de Fella, um mix de beagle recém-resgatado. Desde a primeira vez que Cindy deixou Fella sozinho no apartamento ao sair para trabalhar, os vizinhos reclamavam que ele latia o dia todo, todos os dias. Depois de muitos meses, a síndica do condomínio estabeleceu a lei. Apesar de gostar de Cindy e Sidney, a menos que algo fosse feito a respeito do cachorro, elas teriam que se mudar. Claro, Cindy e Sidney não queriam perder a casa, mas também sabiam que devolver Fella ao abrigo podia resultar na sua morte.

Às vezes, a ansiedade pela separação é apenas o sintoma de um problema maior. Depois de conversar com Cindy e Sidney, fiquei sabendo que Fella havia se tornado muito territorialista no carro, era agressivo com outros cães e, pior de tudo, fazia apenas 15 minutos de exercícios por dia. Fella tinha uma vida muito entediante, e precisava acordar todos os dias com um desafio. O problema estava diretamente relacionado à incapacidade de Cindy e Sidney de darem a ele aquilo de que precisava, e também de assumirem uma liderança firme em casa. Senti que não poderíamos nem sequer começar a abordar a questão da ansiedade pela separação se as mulheres não controlassem o nível de estresse de Fella por meio de exercícios e se não me provassem que compreendiam o conceito da liderança calma-assertiva.

Dei às duas uma tarefa de casa: andar de bicicleta com Fella por pelo menos meia hora, duas vezes por dia. Depois de duas semanas de exercício intenso, voltei e encontrei um Fella totalmente mudado. Até mesmo Cindy estava surpresa. "Todo mundo está comentando que ele está calmo, que ele me obedece." Naquele momento, estávamos prontos para tratar o problema de ansiedade de Fella. Depois dos exercícios da manhã, ensinei mãe e filha a tornarem o momento da partida menos traumático, colocando o cão em um estado calmo-submisso repetidas vezes, primeiro saindo por apenas alguns minutos, depois ficando cada vez mais tempo fora. Como muitos dos cães que sofrem desse problema, Fella tinha donas que compensavam a culpa que sentiam exagerando a despedida toda manhã, tentando diminuir a ansiedade dele. "Tudo bem, Fella, voltaremos logo", diziam. Ao invés de acalmarem Fella, elas apenas aumentavam sua ansiedade e sua excitação.

Por fim, condicionamos Fella a entrar em sua casinha todas as manhãs depois dos exercícios e do café da manhã. Sozinha, a menina Sidney teve a ideia de colocar sua camisa na casinha do cachorro, para que ele se confortasse sentindo seu cheiro. Três meses depois de minha visita, Fella não era mais o terror do condomínio. Ele compreendia que, depois dos exercícios e da refeição, tinha que descansar em sua casinha durante algumas horas. Segundo Cindy, até os vizinhos concordaram: "Eu perguntei a eles: 'Vocês ouviram o cachorro?' E eles me responderam: 'Não, não o escutamos há meses.'"

IMPEDINDO A ANSIEDADE PELA SEPARAÇÃO

1. Leve seu cachorro para fazer uma sessão de exercícios antes de deixá-lo sozinho. Pode ser um passeio longo ou uma corrida vigorosa. De qualquer modo, cuide para que seu cão faça exercícios e se canse.
2. Deixe água e comida para seu cão depois dos exercícios. Alguns cães precisam descansar um pouco antes de comer para evitar inchaços, mas você pode hidratá-los imediatamente. Cada animal precisa de um período diferente de descanso depois dos exercícios, e com o tempo você passará a conhecer a rotina preferida de seu cão. A combinação de exercício e comida naturalmente colocará seu cão em um estado calmo-submisso. Solte-o para que ele se alivie depois de 15 a vinte minutos, ou, pelo menos, mais uma vez antes de você sair para trabalhar.
3. Pratique a regra de não tocar, não falar, não encarar. É a melhor maneira de deixar seu cão e a melhor maneira de encontrá-lo ao chegar em casa. Ao conversar com seu cão quando ele está ansioso, você só agrava sua mania. Espere até que ele esteja em um estado calmo-submisso, e então inicie contato.
4. Não exagere na hora de sair! Deixe seu cão permanecer no estado calmo-submisso pós-exercícios/comida.
5. Não culpe seu cão se ele destruir alguma coisa enquanto você estiver fora. Não é nada pessoal, ele está apenas frustrado. Em vez disso, repense sua estratégia de deixá-lo sozinho. Pense em condicioná-lo a ficar em um espaço menor ou em uma casinha de cachorro.

Lembre-se de que os cães reagem melhor à minha fórmula de três componentes: exercícios, disciplina e afeto, nessa ordem. Ao estabelecer e manter as regras firmes da casa, você estará ajudando seu cão a se sentir feliz, realizado e estimulado.

6

LONGE DE TUDO

Viajando com e sem seu cachorro

Às vezes, nossas carreiras e outras obrigações da vida nos levam a viajar para longe. Ou então simplesmente precisamos tirar férias. A vantagem de se ter cães como animais de estimação (ao contrário de gatos) é que os cães gostam de ir a novos lugares e experimentar novas aventuras. Hoje, mais do que nunca, a sociedade está se adaptando para que seja cada vez mais fácil para nós levarmos nossos animais de estimação em nossas viagens. Aviões, trens e navios, todos têm políticas para transportar tanto pessoas quanto animais de estimação. O segredo para tornar a viagem com seu cão uma experiência positiva e feliz é planejar com antecedência, além de estabelecer regras e limites não apenas para seu cão, mas para você e todas as outras pessoas na viagem!

Antes da viagem

Antes de qualquer viagem, peça a seu veterinário que examine seu cão para ter certeza de que ele está em boas condições de saúde. Também é uma boa ideia manter por perto cópias dos registros médicos de seu animal de estimação. Nos Estados Unidos, se você e seu animal forem sair do estado, você deve submeter o cachorro a um novo exame de saúde e pedir o comprovante de vacina antirrábica. À exceção do Havaí, que exige um período de quarentena de 120 dias, os cães podem ir a qualquer ponto dos Estados Unidos apenas com o comprovante de vacina antirrábica. No entanto, outros países têm políticas e exigências de quarentena distintas, que devem ser pesquisadas antes de se fazer as malas.

Apesar de a vida poder estar caótica antes de uma viagem de negócios, de férias ou de mudança, lembre-se de que seu estresse também é transmitido a seu cão. Não se esqueça de manter firme a rotina de exercícios, disciplina e afeto antes de partir, e procure não passar a sua ansiedade para o seu cão. Os cães podem aprender a gostar de qualquer coisa desde que a associem com algo positivo — mas se você estiver ansioso em relação à visita anual que faz a sua sogra ou à viagem em que você cruza o estado para se reunir com os velhos amigos da escola, não se surpreenda se seu cachorro "misteriosamente" mudar de comportamento antes da viagem.

Viajando de carro

Muitos cães adoram viajar de carro. Eles aproveitam a oportunidade para colocar a cabeça fora da janela e sentir a imensa variedade de cheiros que os bombardeia. Por mais que o cachorro goste dessa experiência, no entanto, na minha opinião, ele corre sérios riscos. Se você puder entreabrir um pouco a janela, ele conseguirá ter um gosto do mundo lá fora sem o perigo de ser atingido por pedacinhos de pedra ou de ficar doente por receber vento gelado nos pulmões. Por segurança, não é uma boa ideia viajar com o cachorro no banco do passageiro, pois ele pode se ferir com o acionamento do airbag. Sugiro a parte traseira de uma caminhonete ou utilitário, ou então o banco de trás. Nunca viaje com um cão na caçamba aberta de uma picape! Em breve, será lei nos Estados Unidos, inclusive na Califórnia, que todos os cães que não estiverem dentro de uma gaiola ou caixa deverão estar presos enquanto o veículo estiver em movimento. A maioria dos pet-shops tem uma grande variedade de cintos de segurança para cachorros que mantêm seu animal protegido.

Claro que muitos cães também ficam enjoados em longos passeios de carro, ou simplesmente não gostam do carro tanto quanto você. Se seu cachorro tiver problemas no carro, dedique um tempo para adaptá-lo antes de levá-lo em uma viagem de mais de uma hora. Cuide para que ele tenha feito exercícios antes da viagem, de modo que possa se deitar e cochilar na gaiola ou na caixa. Ofereça bastante água dentro do carro, alguns biscoitos e um brinquedo de morder para aliviar a ansiedade. Dramin ou uma medicação um pouco mais forte, prescrita pelo seu veterinário, pode ajudar no caso de enjoo, mas eu escolheria uma abordagem homeopática e usaria florais recomendados pelo veterinário holístico dr. Marty Goldstein, como o Rescue, gengibre, hortelã... até algumas gotas de essência de ervas, um chá ou um pouco de mel puro antes da viagem. Entre os produtos homeopáticos disponíveis em pet-shops e mercados de comida orgânica estão o PetAlive EasyTravel Solution, o Dr. Goodpet's Calm Stress e o Professional Complementary Health Formulas: Travel Sickness.

Lembre-se de *nunca* deixar seu cão sozinho dentro de um carro estacionado. Nos dias de calor, a temperatura interna pode aumentar muito em questão de minutos, mesmo com as janelas um pouco abertas.

Se você se preocupa com seu cão, o melhor horário para viajar com ele é à noite, quando ele estará mais interessado em descansar e relaxar. Se decidir viajar durante o dia, lembre-se de que, ainda que as crianças compreendam que vocês estão de férias e que coisas diferentes serão feitas, seu cão não pensa assim. Os cães adoram aventuras, mas eles também dependem da rotina. Em uma viagem longa de carro, sugiro que você pergunte a si mesmo: "O que meu cão faria normalmente às sete da manhã? O que ele faria normalmente às dez? O que ele faria normalmente ao meio-dia?" Então, tente realizar algumas atividades parecidas no mesmo horário.

Para mim, a regra é a seguinte: pelo menos uma vez a cada quatro horas, eu paro o carro e deixo meu cachorro ter pelo menos quinze ou vinte minutos para esticar as pernas, fazer as necessidades e talvez dar uma volta rápida. Se o cão gosta de brincar, eu lanço a bola, brinco, queimo um pouco de energia e sirvo água. Por falar em água, antes de uma viagem de carro demorada, entenda os sinais que seu cão demonstra quando precisa urinar. Eu já vi cães que vivem com caminhoneiros, e eles sabem quando vão parar na estrada. Eles sentem o cheiro: "Ah, estamos chegando a Camarillo. Sei que vamos parar em alguns minutos." Mas demorou para que esses cães se adaptassem a esse estilo de vida.

Eu adoro cruzar o país ou o estado com minha esposa, meus filhos e meus cães; para mim, é uma experiência divertida de aproximação para todos nós. No entanto, procuro pensar nas necessidades individuais de cada membro da família no que diz respeito a pausas para descansar, comer, se esticar e se exercitar. E os cães também são membros da família!

Viajando de avião

Muitas companhias aéreas (não todas — confira com antecedência) estão prontas para receber animais, mas não oferecem um passeio gratuito. Nos Estados Unidos, o Serviço de Inspeção da Saúde dos Animais e das Plantas (Animal and Plant Health Inspection Service — Aphis), do Departamento de Agricultura (Usda), estabelece e cobra regras para o transporte de animais vivos, e você deve obedecer a essas leis, que exigem que seu animal de estimação tenha pelo menos oito semanas de vida e já tenha sido totalmente desmamado. Algumas companhias aéreas permitem que você viaje com um cachorro pequeno dentro do avião se o animal couber em uma caixa de transporte embaixo do assento do passageiro, mas prepare-se para pagar entre cinquenta e cem dólares de taxa para cada trecho por esse privilégio. Algumas companhias aéreas também consideram seu animal de estimação parte de sua bagagem de mão — na maior parte dos casos, apenas uma bolsa de mão e um item pessoal —, portanto, pense nisso antes de fazer as malas.[1]

O lado bom é que os cães pequenos costumam se comportar muito bem quando viajam dentro do avião com a família. Normalmente, eles já têm experiência em serem transportados em carros ou pequenas caixas, o interior da aeronave tem uma temperatura regulada e a energia das pessoas ao redor costuma ser relaxada, já que as pessoas adotam uma atitude calma-submissa — assistem ao filme a bordo, leem um livro ou cochilam. Não é uma experiência totalmente incomum. Contudo, para o bem de seu cão e também dos passageiros, não permita que o animal passe muito tempo dentro da caixa pela primeira vez na vida exatamente quando estiver voando! Você não vai querer uma companhia que fique latindo e chorando. Leve-o antes em alguns passeios de carro, até que ele aprenda que a caixa significa relaxamento. E, claro, leve-o também para um longo passeio, a fim de que o descanso seja natural.

Carga preciosa

Em muitas companhias aéreas, você tem duas outras opções. A primeira é levar seu animal de estimação como "bagagem extra" com suas malas despachadas. Essa opção só estará disponível se você estiver viajando no mesmo voo que ele. A segunda opção é transportar seu animal de estimação como "carga viva". No compartimento de carga, o animal pode viajar sem acompanhante, pelos canais normais de carga ou por meio de um serviço de entrega especial que muitas empresas aéreas desenvolveram. Os animais nos sistemas de carga são transportados nas mesmas caixas pressurizadas que os animais do sistema de bagagem despachada. Se você for escolher uma dessas opções, consulte um veterinário de sua confiança para ter certeza de que seu cachorro pode viajar. Os cães mais velhos (com mais de sete anos e meio) podem precisar de um exame mais detalhado (ou seja, exames de fígado e rim). Algumas raças — por exemplo, cães de focinho curto (como o buldogue inglês e o pug) — simplesmente não ficam à vontade no voo porque têm dificuldade para respirar até mesmo em condições normais. Você precisará de um atestado médico do veterinário para estar de acordo com as regras da maioria das companhias aéreas, além das leis estaduais e federais. A maioria das companhias aéreas exige que o exame tenha sido realizado de sete a dez dias antes da viagem.

Pessoalmente, não recomendo despachar os cães como carga, a menos que você não tenha escolha. Sempre que levo o Daddy ou outros cães da matilha às filmagens de *O encantador de cães* em diferentes partes dos Estados Unidos, os cães costumam ir no trailer com Rojo, membro de nossa equipe, ou pedimos a um assistente da produção que os leve de carro. Todo mundo adora viajar com o Daddy. De manhã, ele sempre começa o dia levando um brinquedo à pessoa que está com ele como sinal de amizade ou simplesmente para comemorar o começo de uma nova aventura. É claro que uma viagem de carro pelo país envolve mais logística e planejamento do que uma viagem de avião, mas não confio nas temperaturas imprevisíveis do compartimento de carga, sem falar que não haverá pessoas por perto para supervisionar.

Compreendo que muitas pessoas não têm opção ao viajar e às vezes devem tomar a decisão de voar com seus cães como bagagem despachada ou carga. Se for o caso, recomendo que você dedique tempo para preparar seu cão física e psicologicamente para a viagem. Quando as pessoas se tornam astronautas, a Nasa não as contrata nas ruas, colocam-nas numa cápsula e mandam-nas para o espaço! A

Nasa prepara os novos astronautas com anos de antecedência, fazendo-os experimentar as sensações que o corpo humano sofre em ambientes de gravidade zero. Se vou colocar meu cachorro dentro de um avião por muito tempo, devo prepará-lo como se quisesse que ele se tornasse um astronauta. Começarei fazendo com que passe cada vez mais tempo dentro de sua caixa. Comprarei uma caixa com rodinhas e deixarei que ele se acostume a ser transportado de um lado para outro, até eu ter certeza de que ele está relaxado e à vontade naquela situação. Eu o levarei ao aeroporto dentro de sua caixa, para que ele se acostume com o som dos aviões decolando e aterrissando. Eu o levarei à piscina e o segurarei dentro da água para que ele tenha contato com uma nova sensação de gravidade. O objetivo de tudo isso é condicionar o cérebro a ter experiências de diferentes sensações, para que, quando ele estiver dentro do compartimento de carga, consiga unir todas as experiências: "Certo, já estive numa caixa antes e tudo ficou bem. Certo, já passei por essa sensação de flutuar antes e tudo ficou bem."

Para poder fazer esse treinamento pré-voo de modo adequado, deve-se começar a condicionar o cão pelo menos um mês antes da viagem. Claro que as próximas viagens não precisarão desse tipo de preparo intensivo, mas o objetivo é criar uma primeira experiência de baixo estresse, para que a viagem não se torne uma experiência negativa.

Antes do voo em si, faça com seu cão uma última sessão de exercícios — pode ser um passeio demorado de patins ou uma corrida ao lado de sua bicicleta, por exemplo — para que ele se canse totalmente. Se seu veterinário conhece acupuntura e remédios homeopáticos, peça a ele que prescreva um tratamento pré-voo ou algum remédio natural que possa ajudar seu cão a manter a calma. Na minha opinião, isso é muito melhor do que tranquilizantes ou "remédios para dormir", que eu nunca daria a meus cães antes de um voo. A maioria dos veterinários é contrária à sedação, uma vez que os efeitos dos tranquilizantes nos animais em altitudes mais altas são imprevisíveis. Escolha um voo sem escala e evite o estresse de viajar em feriados ou em fins de semana. Evite viajar em temperaturas extremas — os voos da manhã ou da noite são preferíveis durante o verão. No compartimento de carga, é possível reservar espaço em um determinado voo pagando por prioridade ou por um serviço de entrega especial. As companhias aéreas têm o direito de impedir o animal de voar em condições climáticas extremas.

O Usda exige que você ofereça alimento e água ao seu animal quatro horas antes de entrar no avião. Não dê alimento ou água demais para o cão antes da viagem. Quando fizer o check-in, você deve assinar um documento registrando o horário em que serviu comida e água ao cachorro pela última vez. Nunca deixe comida ou água no prato dentro da caixa.

Viajando de trem ou barco

À exceção de cães-guia, poucas empresas de barcos aceitam animais — e normalmente apenas em travessias oceânicas. Algumas empresas aceitam os animais de estimação em cabines privadas, mas a maioria deles fica presa em caixas. Entre em contato com a empresa com antecedência para saber quais são as políticas e quais barcos têm jaulas para os animais. Se tiver que usar a jaula de um navio, certifique-se de que o espaço é protegido do frio e da chuva. Já tive que viajar de balsa com cães algumas vezes, e a regra era que os cães tinham que ficar dentro do carro. Foi escolha minha ficar na área de carros com os cães durante toda a viagem. Se você estiver viajando com a família inteira, sugiro que se planeje e se desligue da responsabilidade com os cães até chegar a seu destino.

No caso de trens, nos Estados Unidos, a Amtrak atualmente não aceita animais de estimação, a menos que sejam cães-guia. (Pode haver empresas menores que permitam animais a bordo.) Na Europa, muitos sistemas ferroviários permitem animais de estimação. Se quiser viajar com seus cães em um trem, sugiro que você passe pelo ritual de preparo para esse tipo específico de viagem, levando casualmente seu cão para perto de uma estação, para que ele se acostume com os sons e os cheiros da viagem de trem.

Ficando em hotéis

De acordo com Tracey Thompson, que cuida do site Pet Friendly Travel.com, cada vez mais hotéis acomodam turistas com animais de estimação. "No passado, apenas os hotéis baratos permitiam animais dentro dos quartos", conta Tracey. "Os hotéis de quatro estrelas ou mais entraram nessa onda há pouco. Nos últimos cinco anos, a tendência se tornou... bem, não é mais uma tendência, é um estilo de vida." Mas Tracey lembra que cada hotel é diferente com suas restrições. Pesquise sempre antes de viajar. "O bom da internet é que há muitas informações lá, mas o ruim é que essas informações podem estar erradas. Não confie num site ou num fórum só porque diz que você pode levar um cão a determinado hotel. Telefone sempre para obter mais detalhes."

Eu me hospedo em hotéis com meus cães frequentemente, e aprendi uma coisa: depende de você, como dono, ensinar seu cão a aproveitar e respeitar esse novo ambiente. Você não terá uma boa estada se seu cachorro não se socializar bem em ambientes desconhecidos, com pessoas estranhas e com outros cães. Primeiro, é importante que seu cão compreenda onde está. Passeie com ele pelo bairro, apresente-o ao porteiro, aos recepcionistas e às camareiras usando a regra de não tocar, não falar, não encarar. Se você fizer as coisas do modo certo, ele se adaptará depressa. As toalhas absorventes são uma ótima invenção e você pode levá-las ao hotel ou a uma casa alugada. Se seu cachorro estiver acostumado a usar essas toalhas, podem ser evitados possíveis acidentes. No entanto, o mais importante, na minha opinião, é fazer imediatamente com que seu cão se acostume à nova rotina que ele terá de adotar durante o período em que ficar longe de casa. Quando ele entender a rotina, poderá se adaptar a ela — mas se estiver confuso, ele não saberá bem como canalizar a energia, e pode simplesmente extravasá-la de um modo negativo, a menos que você ofereça a orientação de que ele precisa.

Regras para relaxar

Normalmente, as pessoas reclamam que seus cães ficam "fora de controle" nas férias. Mais uma vez, isso acontece porque nós nos esquecemos de que os cães não veem as férias como nós as vemos. Os seres humanos, normalmente, querem aproveitar as férias para relaxar, não fazer nada e não ter que seguir nenhuma rotina. Ou querem realizar atividades novas e diferentes e se esquecem totalmente do cachorro.

Digo que é possível fugir de seu trabalho durante as férias — você pode até fugir da dieta e dos exercícios físicos —, mas não pode fugir de suas responsabilidades de líder de matilha! Ainda que seu dia a dia seja diferente da rotina que tem em casa, você precisa criar uma rotina compatível para seu cão e fazer com que ele se sinta à vontade com ela desde o começo.

Minha vida com minha família recentemente me deu uma nova metáfora para compreender como ajudar os cães a se adaptarem a um novo ambiente e a novas regras. Nas últimas férias de meus filhos, Ilusion e eu os levamos ao Club Med em Punta Cana, na República Dominicana. Quando chegamos, ficamos um tanto desorientados. Parecia que todo mundo sabia o que estava acontecendo, menos nós. Então, os organizadores do Club Med apareceram e nos entregaram a programação. Era totalmente diferente da rotina que tínhamos em casa, então precisamos de um ou dois dias para nos acostumarmos com regras como o horário em que o café da manhã era servido, como encontrar as diversas atividades e onde pegar toalhas para levar à piscina. Quando essas coisas se tornaram claras para nós, conseguimos nos tornar parte do grupo e aproveitar a nova rotina. Acabamos nos divertindo muito e planejamos voltar em breve.

Quando viajar com seu cão, imagine a si mesmo como o guia de atividades do Club Med. Primeiro, você precisa apresentar seu cão ao novo ambiente: passeie com ele pela vizinhança e mostre onde ele vai comer e dormir. Em seguida, estabeleça uma rotina diária condizente com a rotina dele em casa. Então, acrescente as novas atividades. Hoje vamos nadar. Hoje vamos andar de caiaque. Hoje vamos explorar. Se você vai levar a família a atividades que não incluam o cachorro, precisa verificar se ele está cansado, se sabe onde vai descansar e se não ficará ansioso quando você deixá-lo sozinho. Você está, basicamente, fazendo com que ele se lembre das coisas que ele já sabe fazer em casa, mas não necessariamente saberá fazer nesse lugar novo, com cheiros e energia diferentes. Nosso trabalho é apenas ensinar a ele: "Temos que nos comportar aqui basicamente da mesma maneira como nos comportamos em casa."

As férias podem representar uma "folga" da disciplina para os seres humanos, mas se permitirmos que elas representem falta de regras e limites para nossos cães, teremos grandes problemas. Alguns de meus clientes gostam de dormir até tarde nas férias, mas eu tenho que lhes avisar que eles não podem mudar muito a hora de acordar se levarem os cães com eles. Seu cão precisa de constância, principalmente no que diz respeito ao passeio da manhã. Se uma pessoa costuma acordar às seis, mas dorme até as dez nas férias, o cão precisará de muitos dias para se acostumar a acordar às dez da manhã. Até lá, já será hora de voltar para casa, e serão necessários vários outros dias para colocá-lo de volta na rotina de acordar às seis. Por que você teria o trabalho de interromper um hábito que já é tão saudável para seu cão? Pessoalmente, eu preferiria acordar no horário de sempre nas férias, passear com os cachorros, alimentá-los e depois voltar a dormir — ou tirar um cochilo na praia mais tarde. É muito melhor para todos os envolvidos se eu "mantiver a matilha nos trilhos".

Ficando em casa

Se não puder viajar com seu cachorro, ainda há opções. Se você tem amigos ou parentes com quem seu cão se sente à vontade, e que têm experiência e jeito para lidar com animais, então você pode deixar o cachorro com eles. Se for possível, sugiro que deixe seu cachorro conhecer essas novas pessoas e o novo ambiente com uma visita-teste. Dê a essas pessoas uma lista das regras de seu cão e também suas atividades diárias (e confira se eles podem segui-las!). Feito isso, permita que o cachorro passe uma ou duas noites na casa da pessoa escolhida. Sempre que você dedica tempo para adaptar seu cão a uma nova situação, será uma vantagem a mais para todos.

Outras opções seriam hotéis, canis e pessoas que possam atuar como "babás".

Hotelzinho e canil

Primeiramente, verifique se o governo realiza inspeções nos hotéis de animais. Se realizar, verifique se o local escolhido tem uma licença mostrando que o estabelecimento cumpre os padrões exigidos.

Nunca leve seu animal a um local que você não tenha visitado antes para conferir a limpeza, a ventilação, além da atitude e da energia dos funcionários. Verifique se o local oferece exercícios adequados para todos os animais. Não faça uma visita superficial, pergunte se pode observar por algumas horas para ver como o local funciona durante um dia normal. Saiba que alguns locais exigem vacina contra bordetela, uma espécie de "tosse". Se vai deixar seu cão em um canil por alguns dias, verifique se seu cão é sociável e calmo-submisso o suficiente para se adequar à atmosfera do local. Assim como no caso do hotel, passe um dia no local para observar a rotina. Se os proprietários não permitirem que você observe o local de modo respeitoso, então ali não será o lugar certo para vocês.

A boa notícia é que há muitos locais excelentes por aí. Alguns se parecem com casas, com carpete, móveis, televisores — tudo que faria um cão se lembrar de sua casa. Alguns têm até webcams disponíveis para você poder ver seu animal a distância. Você terá que pesquisar, claro — e, geralmente, hospedar seu cão em locais tão chiques pode sair caro.

Babás

Outra opção para deixar seu cachorro em casa quando viajar é encontrar uma babá de confiança. As boas babás não apenas vão à casa de seus clientes para alimentar os cães e levá-los para urinar e defecar, mas também passam um bom tempo com eles, fazem exercícios e ficam de olho na saúde. Muitas babás também oferecem cuidados com a casa, como recolher as correspondências e o jornal e regar as plantas. Algumas chegam a morar em sua casa com o cachorro durante a sua viagem. A National Association of Professional Pet Sitters e a Pet Sitters International são organizações que dão licença a pessoas que demonstram experiência profissional, participam de cursos de cuidados com animais e de conferências profissionais e respeitam um código de ética estabelecido pelas organizações.

Quando encontrar uma babá de que goste, chame-a para conhecer o seu cão em sua casa, e observe como o animal e a pessoa interagem. Se alguma coisa parecer errada (além do fato de o cachorro se sentir levemente inseguro perto de uma pessoa nova no primeiro encontro), confie no instinto de seu cão. Algumas babás ficam com o animal em suas próprias casas. Se for o caso, verifique se os outros cães que "dividirão" a casa com o seu não têm problemas de agressividade que poderiam colocar seu cão em perigo. E peça provas de que todos os animais na casa de sua babá tenham tomado as vacinas contra parvovirose, cinomose e raiva.

Claro que até mesmo a babá mais confiável e experiente pode ter problemas se você não cumprir sua parte. Eis as suas responsabilidades:

- Combine com a babá com antecedência, principalmente nos feriados.
- Verifique se seu cão é sociável e permite que desconhecidos cuidem dele.
- Prenda etiquetas de identificação na coleira do cachorro.
- Implante um microchip de identificação em seu cão.
- Dê as vacinas na data certa.
- Deixe instruções claras detalhando as responsabilidades específicas no trato com o animal e as informações de contato em caso de emergência, incluindo seu número de telefone e também o de seu veterinário.
- Deixe alimentos e itens pessoais em um só local.
- Compre suprimentos extras para o caso de você precisar se ausentar por mais tempo do que planeja.[2]

Sou muito próximo de minha mãe no México. Tão próximo, na verdade, que quando não estou me sentindo bem ou quando estou com problemas no trabalho, ela me liga porque sentiu que algo estava errado. Sei, por experiência própria, que quando viajo meus cães sentem quando não estou à vontade com o que deixei para eles, e isso só aumenta a experiência ruim que eles terão. É por isso que é importante não deixar as decisões de viagem relacionadas a seu cão para o último minuto. Muito antes de nem sequer saber que vai viajar, comece a pensar nas soluções para diversos problemas de viagem que poderá ter, sejam as vacinas ou o canil, ou encontrar uma babá em quem possa confiar totalmente. Um bom plano é o segredo para uma viagem feliz, com ou sem seu cachorro, e garante o seu sossego, independentemente de vocês estarem juntos ou separados.

7

UM POUCO DE PREVENÇÃO

Cuidados básicos com a saúde de seu cão

Quando você leva um cachorro para casa, torna-se responsável, a partir daquele dia, pela alimentação, pela segurança e pelos cuidados com a saúde dele. Em minha matilha de quarenta a cinquenta cães no Centro de Psicologia Canina, já cuidei do bem-estar físico de cães que nunca adoeceram nem uma vez na vida, cães velhos com os transtornos normais da idade e cães com problemas genéticos e neurológicos que nunca puderam ser totalmente curados. Cuidar desses "pacientes" diversos ao longo dos anos me ensinou alguns cuidados básicos com os canídeos, mas, como qualquer outro dono, eu conto com veterinários de confiança para cuidar da saúde e do bem-estar de minha matilha. Durante quase vinte anos de trabalho com cães nos Estados Unidos, já conheci e consultei muitos profissionais maravilhosos e dedicados.

No entanto, não é fácil encontrar veterinários competentes. Sugiro a todos os meus clientes que encontrem e conversem com diversos veterinários *antes* de levarem um novo cachorro para casa, e não esperem uma emergência para ver se conseguem encontrar alguém em quem confiem. Uma das primeiras coisas que talvez você tenha que fazer, independentemente de ter um cachorro adulto ou um filhote, é levá-lo para tomar vacina ou fazer exames, e se você, o ser humano, não tiver muita confiança no homem ou na mulher de branco, pode apostar que seu cachorro perceberá isso — além de qualquer ansiedade ou medo que ele já esteja sentindo. Então, alivie um pouco o estresse de sua família e de seu cão conversando com os veterinários com várias semanas de antecedência.

Acredito que escolher o veterinário certo para seu cachorro é como escolher o pediatra certo para seus filhos. Claro que um profissional pode ter a parede cheia de diplomas, mas isso só quer dizer que ele se saiu bem na universidade, não necessariamente que tenha a energia certa para cuidar de seus entes queridos. Assim que cheguei a Los Angeles, precisei encontrar um veterinário quando um de meus rottweilers, Gracie, teve uma convulsão. Sem qualquer indicação, visitei muitas clínicas do meu bairro. Estava procurando uma pessoa que fosse honesta e fizesse com que eu me sentisse à vontade, mas, a princípio, muitos dos médicos que encontrei pareciam ter um ar de superioridade. Em outras palavras: "Eu sou o médico, sou muito importante... Você é o imigrante mexicano, e se tiver muita, muita sorte, seu cão pode se tornar meu paciente." Não é esse o tipo de energia curativa que quero perto de minha família ou de meus cães. Para mim, um verdadeiro médico é alguém que lida com os pacientes de modo direto, de ser humano para ser humano, ou de ser humano para cachorro. Talvez essa pessoa possa salvar seu cão, mas ele é capaz de lhe dar esperança e apoio? Para mim, esperança é um dos presentes mais importantes que um médico pode nos oferecer. E existe outra coisa, outro tipo de diploma que apenas um cão pode lhe dar. Quando um cão é capaz de confiar, respeitar e relaxar perto de uma pessoa, quando alguém consegue aliviar a ansiedade de um cão nervoso ou ganhar a confiança e o respeito de um cão dominante, territorialista ou agressivo, este é o tipo de título que nenhum papel garante.

Felizmente, um amigo meu que era estudante de veterinária soube de minha busca frustrante pelo veterinário perfeito e me indicou o dr. Brij Rawat, da Hollypark Pet Clinic, em Gardena, Califórnia. Fui à Hollypark Clinic e pedi para conversar com o dr. Rawat. Ele é da Índia e eu, do México, e nós dois chegamos aos Estados Unidos pelo amor aos animais. Com isso já tínhamos algo em comum. Na época, eu era um "zé-ninguém", mas o dr. Rawat não me tratou desse modo. Ele me recebeu e conversou comigo durante muito tempo sobre sua filosofia em relação aos cães, que combinava perfeitamente com a minha. Ficou claro para mim que o dr. Rawat fazia o que fazia não porque queria ficar rico, mas porque considerava aquilo sua missão na vida. Assim como eu, ele era apaixonado pelos animais e por tornar a vida deles melhor. Eu passava por dificuldades financeiras na época, mas o dr. Rawat foi mais do que justo comigo quanto ao pagamento das consultas. Ele permitia que eu lhe pagasse em parcelas quando não conseguia pagar à vista. Para mim, esse tipo de honestidade e integridade sempre merece lealdade, por isso sou eternamente grato a ele, e levo todos os meus cães à Hollypark quando precisam ser vacinados e castrados.

O dr. Rawat nunca faz um procedimento ou exame que considera desnecessário, mesmo que ganhe mais dinheiro com isso. Quando há problemas ou procedimentos fora de sua área de especialidade, eu sempre o consulto primeiro e ouço suas sugestões acerca de especialistas. O dr. Rawat se envolve com a comunidade que o cerca, e gosta de encontrar os cães e seus donos também em momentos de saúde, não só de doença. Ele se preocupa com o bem-estar e o equilíbrio geral dos cães e das pessoas que o cercam. Para mim, esse é o atributo mais importante de um ótimo e dedicado veterinário.

DEZ DICAS PARA ESCOLHER O VETERINÁRIO CERTO

1. Reúna a família de novo para mais uma conversa. Compartilhem suas ideias a respeito das qualidades mais importantes que um veterinário deve ter. Faça uma lista de perguntas que devem ser feitas a todos os veterinários que visitarem.
2. Obtenha referências com criadores, abrigos e organizações de resgate ou com outros donos de cães.
3. Pesquise sobre a formação e a experiência do veterinário.
4. Confira o envolvimento do veterinário no bairro e na comunidade. Ele convida cães e donos para visitarem a clínica e os funcionários socialmente, durante os momentos de bem-estar e não só nos de dificuldades?
5. Pergunte ao veterinário sobre seus objetivos e filosofias. Eles combinam com os seus? Como o veterinário reage a suas perguntas e preocupações? Ele parece estar aberto ao diálogo? Está receptivo para estabelecer uma troca de experiência?
6. Aborde a questão da disponibilidade. Qual é o horário de funcionamento? Um veterinário ou assistente vai retornar sua ligação e responder às suas dúvidas com rapidez? Se seu animal de estimação estiver internado, você pode telefonar quantas vezes quiser para ter notícias?

7. Pergunte sobre as áreas de saúde que são especificamente relacionadas ao seu animal. O médico ou a clínica oferecem esses serviços especiais?
8. Observe como o veterinário interage com os animais em sua clínica. Ele projeta uma energia calma-assertiva? Se possível, apresente o veterinário a seu cão de modo casual e amigável bem antes de ir para um exame. O que seu cão diz sobre essa pessoa que pode se tornar muito íntima da vida de sua família?
9. E os assistentes da clínica, assim como os outros funcionários? Eles parecem saber sobre os animais e são sensíveis às necessidades deles? Pergunte há quanto tempo eles trabalham ali. Os membros do grupo que se sentem preparados para praticar a boa medicina e os bons cuidados costumam permanecer por mais tempo.
10. Peça para conhecer o hospital, a clínica, o estabelecimento. Há uma atmosfera receptiva? É limpo, bem-cuidado e não muito cheio? Um bom hospital deve ter aparelhos de raios X, ultrassom, odontologia, exames de laboratório, terapia intravenosa, monitores para pressão sanguínea e ocular, além de acesso a laboratórios e contato com especialistas.

A consulta anual

A graduação em medicina veterinária custa mais de 100 mil dólares, demora pelo menos quatro anos e exige muito trabalho e dedicação.[1] É uma profissão que atrai muitas mentes dedicadas ao bem-estar dos animais, então, posso garantir que existe o veterinário certo para você. Depois de escolher um profissional com o qual se sinta satisfeito, você precisa marcar consultas de rotina, normalmente uma vez por ano — mais de uma por ano para um cachorro mais velho ou para cachorros com problemas específicos de saúde. Cada veterinário tem métodos ligeiramente diferentes, mas a consulta "anual" consiste, de maneira básica, em um exame de sangue e outros exames laboratoriais: pesagem do animal; exames de vista, dos ouvidos e da boca; medicamentos preventivos; exame de fezes para verificar a existência de parasitas e aplicação das vacinas que estiverem vencidas. Como consumidor, você pode escolher quais exames tem condições de pagar, mas, do ponto de vista médico, todos têm sua importância.

A parte mais importante da consulta anual é o exame físico. Principalmente quando os cães ficam mais velhos, há muitas doenças que um exame físico pode detectar para que você providencie o tratamento a tempo. Os exames laboratoriais são a segunda parte mais importante da avaliação anual do cão adulto. A maioria dos laboratórios oferece registros anuais a um preço bastante razoável. Um exame de sangue detecta com antecedência problemas ocultos para prevenir doenças graves e estabelece a "normalidade" para comparações futuras. A prevenção do verme do coração, cujo nome correto é dirofilariose, é muito importante nas regiões nas quais a doença é comum. Em média, o tratamento dessa doença custa o mesmo que a prevenção que se faz ao longo da vida do cachorro, então, apesar de parecer cara, vale a pena a longo prazo. Quando o Centro de Psicologia Canina reabilitou três cães vítimas do furacão Katrina, em 2005, todos eles tinham sido infectados com esse verme durante o tempo em que passaram nas águas turvas da enchente de Nova Orleans. Um exame de fezes também é muito importante, porque pode revelar parasitas perigosos para seus filhos e também para seu cachorro.

Manter uma boa saúde bucal também deve ser parte importante da rotina de exames anuais do seu cachorro, principalmente dos cães de raças menores. Dentes limpos e saudáveis fazem muito mais do que evitar o persistente "hálito canino" do seu animal de estimação — a placa nos dentes pode causar infecções complexas que acarretam doença cardíaca ou renal. Para retardar o desenvolvimento de problemas bucais, cuide que os cães tenham objetos abrasivos para mastigar e escove os dentes deles.

Evitando surpresas para o seu bolso

Em comparação aos custos altos com a saúde nos Estados Unidos, o custo do "básico" no tratamento veterinário de seus animais de estimação tem se mantido comparativamente constante.[2] No entanto, como não vemos nossos cães simplesmente como "animais de estimação", mas membros importantes de nossa família, cada vez mais clientes recorrem a tratamentos e procedimentos caros para salvar ou prolongar a vida dos animais. Sempre aconselho as famílias a analisar de modo honesto sua situação financeira muito antes de tomar a decisão de levar um cão para casa. Tome o cuidado de incluir em seu orçamento familiar as despesas anuais com veterinário, além de alimentos e cuidados preventivos com seu cão. Economizar não é fácil ultimamente, mas tente reservar uma quantia razoável para qualquer emergência médica que possa surgir.

Também é importante ser sincero com seu veterinário, desde o começo, a respeito de suas limitações financeiras. Peça ao veterinário que priorize os exames recomendados para a consulta anual de seu cão. Procure fazer consultas regulares para detectar problemas no início. Se houver um imprevisto, levar seu cão ao veterinário antes que a doença se agrave costuma evitar internações caras. Esperar até o fim do dia diante de um problema que começou pela manhã ou que apareceu no dia anterior também não é uma ideia muito boa. "Nada frustra mais um veterinário do que ser chamado no fim do expediente para tratar de um cão que está vomitando desde a noite anterior", diz o dr. Charlie Rinehimer, médico-veterinário e professor-adjunto de biologia e tecnologia veterinária da Northampton Community College. "Porque ele tem que ficar até tarde e manter os funcionários ali também, o que se traduz em serviços mais onerosos."

As pessoas que não castram seus cães ainda pequenos perceberão que a operação, quando feita em um animal mais velho, envolve mais exames de sangue e monitoramento da anestesia, e, assim, será mais cara. Contar a verdade também ajuda a reduzir os custos. "Admitir que você deu restos de presunto ao animal pode descartar a necessidade de radiografias e ultrassons para detectar a presença de algum corpo estranho", afirma o dr. Rinehimer. "Revelar que o problema tem ocorrido há algum tempo muda a estratégia de diagnóstico e pode eliminar a necessidade de tratamento drástico."

O convênio médico para animais de estimação está se tornando mais comum nos últimos anos, e, se as condições forem justas, acredito se tratar de uma boa saída. A maioria das seguradoras de animais de estimação é controlada por operadoras para seres humanos e têm o mesmo tipo de estrutura. Alguns cobrem custos de prevenção e outros apenas custos médicos, mas tenho conversado com convênios que querem assumir uma abordagem mais abrangente — incluindo terapias comportamentais e alternativas entre os serviços que prestarão. A melhor maneira de escolher uma empresa é pedir a lista de benefícios e ver qual plano se adapta melhor às suas necessidades.

Independentemente de envolver questões financeiras ou particularidades do comportamento de seu cão, é essencial que você e seu veterinário mantenham uma linha aberta de comunicação. Aconselho meus clientes a manter registros detalhados a respeito do bem-estar físico e comportamental dos animais entre as consultas e ao longo do ano, prestando atenção especial em qualquer mudança que tenha ocorrido desde a última consulta. Sempre que conversar com seu veterinário, procure mantê-lo informado a respeito do progresso, seja este negativo ou positivo. E não se esqueça de que os veterinários também querem ouvir as boas notícias. Como diz o dr. Rinehimer: "Todo mundo se apressa e telefona quando as coisas não estão bem, mas poucos telefonam para dar um retorno positivo."

Por fim, lembre-se do famoso ditado: "Prevenir é melhor que remediar." Manter a saúde de seu cão em dia o ano todo é a melhor maneira de se manter longe do consultório do veterinário e de evitar uma conta alta.

Esterilizar e castrar

Quem assistia ao programa *The Price is Right* se lembra da maneira com que Bob Barker encerrava cada episódio. "Ajude a controlar a população de animais. Esterilize ou castre seu animal de estimação!" Assim como Bob, costumo repetir muito esta mensagem: a menos que você seja um criador profissional ou tenha uma estratégia muito bem-fundada e planejada para reproduzir o seu animal, você deve castrar seu cão para ajudar a controlar a superpopulação de animais, e também pelos benefícios à saúde dele.

O estágio em que os cães do sexo masculino começam a amadurecer sexualmente causa uma onda de hormônios que pode levar a um comportamento imprevisível. Os machos que estão fisiologicamente prontos, mas que não podem cruzar, se tornam frustrados, e criam uma energia acumulada que pode levar a comportamentos destrutivos. Os machos que são mantidos separados das fêmeas no cio podem desenvolver problemas de dominação e agressividade em relação à sua matilha em casa. As fêmeas não castradas, por outro lado, produzem hormônios quando estão no cio que atraem a atenção indesejada de qualquer cão macho não castrado que esteja por perto. Se você tem uma cadela de seis meses ou mais, que ainda não tenha sido castrada, qualquer encontro com um macho não castrado pode resultar em algo comparável à gravidez de adolescentes no mundo dos seres humanos.

Psicologicamente, a castração impede os efeitos imprevisíveis das mudanças hormonais que ocorrem tanto nos cães do sexo masculino quanto nos do sexo feminino. O alto nível de energia nervosa que esses hormônios produzem é eliminado, e os cães sentem menos vontade de explorar e marcar o território com seu cheiro. A agressividade e a ansiedade causadas pelo ciclo hormonal deixam de ser um problema.

Existem muitos mitos sobre os problemas de saúde associados à castração quando o cão ainda é pequeno, como ganho de peso sem controle e melancolia pela perda das capacidades reprodutivas. Um cão com um nível de energia muito alto causado por hormônios sexuais que se acalma e chega a um nível alto ou médio de energia depois de ser castrado não corre risco de ganhar peso sem controle, desde que seu dono ajuste a dieta e os exercícios ao seu novo estilo de vida. O ganho de peso em cães costuma ser resultado de excesso de alimentação e poucos exercícios, e *não* da castração. E não tema que seu cão "se entristeça" ou sofra com a perda de sua capacidade reprodutiva. Lembre-se de que apenas os seres humanos vivem no mundo do "deveria" e do "e se"! Os cães e os outros animais vivem o momento, e se eles não tiverem hormônios que os levem a acasalar, esse desejo simplesmente deixará de existir.

Ao contrário do que estabelecem os mitos, a castração pode proporcionar um enorme benefício à saúde de seu cão.[3] Os machos castrados correm um risco muito menor de sofrer de câncer de próstata, e as fêmeas castradas correm menos risco de desenvolver câncer de útero, de ovário ou de mama no futuro. A castração também evita possíveis infecções fatais e gravidez psicológica.

Alguns estudos indicam que podem surgir complicações com a castração antes dos seis meses, mas a castração com seis meses ou mais, a longo prazo, deixará o animal mais saudável e mais bem-comportado. Seu veterinário indicará a idade adequada para castrar seu cão ou filhote. Quando esse dia chegar, não se esqueça de que é a *sua* energia que determinará a reação de seu cão à operação em si. Deixe o seu cão relaxado, em um estado calmo-submisso, antes do procedimento, porque quando ele acordar da anestesia estará no mesmo estado em que estava quando adormeceu. Na minha opinião, um cão que parece deprimido depois de uma castração ou esterilização costuma estar reagindo à atitude de seu dono em relação à situação. Não sinta pena de seu cão — mantenha uma atitude alegre, calma e assertiva. Você não está tirando nada de seu cão; na verdade, está dando a ele uma vida livre de frustração sexual.

Você é o que come

Quando comecei a trabalhar com cães depois de chegar a Los Angeles, acreditava no que era dito na maioria dos comerciais da TV: que eu podia encontrar os melhores alimentos para meus cães no supermercado ou nos pet-shops. Uma vez por semana, sempre conseguia dinheiro para comprar para eles um pedaço grande de carne crua, mas, além disso, nunca pensei muito sobre a alimentação. Todos os treinadores conversavam a respeito do que serviam a seus cães, então eu recebia muitas informações, mas o dr. Palmquist, do Centinela Animal Hospital, foi a primeira pessoa a me contar sobre os diferentes componentes da comida de cães e dizer que eu deveria tomar cuidado com os misteriosos "subprodutos animais" descritos nas embalagens. Naquela época, troquei o subproduto de carne de frango por um alimento à base de cordeiro e arroz.

Hoje, tenho a sorte de ter acesso a algumas das melhores pesquisas do mundo a respeito da ciência florescente que cria alimentos de primeira linha para os animais. A lição mais importante que aprendi foi que, sem dúvida, o segredo para a boa saúde de seu cão começa com a alimentação correta. A dieta servida a ele terá um grande impacto em sua saúde. Os alimentos escolhidos podem determinar se seu companheiro se tornará um cachorro velho e ranzinza quando tiver dez anos, ou se será um idoso ativo, como meu pit bull Daddy.

Em março de 2007, donos de animais em todos os Estados Unidos ficaram aterrorizados ao saber que a comida contaminada proveniente da China estava envenenando seus animais de estimação. Muitos animais adoeceram ou morreram por terem comido o alimento. Uma investigação levou a FDA e o Usda a apontar como causa do problema o glúten contaminado, especificamente pela toxina melamina. Houve um *recall* do alimento, o que fez com que várias marcas de comida para cães e gatos fossem retiradas das prateleiras dos mercados. Como resultado das descobertas da FDA e do Usda, o fabricante de alimentos responsável pelos produtos foi coberto de processos.

Muito antes do *recall* de comida de 2007, veterinários holísticos, como a dra. Paula Terifaj e o dr. Marty Goldstein, vinham defendendo o uso de alimentos orgânicos, naturais e sem conservantes para os animais de estimação. Isso porque exames científicos e pesquisas aprofundadas realizadas por organizações independentes, como o Animal Protection Institute (www.api4animals.org), têm mostrado, com frequência, que as indústrias alimentícias não têm o bem-estar de seu cão como prioridade. As diretrizes para os ingredientes dos alimentos para animais não são determinadas pela FDA, mas pela Association of American Feed Control Officials. Essas diretrizes da AAFCO apenas garantem que o alimento que você compra tenha as quantidades mínimas dos principais nutrientes. Em um de seus manuais "30 Minute Vet Consult", *How to Feed Your Dog If You Flunked Rocket Science*, Paula Terifaj afirma que essas diretrizes não dizem nada a respeito da qualidade dos ingredientes que são usados, se as fontes de proteína e carboidrato foram testadas para se verificar a sua digestibilidade, ou como os nutrientes serão absorvidos pelo intestino.[4]

Apesar de dizermos que amamos nossos animais de estimação como se fossem pessoas de nossa família, a comida que damos a eles costuma ser classificada como "inadequada para o consumo humano", a ponto de ser banida de indústrias de alimentação humana! Os "subprodutos de carne", relacionados na embalagem daquele petisco delicioso divulgado em um comercial milionário, podem incluir carne de animais mortos, moribundos, doentes e deficientes, normalmente com tumores cancerígenos, órgãos infestados por vermes, antibióticos e outras drogas mais tóxicas. Ainda mais assustador é o fato de que vinte estados norte-americanos permitem que os corpos de animais sacrificados, descartados de abrigos e zoológicos, sejam reciclados como "subprodutos de carne", o que significa que receberam injeção de uma substância que as autoridades médicas consideram perigosa ou mortal — ainda que absorvida indiretamente depois de dias ou semanas. E os conservantes usados nesses "alimentos" contêm produtos químicos feitos com plástico e borracha, e costumam causar várias doenças, como prejuízos ao fígado, infertilidade e problemas comportamentais.[5]

A verdade é que os cães não nasceram para comer alimentos enlatados nem para comer a mesma coisa todos os dias. Preparar alimentos frescos para seus animais pode evitar os potenciais desastres causados à saúde que se escondem nos alimentos para animais comercializados. A dra. Terifaj recomenda combinações simples, cozidas ou refogadas, com proteínas frescas, carboidratos e vegetais. Entretanto, a maioria de meus clientes tem pouco tempo para cozinhar para si mesma, muito menos para seus cães. Recomendo que eles recorram ao limitado número de excelentes alimentos pré-embalados, orgânicos e naturais, produzidos por empresas menores. Não são alimentos normalmente encontrados em prateleiras de supermercados, por isso, procure esses alimentos especiais para cães em pet-shops ou lojas de produtos naturais, e adquira o hábito de ler os ingredientes nas embalagens antes de comprar. Os primeiros três ingredientes são essenciais, porque são os produtos que seu animal vai consumir em maior quantidade. Procure proteínas animais listadas como carne. Reduza ou evite as rações com grãos processados e de má qualidade. Recuse todo e qualquer produto com conservantes artificiais, corantes e subprodutos de carne e de grãos. No anexo deste livro, você encontrará ótimas fontes para aprender mais sobre a alimentação de animais de estimação. Consulte sempre seu veterinário antes de fazer mudanças na dieta de seu cão.

Na terra da fartura, chamada Estados Unidos, a obesidade é um grande problema — para os seres humanos e também para os cães. Nos cães, pode causar problemas nas articulações, doenças de pele, distúrbios de glândulas, problemas cardíacos e muitas outras doenças que colocam a vida em risco. Se você seguir minhas orientações com exercícios, disciplina e afeto, e oferecer a seu cão uma dieta balanceada e nutritiva, criará um estilo de vida equilibrado do qual ele precisa para não ficar acima do peso.

Na linha de frente contra as pulgas

No Centro de Psicologia Canina, aprendi do modo mais difícil que a maioria dos remédios contra pulgas que normalmente encontramos à venda não funciona. Ao tratar de pulgas, você precisa se concentrar em três coisas: o animal, a casa e o quintal. Às vezes, se você cuidar da casa de modo ostensivo, é possível ignorar as outras duas áreas, mas é preciso começar cuidando das três.

O quintal é a área mais difícil de ser tratada, a menos que os cães sejam mantidos em um canil do lado de fora. O cedro no canil ajuda a repelir as pulgas, mas cuidado: muitos cães são alérgicos a cedro. Também há sprays para aplicar no quintal, que reduzem a quantidade de pulgas na área. Se você tiver um quintal grande, gramado ou com árvores, o problema não costuma ser sério.

Se seus cães passam muito tempo dentro de casa, então aí estará o foco principal de sua luta contra as pulgas. A melhor solução é aplicar ácido bórico em todas as superfícies por onde o cão possa ter passado. Todas: carpete, sofás e piso de madeira. O ácido bórico é seguro e eficiente, e pode durar anos.

Produtos prescritos, como Advantage, Top Spot e Frontline, matam quase todas as pulgas depois de um dia de aplicação. O Capstar, o produto mais novo para pulgas, mata todas as pulgas do cachorro dentro de uma hora. Produtos encontrados no mercado que contêm componentes químicos mais antigos, como piretrina, matam apenas uma pequena porcentagem das pulgas. Remédios caseiros, como levedo de cerveja e alho, têm sido usados há anos para prevenir pulgas, apesar de ainda não haver provas de que funcionem.

Lembre-se de que, independentemente do produto que você usar em seu cão, se ainda houver pulgas no ambiente, haverá uma nova infestação. Pesquise, use produtos seguros, trate as três áreas e você conseguirá interromper o ciclo das pulgas em sua casa.

A controvérsia com a vacinação

Quando cheguei aos Estados Unidos, não tinha muito conhecimento a respeito dos cuidados com animais. No sítio de meu avô, no México, dávamos *tortillas*, leite e restos de comida aos animais; eles caçavam esquilos, lagartos e iguanas. Os cães eram magros e não muito bem-cuidados, mas eram calmos-submissos perto dos seres humanos, e mesmo sem cuidados veterinários costumavam viver cerca de dez anos. Em meu primeiro emprego como tosador, em San Diego, fiquei impressionado com os corpos bem-nutridos e o pelo saudável e brilhante dos cães dos quais eu cuidava, então, claro, imaginei que os norte-americanos tinham um segredo mágico para cuidar das necessidades físicas de seus cães. Depois que abri o Centro de Psicologia Canina, no sul de Los Angeles, e comecei a reabilitar os cães, confiei nas regras e orientações que recebia a respeito das vacinas. Naquela época, eu realmente acreditava estar oferecendo o melhor para meus cães. Hoje, eu olho para trás e me pergunto se, mesmo com a boa intenção e com o que eu achava ser a informação correta, eu não os estava prejudicando sem querer.

Com a invenção da vacina contra a varíola, em 1796, as vacinas de rotina se tornaram sinônimo de boa saúde para os seres humanos e para os animais. As vacinas funcionam com o princípio de infectar intencionalmente um organismo com um tipo de doença ou infecção (o antígeno) para impedir outro (o patógeno). Contudo, desde meados dos anos 1980, alguns pesquisadores corajosos, liderados pelo hematologista dr. Jean Dodds, começaram a questionar o que já era convencional. Em 1991, a publicação de prestígio *Journal of the American Veterinary Association* enviou um alerta às pessoas envolvidas nos cuidados com os animais, dizendo que não havia prova de que todas as vacinas anuais eram necessárias, e que, em muitos casos, as vacinas aplicadas muito cedo podiam oferecer imunidade para a vida toda e não necessariamente precisavam ser repetidas.[6] Em julho de 1997, mais de quinhentos veterinários, cientistas, médicos, imunologistas e epidemiologistas se reuniram no primeiro simpósio de Vacinas e Diagnósticos Veterinários, e concordaram que os reforços das vacinas não deviam ser dados com mais frequência do que a cada três anos.[7] Depois de mais de 25 anos de pesquisa, o dr. Ronald Schultz, imunologista-veterinário e professor da Escola de Medicina Veterinária da Universidade de Wisconsin-Madison, apresentou provas de que mais doses de vacinas aplicadas depois do primeiro ano de vida de um cachorro provavelmente são desnecessárias e possivelmente prejudiciais.[8] No entanto, apesar de cada vez mais pesquisas científicas apontarem a ineficácia e as possíveis reações adversas das vacinas aplicadas anualmente, a comunidade veterinária como um todo parecia estar "vacinada" contra a adoção de novas regras. Na verdade, quase todos os 65 mil veterinários dos Estados Unidos ainda recomendam as vacinas anuais.[9] Por quê?

De acordo com Marty Goldstein, um dos veterinários holísticos mais respeitados dos Estados Unidos, a fabricação de vacinas animais é um negócio multibilionário para as poucas empresas farmacêuticas multinacionais que participam do mercado. "Inicialmente, essas empresas podem ter reagido a epidemias de modo admirável. Com o tempo, elas se desenvolveram como qualquer negócio, empurrando todos os produtos que podiam, visando à participação no mercado e criando novos mercados, às vezes para vacinas que combatem doenças leves, que seriam mais bem-tratadas com remédios. E os veterinários, por mais bem-intencionados que sejam, já participaram desses lucros."[10] De acordo com o dr. Jean Dodds, fundador da Hemopet, um banco de sangue de animais, em algum momento "paramos de praticar a medicina e começamos a empurrar vacinas e remédios".[11]

Conhecendo o dr. Marty

Quando participei do programa *Martha Stewart Show*, em abril de 2006, Martha me contou sobre seu amor e sua ligação com seus queridos chow-chows, e sobre sua admiração pelo seu veterinário holístico, o dr. Martin "Marty" Goldstein. Fiquei fascinado, porque há muitos anos tenho acrescentado aos cuidados com meus cães cada vez mais terapias "alternativas", como massagem e acupuntura, e o dr. Marty, formado na prestigiada Escola de Veterinária da Cornell University, mostrou uma filosofia que parecia combinar bem com a minha. Para ser sincero, acho irônico chamarmos esse tipo de cuidado com a saúde de "alternativo", quando, na verdade, tem sido usado com sucesso há milhares e milhares de anos, ao contrário da medicina ocidental, que existe há apenas uns duzentos.

O dr. Marty tem um programa de rádio na emissora Sirius Satellite chamado *Ask Martha's Vet* ["Pergunte ao veterinário da Martha"], e ele entrou em contato comigo para que conversasse com ele no ar. Com essa conversa, percebemos que tínhamos em comum a vontade de oferecer aos nossos animais de estimação um estilo de vida bem parecido com o oferecido pela natureza, tanto física quanto psicologicamente. Conheci o dr. Marty pessoalmente depois que o Daddy foi tratado de um tumor venéreo transmissível em cães, em setembro de 2006. Depois que o Daddy passou com muito sucesso pela quimioterapia, foi castrado e considerado curado do câncer, eu sabia que os tratamentos pelos quais ele fora submetido tinham salvado sua vida, mas que também foram muito tóxicos para seu corpo. Quando *O encantador de cães* cruzou o país para gravar alguns episódios na Costa Leste, aproveitei a oportunidade para marcar uma consulta na Smith Ridge, relaxante e confortável clínica do dr. Marty, localizada na tranquila South Salem, em Nova York. O dr. Marty, um homem magro e atlético com brilho nos olhos e um ótimo senso de humor, além do seu grande intelecto, examinou Daddy e realizou um exame de sangue completo. Depois, criou um programa de suplementação específica especial para Daddy, incluindo vitaminas homeopáticas e anti-inflamatórias injetáveis. Acredito que a ótima saúde de Daddy, hoje, se deve em parte à especialização única do dr. Marty.

Enquanto estava na Smith Ridge, o dr. Marty me mostrou papéis e mais papéis de pesquisa que ele reuniu ao longo dos anos, além de fotografias e histórias de casos de animais que se feriram, adoeceram e até morreram pelas vacinas que deveriam curá-los. "Não sei dizer quantos animais já foram trazidos aqui para a nossa clínica com um histórico de sintomas: febre, articulações doloridas ou rígidas, letargia ou falta de apetite", escreveu o dr. Marty em seu excelente guia de 1999, *The Nature of Animal Healing*. Quando o doutor "adivinhava" que o cachorro havia sido vacinado recentemente, os donos olhavam para ele como se ele fosse um vidente. Com a mesma frequência, o dr. Marty recebe cães e gatos com doenças crônicas, como artrite degenerativa, alergias crônicas, problemas orais, insuficiência renal e hepática e até câncer. "Podemos culpar as vacinas? Não posso provar isso", diz ele. "Mas quando comecei, há muito tempo, a suspeitar da relação entre elas e mudei minha prática de acordo, algo incrível aconteceu com aqueles sintomas. Eles começaram a desaparecer."[12]

Em 2003, a Canine Veterinary Task Force, da American Animal Hospital Association (AAHA), finalmente tomou a iniciativa de abordar a questão da controvérsia com as vacinas. A AAHA publicou um relatório oficial, realizado em 2006, que se resume às seguintes afirmações:

- Não existem provas científicas que sustentem a recomendação feita pelas empresas farmacêuticas que dizem que as vacinas devem ser aplicadas anualmente.
- Existem fortes evidências de que a vacina, depois dos seis meses, oferece proteção adequada até os sete anos e, possivelmente, pela vida toda.

- Recomenda-se que a vacina não seja aplicada com mais frequência do que a cada três anos.[13]

O dr. Ronald Schultz e outros especialistas vão além nas recomendações, e afirmam que "com mais frequência do que a cada três anos" pode significar "nunca mais". O dr. Schultz cita diversas pesquisas que indicam que os cães adequadamente imunizados quando filhotes mantêm a imunidade pela vida toda contra hepatite, cinomose e parvovirose. Na verdade, muitos críticos dessas vacinas afirmam que o "intervalo de três anos" das orientações da AAHA é um número arbitrário, talvez escolhido para diminuir o medo dos veterinários de que se percam os lucros com as vacinas.[14] O Guia de Vacinas da AAHA, revisado em 2006, dividiu as vacinas em três categorias:

- Principais: vacinas que devem ser aplicadas em todos os cães.
- Secundárias: vacinas opcionais que devem ser aplicadas apenas se o estilo de vida de um cachorro ou os fatores de risco justifiquem sua aplicação.
- Não recomendadas: vacinas não recomendadas pela AAHA em nenhuma circunstância.

Vacinas principais	Cinomose* Hepatite (adenovírus-2)* Parvovirose* Raiva (*DHP – vacina 3 em 1)
Vacinas secundárias	Leptospirose* Doença de Lyme* Bordetela (tosse dos canis) Parainfluenza *Podem ser consideradas em áreas onde essas doenças costumam ser perigosas.
Não recomendadas	Adenovirose-1 Coronavirose Giárdia Toxoide da *Crotalus atrox* (cascavel) *Pophyromonas* (doença periodontal)

Se você conhece um veterinário cuja opinião seja confiável, ele deve lhe passar informações e recomendações para que você tome uma decisão bem-informada a respeito do calendário de vacinas de seu cão. Uma opção oferecida pelos veterinários modernos é o exame de anticorpos. Esse exame mede a imunidade que o organismo de seu cão tem contra as doenças. Se ele tiver muitos anticorpos no sangue, o nível da imunidade será alto — prova de que uma vacina está cumprindo seu papel e que seu cão tem um nível saudável de imunidade. Um nível alto de imunidade é prova concreta de que seu animal não precisa de uma nova dose de vacina. No entanto, esse exame não mostra a história toda, pois um cachorro pode apresentar um nível baixo na medição e ainda assim ter boa imunidade. Mesmo assim, a dra. Paula Terifaj afirma que o exame de imunidade é "um passo na direção certa" na luta para diminuir a prática da aplicação exagerada de vacinas.[15]

Uma área que as novas orientações da AAHA não abordam é o protocolo de vacina antirrábica. Isso porque a raiva é a única doença principal que pode ser transmitida a seres humanos, portanto é fiscalizada pelo Centers for Disease Control. A raiva é considerada um sério risco à saúde, e o fato de os poucos casos humanos relatados todos os anos serem, quase sempre, resultado de mordidas de animais selvagens, como morcegos, é prova de que a vacina antirrábica tem protegido de forma eficiente os animais de estimação e seus donos. "As estatísticas provam que o risco de ser atingido por um raio é maior do que de contrair raiva com a mordida de um cão doméstico", afirma a dra. Paula Terifaj.[16] Entretanto, a legislação da maioria dos estados norte-americanos exige que a vacina antirrábica seja aplicada anualmente. "As leis podem mudar se houver um respaldo lógico e político para tal. Em Nova York, por exemplo, a vacina antirrábica já foi exigida anualmente; hoje em dia, ela pode ser aplicada uma vez a cada três anos", argumenta o dr. Marty.[17] Se seu veterinário estiver preocupado em aplicar no seu cachorro a vacina antirrábica obrigatória por causa de um bom motivo médico — por exemplo, o dr. Marty cita o caso de uma cadela de dez anos chamada Maggie, que estava sendo tratada de um câncer e por isso acreditava que uma vacina desnecessária pudesse ser fatal —, nesse caso, o veterinário pode solicitar um exame de imunidade para avaliar a resistência do cachorro ao vírus da raiva. Os resultados dos exames de Maggie mostravam que ela tinha imunidade suficiente para muitas vidas! Esses resultados de exames não têm validade na maioria dos estados norte-americanos,[18] mas podem ser muito úteis se você decidir questionar um reforço da vacina exigido pelo estado. A dra. Terifaj sugere que seu veterinário envie uma "carta oficial de dispensa" para seu cão, afirmando claramente as doenças que o colocam em risco e fornecendo testes de laboratório, como o exame de imunidade, para justificar o pedido. Donos e veterinários proativos livraram muitos cães de problemas desnecessários e até de males causados pelas vacinas usando esse método. Atualmente, o dr. Jean Dodds e o dr. Ronald Schultz se uniram para desenvolver e testar vacinas antirrábicas de cinco e de sete anos. De acordo com o dr. Dodds, "esse é um dos projetos mais importantes na medicina veterinária. Beneficiará todos os cães e provará que a proteção das vacinas antirrábicas dura pelo menos cinco anos, evitando, assim, um reforço desnecessário com o risco de causar graves reações adversas debilitantes".[19]

Uma colher de açúcar

"Uma colher de açúcar ajuda o remédio a descer", dizia Mary Poppins, a babá mais famosa e mágica da Disney, e — metaforicamente, pelo menos — a mesma coisa se aplica a dar remédio a seu cão.

Quando o dono se aproxima do cão com um colírio, um comprimido ou uma seringa, o cachorro não tem como saber que a pessoa está tentando ajudá-lo. A única maneira de o cachorro perceber um tipo de medicação ou tosa como positiva é se o dono projetar uma energia calma-assertiva enquanto a aplica. Infelizmente, a maioria de meus clientes transmite as emoções muito típicas dos seres humanos de nervosismo, preocupação, culpa ou tensão quando dão remédios a seus cães. Então, quando o animal se encolhe, late, morde, rosna ou demonstra qualquer sinal de protesto, a pessoa reforça essa negatividade acrescentando uma energia frustrada e irritada. Não é à toa que o cachorro passará a associar tudo que tem a ver com cuidados com a saúde ou com a aparência a uma experiência negativa! Você não acha?

A coisa mais importante a se lembrar ao dar remédio a seu cão é aproximar-se dele com uma atitude positiva. Você está ajudando o cachorro! Não sinta pena dele! Se tiver que realizar algum procedimento, como aplicar remédio no ouvido ou cortar as unhas, comece com um passeio para cansar seu cachorro. Nunca aplique nenhum tipo de tratamento a um cão que esteja com muita energia. Observe se você também está relaxado. Em seguida, crie uma associação com uma experiência positiva, como um petisco ou uma massagem. Se preciso, cubra os olhos de seu cão para diminuir a ansiedade visual que ele possa estar demonstrando.

Com remédios ingeríveis, lembre-se da regra número um: não tente esconder o remédio na comida normal. Alguns cães desconfiam e a rejeitam. Os mais espertos cospem o comprimido quando o encontram. Portanto, arrume um petisco saboroso com o qual possa envolver o comprimido totalmente, como um queijo macio, manteiga de amendoim ou salsicha cozida. Se o remédio puder ser dado com comida, ofereça o petisco antes da refeição, quando o animal estiver com mais fome e a chance de engolir tudo for maior. Em casos raros, seu veterinário vai orientá-lo a dar o remédio com o estômago vazio, e você vai ter que simplesmente obrigar o animal a tomá-lo. Mais uma vez, é preciso que o cachorro esteja relaxado e cansado, em um estado calmo-submisso. Abra a boca, coloque o remédio na língua do cachorro e depois o deslize até a base da língua. Se você não colocar o remédio atrás da língua, é provável que o cachorro o cuspa. Em seguida, aplique uma massagem ou dê outra recompensa que deixe seu cachorro relaxado e feliz.

AS SUGESTÕES DE NOSSOS VETERINÁRIOS PARA DAR REMÉDIOS

- Esconda-o em um petisco — algo macio e de um pedaço só.
- Se possível, escolha a forma de remédio — líquido ou sólido — que seu cachorro aceita melhor.
- Acredite ou não, alguns cães reagem melhor a injeções.
- Farmácias de manipulação podem dar sabor a muitos remédios, de modo que fiquem mais palatáveis.
- Sempre lide com o cachorro relaxado, num estado calmo-submisso.
- Encontre uma associação positiva para a experiência, como uma massagem, um petisco, ou um brinquedo de mastigar.
- Faça com que sua própria energia seja calma, assertiva e positiva!

Betty é uma avó maravilhosa e positiva de setenta anos, que cuidou de Aussi, uma mix de dingo, durante quase todos os oito anos de vida da cadela. As duas tinham se tornado muito próximas — principalmente na época em que Aussi confortou Betty durante dois tratamentos bem-sucedidos contra o câncer. O problema de Aussi era que ela se tornava extremamente agressiva no consultório veterinário. Depois de passar sem sucesso por três veterinários, Betty ainda precisava levar Aussi para realizar exames de rotina e de sangue. Em mais de cinco anos, Aussi nem sequer havia permitido que suas unhas fossem cortadas! Dianne, a nora de Betty, me contou que a sogra começava a ficar ansiosa uma semana antes das consultas com o veterinário. Quando o dia da consulta chegava, Betty já estava mais ansiosa do que Aussi!

Como a minha área de especialização é comportamento, não medicina, muitos dos casos que sou chamado para resolver que envolvem veterinários costumam ter a ver com a ansiedade do cão em chegar ali. Faz sentido que um cão que não tenha sido adequadamente preparado para uma consulta com o veterinário sinta ansiedade. Afinal, ele está em uma situação nova, com pessoas desconhecidas que querem tocá-lo de modos diferentes. Os cheiros no consultório de qualquer veterinário podem enviar sinais a um cão de que existe algo a temer atrás da porta da sala de exames. Isso porque, quando os cães sentem medo, eles, às vezes, comprimem as glândulas anais, e todos os cães sabem exatamente o que esse cheiro quer dizer. Pense bem... seria como pedir que um amigo seu, que não sabe o que é um filme de terror, ficasse do lado de fora do cinema dentro do qual estivesse sendo exibido um filme de assassinatos. Ao ouvir os gritos do lado de fora, como essa pessoa poderia saber que não está ocorrendo um assassinato de verdade ali dentro? Basicamente, é sua tarefa, como dono responsável, mostrar a seu cão que se trata "apenas de um filme", e não de uma ameaça real à segurança dele.

É essencial lembrar que seu cão não tem um modo cognitivo de compreender o que um veterinário faz, ainda que reconheça imediatamente a energia positiva, calma-assertiva e curadora. É por isso que a escolha do veterinário é tão importante — principalmente um profissional que esteja disposto a conhecer seu cachorro antes de qualquer tipo de exame. Um cão equilibrado é curioso e naturalmente quer estar perto de novas pessoas com boa energia. Se um cachorro conhece seu novo veterinário em uma situação relaxada e casual, ele começará a relação com o profissional associando seu cheiro ao relaxamento.

Também é importante estar à vontade no ambiente do consultório veterinário. Sempre aconselho meus clientes a levar seus cães à sala de espera do veterinário algumas vezes antes de uma consulta, de preferência no fim de um longo passeio. Enquanto o dono se senta em uma cadeira, toma uma xícara de café e lê uma revista, o veterinário e seus assistentes podem oferecer água e um petisco ao cachorro. Assim, o animal se sente à vontade com os cheiros, os sons e as pessoas presentes no consultório, e percebe que nada de ruim acontecerá enquanto ele estiver ali. Quando voltarem ao consultório para a consulta de fato, você e seu cão já terão incorporado o local à rotina!

Lembre-se de que sua atitude como líder da matilha é o fator mais importante para manter o animal calmo e contido em qualquer situação nova. Muitos donos se preocupam, se estressam e esperam o pior muito antes de saírem de casa para a consulta do cachorro. Seu cachorro sempre refletirá sua energia nessas situações, e você pode criar a própria situação que teme.

Com Betty e Aussi, primeiro tive que cuidar da energia preocupada e medrosa de Betty, e lhe mostrar a enorme influência que sua ansiedade exercia no estresse de Aussi. Para colocar Betty em contato com seu lado calmo-assertivo, pedi a ela que voltasse ao estado mental no qual se encontrava ao lutar contra o câncer. Quando fiz o pedido, vi sua expressão mudar de ansiosa e fraca para determinada e forte. Imediatamente, ela entendeu o que estava fazendo de errado. Em seguida, mostrei a Betty como dar um bom e adequado "passeio de matilha" com Aussi antes da consulta com o veterinário. Como sempre, um cão que fez exercícios é capaz de liberar qualquer energia contida que possa ter acumulado durante o dia, e fica sempre mais relaxado e receptivo às circunstâncias desconhecidas. Colocar um cão em uma situação estressante sem passear com ele antes é como levar uma criança pequena que comeu doce e não dormiu a um restaurante chique. Ao passear com Aussi e, principalmente, ao tornar o consultório do veterinário o destino do passeio, Betty a acalmou e também deu ao cão uma sensação de propósito a respeito de onde estavam indo.

No consultório do dr. Gail Renehan, ajudei Aussi a subir na mesa de exame enquanto Betty permanecia por perto. Ficou claro para mim que Aussi não estava em um estado agressivo — estava em um estado de pânico total. Antes mesmo de algo acontecer, ela começava a gemer e gritar como se estivesse sendo torturada. As pessoas ao redor dela se sentiam mal e ficavam ainda mais estressadas, e a situação piorava.

Mantive Betty na sala de exame com o dr. Renehan e comigo, ainda que normalmente eu tenha o costume de tirar o dono, de modo que o cachorro não use a energia dele para ganhar mais força. Nesse caso, porém, era importante que Betty testemunhasse a transformação. Levamos muito tempo para colocar a focinheira em Aussi, mas fiz Betty ver a importância de se manter calmo e paciente ao longo do processo, e assim Aussi percebeu que os humanos não desistiriam, como acontecia antes. Demorou, mas pela primeira vez em oito anos Aussi fez seu exame de sangue, teve a temperatura retal auferida e até suas unhas foram cortadas. Não desistimos. Betty entendeu a mensagem. "Hoje a Aussi não ganhou", disse ela.

É claro que, a longo prazo, Aussi saiu ganhando, sim. Ela cuidou de Betty durante seus tratamentos, agora, finalmente, Betty seria capaz de cuidar da saúde de sua cachorra querida. Para garantir que o comportamento de Aussi no veterinário continuaria melhorando, dei a Betty a tarefa de levar a cadela ao consultório com frequência — apenas para visitar. Os funcionários do consultório dariam biscoitos, água e atenção a Aussi, que veria o ambiente como um local que trazia lembranças alegres e simpáticas. Isso também ajudaria Betty a vencer seu medo sempre que o dia de uma consulta se aproximava... um medo que ela transmitia para Aussi, apenas aumentando sua ansiedade.

Fico feliz em dizer que a perseverança de Betty funcionou. Ela seguiu meu conselho para ir com frequência ao consultório do dr. Renehan. Quando finalmente levou Aussi ao veterinário de novo, a cachorra entrou sem problemas! Betty e Aussi são prova de que um líder de matilha assertivo pode transformar qualquer situação negativa em positiva.

PREPARANDO SEU CACHORRO PARA O VETERINÁRIO OU TOSADOR

1. Apresente seu cachorro ao veterinário e ao tosador com antecedência, se possível em um contexto relaxado e não profissional. Deixe seu cão explorar essa nova pessoa usando o método de não tocar, não falar, não encarar, até que fique à vontade com ela.

2. Leve seu cão ao local onde ele será examinado ou tosado pelo menos uma vez antes da consulta real. Chegue ao local ao fim de um longo passeio, se possível. Deixe os assistentes na sala de espera servirem água e petiscos ao animal, enquanto você descansa e lê uma revista. Seu objetivo é criar uma associação entre o ambiente e o relaxamento.

3. Em casa, familiarize seu cão com as maneiras com que será tocado durante um exame ou uma tosa. "Brinque de médico" algumas vezes quando seu cachorro estiver cansado e relaxado, e crie uma associação agradável com as ferramentas e os acessórios (pregadores, secadores) e também com os cheiros (cheiro de álcool, cheiro dos xampus), oferecendo massagem, petiscos e energia positiva.

4. Exercite seu cão antes de cada consulta. Além disso, estacione a alguns quarteirões do local e faça uma caminhada de dez minutos ou mais até o consultório.

5. Controle sua energia antes, durante e depois da consulta. Você é a fonte mais importante para o modo com que seu cão interpreta o mundo. Se estiver tenso, ele também ficará tenso. Corra dando voltas no quarteirão, pratique ioga ou ouça música relaxante antes da consulta – faça o que for preciso para sua energia permanecer calma e assertiva em todos os momentos!

Emergências

Em casos de emergência, a energia calma-assertiva é ainda mais importante. Se seu cão sofrer um acidente ou tiver um problema de saúde, vai contar com você para se sentir seguro. Quando o dono entra em pânico, chora, fica ansioso e pensa nas piores situações que consegue imaginar, como o cão pode relaxar e aceitar o tratamento? Acidentes acontecem, e devemos estar preparados para eles, psicológica e fisicamente. Psicologicamente, aconselho meus clientes a fingir que são paramédicos profissionais cuja vida gira em torno de se manter calmo diante dos maiores desastres. Use a sua imaginação para superar esses momentos de crise. Quando seu cão estiver seguro nas mãos de profissionais, ou depois de a emergência imediata ter passado, telefone para um amigo ou outro membro da família, alguém em quem você confie e com quem possa compartilhar seus sentimentos mais profundos. Só depois disso você pode desabar.

Contudo, diante de uma emergência, você terá menos risco de entrar em pânico se estiver preparado. Pense em aprender técnicas de ressuscitação cardíaca e primeiros socorros, aulas que são ministradas em muitos locais. Esse treinamento é muito útil e valerá a pena quando você precisar dele. Você também deve ter um kit de remédios apenas para o seu animal, e mantê-lo sempre bem-suprido.

KIT DE PRIMEIROS SOCORROS PARA SEU CACHORRO

Chumaços de algodão
Bolsa para compressa fria
Colírio
Lanterna
Gaze
Luvas
Documentos
Informação de contato para seu veterinário
Informação de contato e endereço de um veterinário de emergência 24 horas
Histórico médico de seu cachorro
Talco adstringente
Termômetro
Toalha ou cobertor
Pinça

Físico ou psicológico?

Só levamos os casos para a série *O encantador de cães* depois que os donos nos garantem e assinam um termo afirmando que já consultaram um veterinário e eliminaram problemas médicos que possam explicar o problema de comportamento do cão. No entanto, de vez em quando eu encontro um caso no qual tenho que perguntar a mim mesmo: "Existe algum problema físico ou neurológico aqui?" Normalmente, consigo dizer rapidamente se os donos devem ou não procurar um especialista, mas é importante que todos nós — profissionais e donos — nos lembremos de que os cães não conseguem verbalizar qualquer desconforto físico que possam sentir. Na verdade, no reino animal, "admitir" dor ou fraqueza por meio do comportamento ou da linguagem corporal é uma boa maneira de ser morto, assim os cães costumam mascarar seu desconforto físico em vez de expô-lo. É preciso que todos os membros da família estejam atentos para tentar interpretar as mensagens físicas e comportamentais do animal, para ter certeza de que tais sinais não são pedidos de ajuda.

Um cão que começa a desenvolver problemas comportamentais em um período relativamente curto sem mudança no ambiente deve sempre ser examinado para que uma causa orgânica seja descartada antes de ser enviado a um tratamento para corrigir o comportamento. Se seu cão calmo-submisso começar de repente a rosnar, atacar ou agir de modo estranho, você precisará da ajuda de seu veterinário para determinar se o cão tem algum problema de saúde. Cães com artrite ou que estejam com dor podem demonstrar sinais de agressividade. Alguns cães mais velhos podem perder o contato com o ambiente que os cerca por conta de perda auditiva ou visual. Os mais velhos podem também passar por "momentos de velhice", vagando pela casa sem rumo, ou podem defecar e urinar dentro de casa. Se o problema comportamental vier acompanhado de uma mudança nos hábitos de alimentação ou de ingestão de líquidos, vômito ou diarreia, incontinência ou outras mudanças físicas, como ganho ou perda rápida de peso ou queda de pelos, é hora de ser submetido a um teste físico e também a exames de sangue e urina para descartar doenças como diabetes, hipotireoidismo, doença de Addison, entre outras. O dr. Charlie Rinehimer me contou que uma de suas enfermeiras tinha um husky muito dócil que, do nada, começou a rosnar para seu filho de três anos, demonstrando agressividade. Também notou que ele vivia faminto. Um exame de sangue revelou que ele sofria de hipotireoidismo. Quando passou a tomar remédios para tratar o problema, voltou a ser o cão adorável de sempre.

DICAS PARA DISTINGUIR PROBLEMAS FÍSICOS E COMPORTAMENTAIS

- Perguntas que devem ser feitas:
- Houve mudanças no ambiente?
    Obras?
    Móveis novos?
    Animal de estimação novo?
    Alguma pessoa ou algum animal morreu ou se mudou?
- Quando o comportamento ocorre? Em qual situação ou com qual estímulo?
- O comportamento é constante ou intermitente?

Descarte problemas de saúde com exames físico e de sangue detalhados. Se preciso, procure um especialista.

Pense nas alternativas

Como já disse antes, acho irônico considerarmos remédios de ervas, vitaminas e outros suplementos nutricionais, homeopatia, acupuntura, quiropraxia e massagem como medicina "alternativa". Esses tratamentos têm excelentes resultados e poucos ou nenhum efeito colateral, e têm sido usados milhares de anos antes de o primeiro "comprimido" da era moderna ser inventado! Claro que os remédios modernos são responsáveis por salvar a vida de muitos de nossos animais de estimação. Daddy foi submetido a um tratamento de quimioterapia que salvou sua vida. Remédios como antibióticos e cortisona podem colocar nossos animais de pé de novo. Contudo, como o dr. Marty escreve no livro *The Nature of Animal Healing*, "os remédios são, em essencial, mecanismos supressivos. Normalmente, eles escondem os sintomas do problema que causam o mal-estar, ao invés de resolver a causa do problema que provocou tais sintomas".[20]

Para o bem-estar a longo prazo, acredito em remédios que tratam o animal como um todo — corpo, mente e espírito —, e não apenas o problema a curto prazo. Ao dar ao seu cão uma vida de boa nutrição e exercícios para o corpo, além de disciplina para a mente e afeto para o espírito, permitimos que ele viva como um cachorro realizado e equilibrado. Um cachorro com espírito equilibrado é um cachorro feliz, e assim um cachorro cujas defesas naturais estão acionadas. Para mim, um cão com o corpo, a mente e o espírito equilibrados é muito mais propenso a evitar a maioria das doenças e dos males.

No Centro de Psicologia Canina, tentamos oferecer tudo de que os cães precisam para satisfazer o triângulo corpo-mente-espírito. Claro que oferecemos à matilha exercícios ao ar livre... e muitos exercícios! Além dos passeios diários e sessões de patinação, fazemos brincadeiras vigorosas, como buscar objetos. Oferecemos brincadeiras na piscina, pistas de obstáculos e, sempre que possível, caminhamos nas montanhas de Santa Monica ou corremos nas lindas praias do litoral californiano. Às vezes, levamos as raças de pastoreio para que pastoreiem carneiros, ou fazemos trabalho de agilidade com as raças terrier. Imagine o que esse estilo de vida proporciona para a saúde mental e física do cão, ao contrário do animal que vive dentro de casa e passa ali a maior parte do dia, com um passeio ou outro na rua para fazer as necessidades. A hora da refeição no Centro é um ritual importante, no qual oferecemos alimentos naturais, frescos, deliciosos e nutritivos. E para os cães mais velhos, com problemas de comportamento ou com algum tipo de doença crônica ou problema físico, oferecemos remédios homeopáticos, massagem terapêutica rotineira e sessões de acupuntura, pelo menos uma vez a cada duas semanas.

Talvez você leia isto e pense: "Bem, claro que o Cesar está por dentro de todos esses tratamentos. Ele mora na Califórnia, onde todo mundo faz essas coisas estranhas." Compreendo que alguns de vocês, que não conhecem acupuntura, quiropraxia e homeopatia, podem achar que se trata de uma prática obscura, mas incentivo você a pesquisar e descobrir as coisas sozinho. Para uma série de sintomas, desde dor crônica a artrite, de letargia a depressão, de alergias a resfriados, nas mãos do terapeuta certo, a medicina que você atualmente chama de "alternativa" pode ser uma opção eficiente, viável e sem efeitos colaterais, em vez dos remédios farmacêuticos que o deixam sonolento, enjoado ou acima do peso. A verdade é que o mundo todo parece estar atento à eficácia desses métodos. Na Europa, quase metade dos médicos britânicos recomenda a homeopatia a seus pacientes. Na França, quase toda farmácia tem uma seção de homeopatia.[21]

Nos Estados Unidos, muitas seguradoras cobrem agora sessões de acupuntura e de quiropraxia.

Minha própria família se beneficia muito dessas práticas de medicina integrativas. Como o papel de Ilusion em nosso negócio é mais intelectual, ela faz massagem para aliviar o estresse em sua mente e assim pensar melhor e tomar decisões claras. Andre e Calvin se interessam mais por esportes, por isso fazem acupuntura para relaxar os músculos e manter a energia positiva fluindo. Daddy faz acupuntura a cada duas semanas para tratar a artrite; também toma comprimidos de cogumelo para prevenir o câncer e come alimentos crus orgânicos. Eu faço acupuntura porque meu trabalho é muito físico — fico de pé o dia todo, carrego coisas pesadas e, além disso, fico exposto a muitas energias diferentes, incluindo pessoas chateadas ou frustradas. Os tratamentos me mantêm desestressado, além de neutro e centrado. Nunca incentivaria minha família a realizar uma prática que eu mesmo não tivesse pesquisado e não considerasse segura e eficiente.

Assim como escolher um médico ou veterinário, escolher um excelente homeopata, quiroprático ou acupunturista é essencial ao sucesso de qualquer terapia. Procure obter muitas referências, analise a formação do médico, sua experiência ou área de atuação, e converse com pacientes antes de levar sua família ou seus animais a um novo terapeuta. Converse com o terapeuta antes e analise se você concorda com a energia, os objetivos e a filosofia dele. E, claro, converse sobre terapias alternativas com o médico e/ou veterinário de sua família. Alguns remédios homeopáticos podem não ser compatíveis com os remédios que seu cachorro toma.

Cura e energia

Quem já assistiu ao meu programa ou leu meus livros sabe como é importante o conceito de energia quando pensamos no modo com que a Mãe Natureza criou o mundo. Ao longo da história da humanidade, quase todos os sistemas de medicina, menos a medicina ocidental moderna, podiam ser considerados "vitalistas", ou seja, agiam segundo o princípio de que a boa saúde física e mental depende de um equilíbrio de corpo, mente e espírito, e que a doença é causada por um tipo de deficiência, bloqueio ou desequilíbrio de energia em um ou mais desses três elementos. A acupuntura, inventada pelos chineses há cerca de quatro mil anos, age segundo o princípio de que a energia circula no corpo por meio de canais, que se chamam meridianos. Quando um meridiano é bloqueado, pequenas agulhas de acupuntura inseridas em pontos específicos ao longo desses meridianos enviam uma "descarga" pelo corpo, que libera o bloqueio e permite que a energia volte a fluir livremente de novo. Assim, o corpo pode se curar sozinho, do modo como a natureza pretende. Em minha experiência, e na experiência de muitos dos veterinários com quem tenho tido contato de forma frequente, os animais reagem a esse tipo de tratamento de um modo melhor e mais rápido do que os seres humanos. Talvez porque eles não têm nosso ceticismo intelectual ocidental, já que ninguém ainda demonstrou de modo científico como a acupuntura funciona. Felizmente, os cães não sabem disso. Não analisam os gráficos e tabelas de provas científicas. Apenas sentem alívio e relaxamento instantâneos.

Luna, perdida e solitária

Luna era um mix de labrador de um ano e meio com medo de quase tudo. Seu dono, Abel Delgado, a escolheu no abrigo extamente por esse motivo. "Fui ao Pasadena Humane Society e havia um cachorrinho de cerca de oito quilos, totalmente aterrorizado, no canto do canil. Ela era, provavelmente, a cadela mais abatida de todo o canil. Pensei: 'Nossa, ela precisa de muita ajuda.' Percebo agora que ela me fez lembrar de mim mesmo na infância." Apesar de, no começo do livro, eu ter mostrado como evitar adotar animais com esses tipos de problemas graves, Abel é um exemplo de pessoa que sabe o que está fazendo. Ele tomou a decisão consciente de que faria o que fosse preciso para reabilitar Luna. Assim, depois de passar meses tentando de tudo o que podia para tirá-la de seu isolamento, Abel concluiu que Luna e ele precisavam de ajuda profissional para realizar a tarefa. Foi quando ele me chamou para ajudar.

Definitivamente, Luna foi o pior caso de medo e ansiedade que já tratei em minha carreira. Ainda que não saiba com certeza, acredito que ela tenha sido tirada da mãe muito cedo. Não lidava com o mundo do modo normal para um cachorro — por meio do olfato, da visão e da audição —, usava apenas a audição e a visão, nunca usava o olfato. Barulhos altos, como de um caminhão passando ou crianças brincando, a assustavam — mas isso também acontecia com os sons da natureza, como o de aves cantando e o vento. Se minha teoria de que Luna havia sido desmamada muito cedo fosse verdadeira, então ela é um exemplo de como é importante que um filhote seja criado com seus irmãos de ninhada e com a mãe até os dois meses. Luna simplesmente não sabia como ser um cachorro!

Além de socializar Luna com a matilha e deixar os outros cães do Centro ensinarem a ela o que um cachorro faz, fui aos poucos expondo Luna a diversas situações que antes a intimidavam. Também decidi que ela era a candidata perfeita para o tipo de cura natural que a acupuntura oferece, uma vez que a acupuntura — muito mais do que a massagem ou os tranquilizantes — tem a capacidade de liberar o trauma acumulado do corpo. Antes de sua primeira sessão de acupuntura, Luna estava encolhida como uma mola. Não parecia capaz de liberar a tensão de seu corpo, nem mesmo quando dormia! Claro que eu a levei para um passeio antes da sessão, então gastamos o máximo de energia que conseguimos. No entanto, assim que a dra. Audra MacCorkle colocou a primeira agulha em sua testa, sua tensão pareceu sair do corpo como o ar que sai de um balão cheio. Lembre-se de que as agulhas da acupuntura são muito finas, não tiram sangue, e na maioria dos animais e das pessoas não causam dor quando são inseridas. No fim da sessão, Luna estava adormecida, mais relaxada do que nunca. Se puder ver esse episódio de *O encantador de cães*, poderá testemunhar a transformação bem diante de seus olhos.[22]

Depois de dois meses no Centro, levei Luna a Abel no Harmony Project, onde ele conduz uma orquestra de jovens músicos. Pela primeira vez na vida, Luna conseguiu relaxar e aproveitar a música e a presença positiva e curativa das crianças talentosas com as quais Abel trabalha. Agora, quase um ano depois, Abel afirma que Luna se tornou outra cadela, confiante e feliz, e finalmente consegue aproveitar a vida ao máximo. Ela ainda faz massagens com a dra. MacCorkle, mas Abel ficou tão impressionado com a reação de Luna à acupuntura que encontrou um bom terapeuta, e agora é esse profissional quem faz o tratamento regularmente. Claro que, para a maioria dos cães, só o exercício vigoroso já extravasa a energia negativa ou acumulada. Contudo, para cães como Luna e Gavin, um cão policial aposentado que tinha uma forma de estresse pós-traumático, um tratamento como a acupuntura é o único método eficaz que conheço para retirar a presença tóxica do medo que os impede de seguir em frente com suas vidas. A acupuntura, a homeopatia, a massagem e a quiropraxia agem com o corpo e o espírito, não contra eles. Permitem que o corpo se cure, de dentro para fora.

Claro que as terapias naturais exigem mais dedicação e atenção pessoal do que simplesmente a prescrição de um comprimido. Por exemplo, se você colocar um cachorro mais velho que tenha artrite dentro de uma banheira de água quente com sais Epsom, deixá-lo relaxar e aplicar uma longa massagem terapêutica será mais eficiente e bem menos tóxico ao fígado dele do que dar-lhe um remédio para a artrite, mas vai exigir muito mais tempo e atenção de sua parte. Entretanto, acho que essa é uma vantagem, porque quando os tratamentos demoram mais, o animal também ganha com o benefício de se aproximar de você e do profissional com o qual vocês estejam trabalhando. Na natureza, os cães lambem uns aos outros para ajudarem a curar as feridas, e dormem próximos uns dos outros para dividir o calor corporal e a energia. Está no DNA de um cão receber a cura diretamente de outro animal. E nenhuma energia é mais importante para seu cão do que a energia daqueles que o amam mais: sua família de seres humanos.

8

CÃES E O CICLO DE VIDA DA FAMÍLIA

Ajudando seu cão a sobreviver aos altos e baixos da vida em família

"Acredito que este casamento pode ser salvo se eu tiver absoluta certeza de que Wendell não vai machucar ninguém", a voz de Tyler Shepodd estava baixa e séria enquanto ele conversava com a diretora de O encantador de cães, *Sue Ann Fincke, e nossas câmeras. "Se não der certo, acho que pode ser o fim do relacionamento."*

Na época em que essa conversa aconteceu, Tyler havia acabado de cancelar a data de seu casamento com Patricia Robbins. Apesar de ele estar apaixonado por Patricia e ela por ele, o amor definitivamente não bastava. O problema? Wendell, mix de labrador com pit bull de Patricia, que era totalmente imprevisível. Patricia era uma enfermeira solteira com o coração mole para todas as criaturas em necessidade quando resgatou Wendell e o colocou em sua "matilha", que na época era formada apenas por ela e seu bem-comportado mix de chow-chow, Ted. A princípio, Ted e Wendell brigavam constantemente, mas depois de alguns anos, aos trancos e barrancos, uma amizade nasceu entre eles. Não tanto entre os vizinhos de Wendell e Patricia, que acusavam Wendell de correr atrás de crianças e animais de estimação, e que até processaram Patricia por ela não ser capaz de controlá-lo. Quando Patricia começou a namorar Tyler, ela adiou apresentar a seus cães o homem que ela acreditava ser "o certo" por causa de sua preocupação com o temperamento volátil de Wendell. Contudo, quando Tyler levantou a questão, ela percebeu que não tinha opção que não fosse apresentá-lo aos cães. O encontro foi um desastre, como ela havia previsto — Wendell tentou morder Tyler e o encurralou na cozinha. Depois de diversos incidentes igualmente violentos, Tyler determinou: Wendell simplesmente não poderia fazer parte da família deles no futuro.

"Se ela só tivesse o Ted, ela estaria morando aqui, já estaríamos casados. Simplesmente não posso colocar os meus vizinhos e a mim mesmo em perigo com Wendell aqui", admitiu Tyler.

Esse casamento pode ser salvo?

As famílias modernas estão sempre mudando e se adaptando, mas, na maioria dos casos, uma família começa com o compromisso de duas ou mais pessoas, normalmente no casamento. Esse compromisso se torna o começo do ciclo de vida de toda família. Apesar de existirem muitos livros a respeito de padrastos e madrastas de crianças em famílias misturadas, não existe muita informação disponível a respeito de como integrar um cão ao estilo de vida de um novo casal. Na minha opinião, esse momento é crucial na formação de uma família, e aprender a dividir a liderança da matilha de um cão pode ser um primeiro passo importante na criação de um relacionamento saudável e duradouro.

O caso de Patricia e Tyler não foi o único no qual fui chamado para ajudar quando um cachorro estava ameaçando se colocar entre os membros de um novo casal, mas certamente tinha todas as características para ser um dos mais sérios. Os preparativos do casamento tinham sido cancelados, os convidados avisados para ficarem em casa e o vestido de Patricia estava dentro do guarda-roupa. Durante a conversa com nosso diretor, Patricia chorou constantemente, e Tyler, muito sério, parecia deprimido e resignado. Eles estavam em um impasse, e nenhum terapeuta de casal conseguiu ajudá-los. A pressão recaiu sobre mim quando me sentei para conhecer a história dos dois.

A dinâmica nada saudável ficou clara instantaneamente: Tyler tinha medo e não confiava em Wendell — sobretudo porque Wendell era um pit bull, uma raça contra a qual ele tinha preconceito —, e Patricia havia criado uma "história" para si mesma de que precisava dar a Wendell tudo o que ele queria, porque era sua protetora. Wendell captava todas essas emoções, e elas tinham se combinado para torná-lo extremamente forte, dominante e possessivo. Desde o momento em que a consultoria começou, Wendell estava grudado em Patricia e em Tyler, que estava muito nervoso, e ele rosnou para mim quando comecei a corrigi-lo. "Você tem um namorado muito possessivo", disse eu a Patricia — e ela sabia que eu não estava me referindo ao Tyler! "Se você tivesse o controle sobre o seu cachorro, ele não desrespeitaria ninguém. O que ele está dizendo agora é que você pertence a ele."

Como muitos clientes que têm cães problemáticos, Patricia não percebia que seus problemas não resolvidos estavam sendo projetados no cachorro, e, por sua vez, em seu relacionamento com Tyler. Eu vi que seu choro parecia exagerado para aquela situação, então pedi a ela que voltasse ao passado e me dissesse a que ela estava se apegando. Patricia chorou de novo enquanto me contava que, na infância, viu cães serem chutados e maltratados em sua família, e que viu um cachorro morrer amarrado a um poste no quintal, sentindo-se impotente para fazer alguma coisa a respeito. Pedi ao reticente Tyler que fosse mais compreensivo com Patricia enquanto ela revivia aquele horror, e, ao mesmo tempo, pedisse com firmeza que Patricia saísse de seu pesadelo e se unisse a nós, no presente! Ela estava presa ao passado e se fazia de vítima — e arrastava todos os cães e as pessoas de sua vida com ela. Eu precisava provar para ela que o presente podia ser diferente — e Wendell ia me ajudar.

Como Patricia havia superprotegido Wendell e o mantido longe de todos os outros cães, exceto Ted, ele não tinha habilidades sociais. Felizmente, os cães nascem para ser sociáveis, e a capacidade de se dar bem com outros cães existe dentro de cada um deles. Levei dois pit bulls equilibrados de minha matilha, Daddy e Preston, e depois fui buscar Wendell na lavanderia. Ele fez um escândalo a princípio, mas só precisou de alguns minutos para liberar aquela energia tóxica. Quando eu o levei para conhecer os meus cães, Patricia entrou em pânico, mas quando viu Wendell relaxar enquanto Daddy e Preston o cheiravam, ela também se acalmou. Ao final da sessão no quintal, Patricia admitiu: "Existe uma chance." Para ela, isso foi um enorme passo, e eu percebi que Wendell podia ser uma parte muito importante do casamento de Patricia e Tyler. Se os dois conseguissem trabalhar juntos para ajudá-lo a se reabilitar, os dois deixariam de lado bloqueios que também estavam atrapalhando a intimidade deles.

Uma semana depois, Patricia, Tyler e Wendell foram ao Centro de Psicologia Canina para continuarmos trabalhando juntos. Dessa vez, eu tinha um desafio para o Tyler: passar entre a minha matilha de 37 cães (incluindo nove pit bulls!) mantendo a calma e a assertividade. Tyler foi muito bem — e eu pude mostrar a ele que, ao desconfiar de Wendell, ele estava aumentando a agressividade do cachorro em relação a ele. Em seguida, Patricia e Wendell se uniram a nós com a matilha. Patricia sentiu-se mal no começo, mas eu a instruí a relembrar de suas experiências como enfermeira, além da oficina de autoajuda da qual participou, na qual conseguiu caminhar entre o fogo. Vi um lado diferente de Patricia naquele dia — carinhosa e gentil, mas não mais uma vítima indefesa, como na semana anterior. Eu orientei Tyler e Patricia enquanto eles passeavam com Wendell pelo bairro industrial do Centro de Psicologia Canina. Eles ficaram impressionados por conseguir passar por um monte de cães desequilibrados — protegidos por cercas e sem coleiras — e ainda assim manter Wendell ao lado deles, calmo e submisso. Foi nesse dia que as coisas ficaram claras para os dois. Patricia se desculpou com Tyler e com Wendell por tê-los mantido afastados por tanto tempo e reconheceu que sua energia temerosa e negativa havia contribuído para os problemas comportamentais de Wendell. Tyler conseguiu mostrar um lado mais delicado e menos defensivo de si mesmo para Patricia e seus cães. "Acho que podemos marcar uma data de novo, dessa vez definitiva", disse Tyler.

Antes de nos comprometermos com outro ser humano, seria inteligente que nós analisássemos nossa relação com nossos cães, porque eles são nossos espelhos. Qualquer dificuldade ou problema que tenhamos com os animais que vivem conosco serão quase sempre refletidos nos relacionamentos que temos com as pessoas ao nosso redor. Assim como Patricia, muitos de meus clientes costumam se prender ao passado e projetam as antigas feridas naqueles que os cercam no presente. Se você não está disposto a abrir seu relacionamento com seu cão para incluir seu companheiro, então você não aceitou totalmente essa pessoa como membro de sua matilha, e tem um sério trabalho a fazer antes de se casar. Lembre-se de que quando um cachorro faz parte de uma família todo mundo na família precisa desempenhar o papel de líder de matilha da mesma forma. Observe o comportamento de seu cão e pergunte a si mesmo: "Qual parte de mim mesmo ainda estou prendendo? Quais problemas do passado ainda me prendem?"

APRESENTANDO SEU CACHORRO A SEU COMPANHEIRO

1. Inclua seus cães em seu relacionamento desde o começo.

2. Apresente os cães a seu companheiro usando a regra de não tocar, não falar, não encarar, e permita que eles se conheçam no ritmo do animal. Você e seu companheiro devem conhecer o conceito de energia calma-assertiva.

3. Deixe seu companheiro no papel de colíder de matilha desde o começo. Permita que ele passeie com seus cães, com você e depois sozinho, com o máximo de frequência que puder.

4. Dê autoridade a seu companheiro com o cachorro. Não seja parcial, e não assuma a responsabilidade pelos cães sozinho, porque você pode tornar o seu companheiro um "estranho" na matilha.

5. Realize reuniões familiares frequentes para falar sobre regras e limites aos quais vocês dois se apegarão como líderes de matilha de sua casa.

6. Não coloque seus cães dentro de conflitos entre seres humanos nem os use como escudo para a intimidade humana.

UMA CASA DIVIDIDA — QUANDO OS CÃES NÃO SE ENTENDEM

"É como ter dois filhos de casamentos diferentes, e você estar brigando pelos filhos", suspirou Judi. A cantora e atriz Judi Faye conheceu o escritor Burl Barer na internet, e os dois combinaram como se já se conhecessem há muitos anos. Os dois eram maduros, estabilizados profissionalmente, com vidas independentes e produtivas e carreiras próprias, por isso o relacionamento de cinco meses não deveria ter enfrentado nenhum problema, mas havia um, ou melhor, dois: o pit bull fêmea de sete anos de Judi, Tina, e o pit bull fêmea de dois anos de Burl, Isis. Assim que se conheceram, as duas cadelas quiseram se matar, e o tempo só piorou a situação. "Podemos nos separar por causa disso. Espero que não, mas nós podemos", admite Judi.

Quando conheci Judi e Burl, ficou claro que eles eram um ótimo casal e muito próximos, e um sabia fazer o outro rir! Uma das coisas mais interessantes que apareceram na consulta foi Burl me contar que, em seu trabalho, ele lida com muitos criminosos com comportamento antissocial. Ele explicou que o cérebro dessas pessoas não funciona como o nosso, o que os torna capazes de matar outros seres humanos. Ajudei Burl a ver a relação com os cães. Quando os cães estão em um estado antissocial, eles não têm qualquer problema "moral" em matar outro ser — um cão, um gato, ou até um ser humano. Independentemente de quanto os amamos, ou de quanto eles nos amam. A melhor maneira de apresentar dois cães antissociais que não se conhecem é caminhar com os dois lado a lado, como uma matilha. É melhor que eles andem juntos, e que, por fim, entreguem-se um ao outro. Nunca apresente dois cães desconhecidos de cara um para o outro, porque, assim, eles se tornam gladiadores. O contato visual entre dois cães com tendências agressivas é uma maneira provável de causar uma briga. O olfato deve vir primeiro, em qualquer encontro cachorro-cachorro.

"Muito interessante", disse Burl. "Porque sempre que encontro um sociopata, eu tento me colocar ao lado dele. Parece que isso o acalma." Percebi que Burl estava pensando e começava a entender que os cães têm uma psicologia diferente dos seres humanos. "Se eu tiver que lidar com minha cadela de um modo diferente, estou disposto a tentar", disse Burl. "O que for preciso para fazer isso dar certo."

Fiquei feliz por essa atitude positiva de Burl, porque tive que dizer que, pelo menos no momento, ele era o causador do desequilíbrio de Isis. Os outros problemas dela, como ansiedade no momento da separação e seus ataques inesperados, me mostravam que ela era uma cadela insegura-dominante, e era ela que estava tentando machucar Tina, não o contrário. A presença de Burl intensificava esse comportamento, então pedi a ele que esperasse do lado de fora enquanto eu, aos poucos, reaproximava Tina e Isis. É óbvio que, como ficou claro que a Isis queria matar a Tina, tomei o cuidado de colocar uma focinheira nela e mantê-la o tempo todo. Apesar de Isis ficar tentando atacar a rival, manipulei Isis de modo que Tina pudesse cheirá-la por trás. Isis nunca tivera regras nem limites, e nunca antes um ser humano a havia impedido de tentar matar outro cão *antes* de o ataque começar.

Acredito que a caminhada não é só a ferramenta mais simples, mas também a melhor para começarmos a resolver a maioria dos problemas de comportamento. O modo com que os cães na natureza se tornam uma equipe e desenvolvem elos fortes é caminhando juntos, então, meu próximo passo seria fazer com que Isis e Tina caminhassem juntas como matilha. Quando estava confiante de que as duas estavam em um estado mental submisso, eu passei a guia a Judi, a fim de prepará-la para ser a líder das duas cadelas. Quando Burl entrou em cena, as duas cadelas já tinham duas grandes energias humanas influenciando-as. Eu pedi a Burl que relaxasse, ignorasse e imaginasse que ele ia interrogar um dos criminosos com quem ele conversa. Ao usar essa energia "profissional", Burl mostrou ter incríveis habilidades para lidar com os cães.

Orientei Burl e Judi a caminhar com os cães unidos como uma matilha todos os dias, a lembrar que os cães são animais, não crianças, e a manter a focinheira em Isis por enquanto, até perceberem uma mudança estável na energia dela. No entanto, o que Burl e Judi acabaram fazendo é o que eu incentivo todos os meus clientes a fazer: basear-se nas minhas sugestões e formular suas próprias soluções. Burl usou sabiamente o conceito de olfato-visão-audição e a curiosidade natural de seu cão para criar uma estratégia brilhante: "Levei Isis à casa de Judi, com o cheiro de Tina em todas as partes, mas coloquei Tina em outro cômodo. E eu as trocava. E deixava o odor de uma em mim e brincava com a outra. Quando Judi voltou, as duas a receberam à porta."

A estratégia de Burl foi boa, principalmente porque o casal já tinha começado a familiarizar as cadelas uma com a outra realizando as caminhadas juntos. Burl se baseou no fato de que os cães não nascem para ser agressivos, mas, sim, curiosos. Ao usar inteligentemente o odor como motivador, ele conseguiu fazer com que as cadelas percebessem que todos podiam ser uma grande família feliz. "Agora, elas podem brincar uma com a outra quando nós saímos", disse Judi. "Quando chegamos em casa, elas estão na garagem fumando e jogando baralho", acrescentou Burl.

Dois anos depois, Burl, Judi, Tina e Isis dividem a mesma casa em Van Nuys, na Califórnia. "Nada realmente importante acontece da noite para o dia", disse Judi à nossa equipe. "É preciso se esforçar, independentemente do que seja. Nós gostamos tanto das nossas cadelas, gostamos tanto um do outro, que decidimos que tínhamos de fazer alguma coisa."

* * *

Fico feliz em dizer que Burl e Judi não são o único final feliz no departamento amoroso de *O encantador de cães*. Patricia e Tyler estão casados agora, e atualmente têm uma vida cheia de amor e equilíbrio com Ted e Wendell. "Muita coisa mudou", diz Patricia. "Consegui abrir mão de muita coisa. Hoje, coloco Tyler em primeiro lugar. Eu confio nele com os cães, ele é um ótimo líder de matilha, e ao confiar nele, nós ficamos mais próximos." "Obrigado, Cesar, tem sido ótimo", acrescenta Tyler. "Estamos melhorando a cada dia. Estamos aprendendo todos os dias."

PONTOS IMPORTANTES PARA FAMÍLIAS COM CÃES

1. Um companheiro deve dar autoridade ao outro como líder de matilha de todos os cães. Pare o quanto antes de pensar em seu animal de estimação como "meu cão" e "o cão dele/dela".
2. Apresente os cães em um território neutro.
3. Não permita que os cães se encontrem cara a cara. Se eles forem calmos, permita que se conheçam pelo ritual do olfato. Se não forem equilibrados, caminhe com eles, um de cada lado, até que relaxem e sua linguagem corporal revele submissão.
4. Use o poder do olfato para fazer com que os cães se acostumem um com o outro antes de se conhecerem. Cuide para que o cheiro esteja associado a algo positivo, como comida, exercício ou afeto.
5. Mantenha as regras firmes para todos os membros da matilha.
6. Não favoreça um cão mais do que o outro, e não crie competição entre o seu cão e o cão do seu companheiro.
7. Lembre-se de que seus cães refletem sua energia! Não envolva os cães em nenhum conflito entre seres humanos.

A chegada abençoada: os cães e o novo bebê

Cosmo, um mix de chow-chow de alta energia, tinha quatro anos quando seu dono, Armin Rahm, conheceu sua futura esposa, Victoria. Os dois se casaram depois de um namoro rápido, e Victoria e sua mix de labrador, Boo, passaram a viver na casa de Armin, no sul da Califórnia. Todo mundo pareceu se dar bem a princípio, e os recém-casados adoraram a notícia de que Victoria estava grávida. No entanto, aos poucos, o comportamento de Cosmo passou a mudar. Começou com uma agressividade grave nos passeios. Sempre que Cosmo via outro cachorro, ele entrava imediatamente em modo perseguidor, e Armin tinha que se esforçar para segurá-lo. Em casa, seu comportamento se tornou mais instável em relação a Boo, e ele ficou mais rebelde do que antes. Duas semanas antes de Victoria ter o bebê, o casal me chamou. A essa altura, Cosmo havia se demonstrado agressivo com as pessoas, e Victoria estava compreensivelmente nervosa com o comportamento imprevisível de Cosmo, imaginando como isso afetaria o bebê.

"Está piorando, e estou com medo de colocar uma criança nesta casa com um cachorro tão imprevisível", disse Victoria. "Nos passeios, ele é um terror." Perguntei a Armin como ele reagia quando Cosmo se comportava mal nos passeios. "Fico em um estado calmo", respondeu ele, mas Victoria não concordou. Eu pedi a ele que dissesse a verdade. "Acho que quando isso acontece, eu me sinto frustrado", admitiu Armin, envergonhado. "Que bom", disse eu a ele. "Não esconda quem você é." A verdade é que Cosmo já sabia exatamente como Armin estava se sentindo. Outro problema era que Armin estava tentando lidar com Cosmo, *o nome*, quando na verdade Cosmo, em estado de perseguidor, era 100% Cosmo, *o animal*. Armin precisava parar de levar o comportamento de Cosmo para o lado pessoal e começar a pensar nele na seguinte ordem: animal/cachorro/chow-chow/Cosmo.

O trabalho que eu teria estava claro. Precisava cuidar para que Cosmo e seus donos ficassem equilibrados *antes* da chegada do bebê. Para dizer a verdade, Armin e Victoria estavam tomando uma providência muito em cima da hora. Acredito que o tempo certo para se lidar com os problemas de comportamento de um cão não pode ser menor do que nove meses antes da chegada do novo membro da família.

É importante lembrar que os bebês podem ficar especialmente vulneráveis quando há um cachorro desequilibrado em casa. Como os bebês têm um cheiro diferente, emitem sons diferentes e se movem de um modo diferente dos humanos adultos, um cão que nunca viu um bebê antes pode considerá-lo estranho e confuso. Um cachorro pode escutar um bebê chorando e querer ajudar pegando-o pelo pescoço, como faria com um filhote. Ou, no caso de um cachorro com problema de agressividade não resolvido, o corpo pequeno e os movimentos repentinos do bebê podem estimular o instinto de caça. Com frequência, os bebês ganham a atenção que antes era do cachorro, que até sua chegada era "filho único". Armin e Victoria admitiram que Armin estava dando menos atenção a Cosmo quando a agressividade do animal aumentou.

Meu primeiro desafio foi ajudar Victoria a superar seus medos, que estavam atrapalhando sua capacidade de ser uma ótima líder de matilha, como eu sabia que ela era capaz de ser. Quando minha esposa, Ilusion, engravidou de nosso primeiro filho, Andre, ela demonstrou todos os tipos de medos e dúvidas a respeito de o bebê ficar perto de minha matilha de rottweilers e pit bulls. Não que suas preocupações não tivessem fundamento, mas era a incerteza por trás das preocupações que a deixava fraca. Eu lhe disse que a energia que ela apresentasse no momento seria a energia do bebê quando ela o segurasse no colo. Se ela ficasse com medo, os cães veriam o bebê como temeroso, e isso tornaria o bebê fraco. Ilusion aprendeu a caminhar pela matilha com a energia orgulhosa de um líder de matilha, de modo que nossos filhos pequenos automaticamente também se tornariam líderes de matilha. Se eu pudesse oferecer o mesmo tipo de ajuda a Victoria para que ela colocasse para fora o poderoso líder de matilha que existia dentro dela, não haveria como detê-la nem deter o bebê!

Os passeios de Victoria com Cosmo ocorreram de modo brilhante, e ela não conseguia acreditar que sua mudança de atitude podia, imediatamente, afetar o comportamento do cão. Contudo, a causa do problema ficou clara quando Armin assumiu o controle. Ele segurava a coleira com força e começou a puxá-la assim que percebeu que Cosmo atacaria o cachorro pequeno com o qual eu estava caminhando. Claro que Cosmo reagiu exatamente como Armin temia. Os cães sempre concordam com nosso estado mental, independentemente de este ser saudável ou instável. O problema de Armin era que ele estava se sentindo mal a respeito de como Cosmo estava se comportando, e estava levando isso para o lado pessoal. Também estava em negação a respeito de quanto a agressividade de Cosmo o frustrava e o chateava. Quando eu disse isso a ele, a ficha caiu. Depois de uma sessão bem-sucedida, eu instruí o casal a deixar os cães passarem a noite com amigos antes de levarem o bebê para casa, até que eu pudesse voltar para mostrar a eles como apresentar adequadamente os cães ao novo membro. Eu os deixei em paz para aproveitarem as últimas duas semanas tranquilas antes de se tornarem pais.

Eu provavelmente estava mais empolgado do que os dois quando cheguei à residência deles para conhecer o bebê Lorelei, mas, primeiro, tinha trabalho a fazer. Instruí Armin e Victoria a entrar no cômodo onde os cães estavam, para criar um espaço invisível ao redor do bebê, e a fazer com que os cães atingissem o mais alto nível de submissão antes de permitir que eles se aproximassem. Em uma escala de agitação de um a dez, os cães não podiam estar num nível maior do que zero quando estivessem perto do bebê — eles tinham que saber que "bebê" significa "fique calmo, delicado e submisso". Outro exercício que sugeri que fizessem foi colocar peças de roupa do bebê em partes da casa e observar atentamente como os cães reagiam a elas. Se pegassem as peças com os dentes, não era bom sinal — seria preciso corrigir esse comportamento. Se brincassem com a peça ou urinassem nela, também não seria bom. O objetivo era condicioná-los a dar espaço, respeito e submissão a tudo que pertencia ao bebê. O casal tinha que reivindicar o espaço do bebê e criar uma bolha de proteção em volta de tudo relacionado a ele. Orientei o casal para que, durante as primeiras duas semanas, os cães não tivessem permissão para cheirar o bebê nem os objetos dele de perto, nem entrar no quarto dele, para criar esse hábito de respeito. Os cães tinham que aprender que o cheiro de Lorelei significava que tinham de ficar num estado mental calmo-submisso.

Voltei para ver como a nova família estava se saindo duas semanas depois, no fim do período de "lição de casa". A mamãe Victoria ficou animada com o modo com que as coisas estavam indo: "Está mais harmonioso agora. Eles ficam calmos perto dela e brincam, mas mantêm um certo distanciamento." "Os dois respeitaram o espaço dela. Parece que eles sabem que ela é a líder, ou a colíder, conosco", acrescentou Armin. Como a família estava se adaptando muito bem, decidi que estava na hora de mostrar aos novos pais como incorporar os passeios nos rituais de liderança. Ao colocar Lorelei no carrinho e fazer os cachorros seguirem atrás, o passeio passou a ser um outro modo de mostrar aos cães que o bebê seria o líder deles. Naquele dia, tornamos a pequena Lorelei a mais jovem líder de matilha do mundo!

* * *

Recentemente, nossa equipe foi ver como a família estava se saindo dois anos depois do trabalho que realizamos. Eu senti enorme orgulho do resultado. Os problemas de comportamento de Cosmo desapareceram quase totalmente, e se ele reage a outro cão na rua, o casal sabe como fazê-lo parar no momento exato e então seguir em frente. "Não é mais um problema", diz Armin. A pequena Lorelei, que agora é uma menininha adorável, está assumindo seu papel como líder de matilha e está claro que os cães a obedecem. Na verdade, a primeira palavra que ela disse foi "Au-au!". E talvez o mais maravilhoso de tudo é que Victoria descobriu que é uma líder de matilha nata, e que adora trabalhar com cães. Usou a licença-maternidade para ser voluntária na Humane Society e está prestes a se formar no curso de Comportamento Animal. "As pessoas não entendem que têm que se esforçar, que não basta que alguém entre na sua casa, aperte um botão mágico e melhore tudo", diz ela. "Então, quero ajudar as pessoas e mostrar que esses são os passos que precisam ser dados, e que é isso o que deve ser feito." Victoria, sinto muito orgulho de você e de sua família toda. Vocês realmente se tornaram um modelo de "matilha de família".

O jogo do choro

Mesmo quando fazemos o melhor possível para preparar nossos cães para a chegada do bebê, devemos nos lembrar de que eles refletem nossa energia de volta para nós. Se estivermos nervosos, inseguros ou frustrados, e projetarmos qualquer uma dessas energias negativas, nosso humor, mais a falta de familiaridade com o novo membro da matilha, pode estressar um cachorro — principalmente um cachorro ansioso ou dominante.

Antes do nascimento de sua filha, Sophia Grace, Derek e Stephanie Clay viviam uma vida feliz e tranquila com sua matilha de três cães — o mix de pastor alemão Rocky, o keeshond Zorro e o rottweiler Goliath. O casal adorava cães e era fã de *O encantador de cães* — ou seja, eles eram adeptos da fórmula de exercício, disciplina e carinho. Todos os cães caminhavam bastante, e o casal preparou os cães para o novo bebê da forma que costumo recomendar — primeiro, levaram para casa uma boneca que chorava; em seguida, trouxeram do hospital peças de roupa de Sophia, para que os cães se familiarizassem com seu cheiro. Apesar de Zorro e Goliath, cães de energia mais baixa, terem recebido Sophia muito bem na casa, com Rocky a história foi outra. Desde o momento em que Sophia chegou, Rocky começou a gemer dolorosamente e não parava, independentemente do que o casal tentasse fazer. Stephanie tentou descrever os gemidos para mim: "É uma mistura de choro, grito, gemidos, guinchos e latidos. Eu acho que, na primeira semana, ele não parou nem uma vez." O gemido começou quando Sophia chegou em casa, mas logo se espalhou para os frequentes passeios em matilha e os passeios que eles faziam de carro. Sempre que o bebê chorava, os gritos de Rocky aumentavam, a ponto de, em alguns momentos, ele ficar rouco. Quando os acessos de ansiedade de Rocky começaram a afetar os outros dois cães, o casal foi ao veterinário, que prescreveu tranquilizantes para o cão — acepromazina, Clomicalm, Benadryl e até Xanax —, mas os remédios não ajudaram. "Ele começou a andar de um jeito estranho, mas os remédios não pareciam diminuir seu nervosismo", disse Derek. O marido e a esposa estavam no limite da paciência e até conversaram sobre abrir mão de Rocky para que ele fosse adotado.

"Rocky é o nosso 'primeiro filho'", disse Stephanie, segurando as lágrimas. "Depois de sete anos, eu sinto que devemos a ele tentar resolver esse problema de qualquer forma. Eu só quero que a família toda se torne uma família de novo. Ela não seria completa sem o Rocky."

No dia em que fui visitar os Clays, a ansiedade de Rocky ainda estava extremamente alta, embora ele tenha perdido quase toda a voz por causa dos uivos constantes. Eu nunca tinha visto um caso como esse antes e fiquei fascinado com o desafio. As peças do quebra-cabeça se tornaram mais claras para mim quando Stephanie tentou me mostrar como ela colocava as coleiras nos três cães antes de sair para um passeio. Sua linguagem corporal era tensa, ela se atrapalhava, e sua energia nervosa era transmitida para os cães — principalmente para Rocky. "Você está com dificuldade", disse eu a ela. "Os cães tiram vantagem quando as pessoas têm dificuldades, principalmente se eles já forem ansiosos." Perguntei ao casal como Rocky havia reagido quando eles levaram o cheiro do bebê para casa pela primeira vez. "Ele ficou muito ansioso e alterado", respondeu Derek. "Ficou correndo pela casa toda, à procura do bebê." O casal havia perdido a primeira oportunidade de deixar Rocky calmo-submisso perto do cheiro do bebê. Estava claro que Rocky era um cão ansioso-dominante que acreditava que seu papel seria ajudando com o bebê de alguma forma. Nas matilhas de cães, todo mundo cria os filhotes, e, por falta de liderança, Rocky acreditava que estava fazendo seu trabalho.

Quando Rocky se submeteu à minha energia calma-assertiva sem qualquer correção, mais uma peça do quebra-cabeça ficou clara. O problema não era o Rocky, era a Stephanie. O estresse de ter um bebê, as noites sem dormir e o choro de Rocky haviam feito com que ela ficasse totalmente estressada, e deixou de dar qualquer direcionamento ao comportamento dos cães. Rocky estava tentando assumir a liderança, e os outros dois cães mais submissos procuravam sua orientação. Trabalhei muito com Stephanie, tomando o cuidado de deixar todos os cães em um estado relaxado antes que ela os preparasse para o passeio. Em seguida, mostrei a ela como colocar Rocky no carro — convidá-lo para entrar, pedir que se deitasse, ter a certeza de que ele estivesse calmo *antes* de fechar a porta. "Ele precisa de sua orientação", disse eu a ela. A mesma coisa acontecia na sala de sol, onde Stephanie e Derek costumavam colocar os cães quando as coisas ficavam muito malucas dentro de casa. É sempre importante que os cães estejam relaxados e submissos quando você fecha uma porta, seja a do carro, a do canil ou a de sua casa. Se você os deixar em um estado de ansiedade, é assim que eles ficarão. Sugeri ao casal um exercício que consistia em deixar a porta aberta, mas manter Rocky na sala de descanso usando apenas a energia. "Vocês têm que visualizar o que querem, não o que temem. O que vocês visualizarem vai se manifestar." O último exercício foi o momento em que Stephanie entendeu que era a ansiedade *dela* que havia tomado conta dos cães, e não o contrário.

"Estou visualizando agora. Vamos ser totalmente diferentes, e somos uma nova matilha de cães", disse Stephanie no fim do dia. "Agora, seremos capazes de trabalhar juntos e de permanecer juntos. E seremos uma família completa."

Quatro meses depois, os Clays enviaram à minha equipe de *O encantador de cães* um vídeo caseiro no qual os três seres humanos — a mãe, o pai e o bebê — estavam calmos no sofá, com Rocky, calmo e relaxado, ao lado deles. Derek disse que eles levavam Rocky para pastorear, para ajudar a extravasar um pouco de sua energia básica (energia que ele estava extravasando tentando cuidar do bebê). "Nossa matilha está completa de novo", disse Stephanie, agradecida. "Rocky voltou a ser o cão maravilhoso que era."

Ao comparar esses dois casos, é interessante que o problema de agressividade de Armin e Victoria com Cosmo os obrigou a aprender a criar a atmosfera adequada na casa *antes* da chegada da pequena Lorelei. Derek e Stephanie, por outro lado, por não terem tido problemas óbvios com seus cães antes da chegada do bebê, se viram despreparados quando tiveram que enfrentar os gemidos misteriosos de Rocky. Se você está grávida, deve usar os meses que precedem o nascimento para consolidar seu lugar como líder de matilha de seu cão, lidar com os problemas de comportamento não resolvidos e criar uma atmosfera calma e relaxada em casa.

PREPARANDO SEU CÃO PARA A CHEGADA DO BEBÊ

1. Avalie a situação desde o começo. Tem certeza absoluta de que seu cão vê você e seu parceiro como líderes de matilha? Confia na sua habilidade de lidar com o comportamento de seu cão em qualquer circunstância? Se existir alguma dúvida, realize uma reunião com sua família e decida como podem encontrar uma situação mais segura na qual seu cão possa viver.

2. Use o tempo que tem antes do nascimento do bebê para levar o relacionamento com seu cão para outro nível. Pratique a liderança e a comunicação usando a energia calma-assertiva. Lide com qualquer problema que persista, como ansiedade por separação, excesso de ansiedade ou possessividade. Verifique se todos na família estão cientes de seu papel de líder.

3. Conforme se aproximar a data do nascimento, crie novos limites em sua casa nos lugares onde seu bebê ficará. Se preciso, mude o local onde seus cães dormem. Por mais difícil que seja, aja gradualmente de modo um pouco mais frio com seu cão, para eliminar qualquer problema de dependência que ele possa ter.

4. Pratique estabelecer limites ao seu redor carregando uma boneca que chora. Se você tiver uma amiga que tenha um bebê pequeno, convide-a para ir a sua casa e pratique criar uma "bolha" de proteção ao redor dela e do bebê.

5. Pratique passear com um carrinho de bebê, cuidando para que seu cão fique atrás dele.

6. Depois que o bebê nascer, leve para casa algo que tenha o cheiro dele e mostre a seu cão. Não permita que o animal se aproxime demais do objeto; deixe-o cheirar do lado de fora do "círculo de proteção" que você pretende criar ao redor de seu bebê. Você está ensinando ao cão que ele deve ser respeitoso quando sentir o cheiro do bebê. Apresente seus cães ao bebê, e não o contrário.

7. Leve o bebê para dentro de casa primeiro, e só depois convide os cachorros para entrar. Não permita que eles cheguem perto demais a princípio – nas primeiras semanas, dê ao bebê bastante espaço.

8. Segure o bebê com sua energia calma-assertiva. Como o bebê faz parte de você e você é o líder da matilha, isso automaticamente coloca o bebê em um papel de liderança também.

9. Mantenha limites claros em volta do bebê com seus cães. Conforme o membro mais novo da família for crescendo, os cães automaticamente lhe darão mais respeito e espaço.

Deixando o ninho

Há uma fase do ciclo de vida da família que costuma não ser muito debatido, mas que normalmente deixa marcas em todos os envolvidos. É quando os filhos crescem, se tornam mais independentes e deixam o ninho para embarcar em suas vidas como adultos. Para algumas famílias, essa transição acontece tranquilamente; para outras, é um momento de conflitos emocionais. Os adolescentes podem se rebelar e agir com raiva enquanto tentam fazer valer suas vontades; os pais podem ficar ressentidos e negar aos filhos a necessidade cada vez maior de autonomia. Por fim, um dos pais, ou os dois, pode acabar deprimido ou se sentindo rejeitado. Dependendo da dinâmica entre os membros humanos da matilha, também pode ser um momento em que o papel do cão da família passa por mudanças. Nos muitos casos que observamos durante as quatro temporadas de *O encantador de cães* (e na quinta temporada, atualmente em produção), tenho notado um padrão recorrente de casos com uma dinâmica de "ninho vazio". Quando pais ou tutores de qualquer gênero começam a se entristecer pela perda de seus papéis como cuidadores e procuram uma nova identidade, eles, às vezes, transferem todas as energias protetoras ao cachorro da família. Normalmente, com resultados indesejados.

Que cachorro difícil!

Em comparação aos pais que enfrentam a questão do ninho vazio, Linda Jorgensen (antes Linda Raffle), uma morena de meia-idade de aparência jovem, passou por diversas mudanças bruscas na vida, quase todas de uma vez. Primeiro, seus filhos se tornaram independentes, e, apesar de ela sentir falta deles, Linda sentia orgulho do caráter e da independência deles. Em segundo lugar, ela havia se aposentado recentemente de seu trabalho como gerente de uma empresa com mais de 130 funcionários. E, em terceiro lugar, Luke, seu adorado basset de 13 anos, havia falecido de velhice. Para preencher o vazio em sua casa e em sua vida, Linda adotou Leo, um basset hound filhote que era fisicamente muito parecido com o recém-falecido Luke. No entanto, no que dizia respeito ao comportamento, a história foi totalmente diferente.

"Quando Luke era da idade dele, meus filhos estavam em casa, então, quando eu não estava cuidando do filhote, estava cuidando de meus filhos, tornando-os muito independentes e responsáveis", suspirou Linda, com Leo, preguiçoso, nos braços. "O que não pude fazer com esse cachorrinho. Então, em dez meses, criei esse monstro."

Mesmo com pouca idade, o letárgico Leo comandava a vida de Linda. Apesar de ela sempre lhe dar atenção e carinho, ele nunca a obedecia e, em vez disso, usava seu comportamento de baixa energia para manipulá-la. Sempre que Linda ligava o secador de cabelos enquanto se preparava para sair, Leo ficava tão deprimido que se recusava a sair da cama dela, obrigando Linda a levá-lo para o andar de baixo e trancá-lo na cozinha para poder sair. Sempre que eles saíam para passear, Leo fugia dela e ignorava seus pedidos de que voltasse para casa. A única maneira de levá-lo de volta à casa era, literalmente, arrastando-o rua abaixo e pela porta. "Está ficando cada vez mais difícil, porque agora ele tem mais de vinte quilos", disse Linda. "Estou disposta a fazer o que for preciso para ter um cão que more na minha casa, porque, no momento, eu estou morando na casa dele."

Durante nossa consulta, ficou claro para mim que Linda havia humanizado tanto Leo que, apesar de ela ser muito inteligente e forte, havia deixado de ver a realidade como deveria. Quando lhe perguntei como disciplinava Leo, ela me respondeu: "Já ameacei levá-lo ao abrigo de animais e deixá-lo ali uma noite, para ele entender pelo que os cachorros passam por lá. Então, ele vai voltar e se comportar."

"Olha, é muito bonito conversar com os cães, mas eles não entendem", disse a ela. "Você precisa fazer um acordo consigo mesma de que não há problema algum em ver o Leo como um animal-cão-raça-nome, não apenas nome, basset hound e humano." "Filho", Linda me corrigiu. Pelo menos, ela estava sendo um pouco mais honesta, então eu fui um pouco mais sincero com ela: "Você está em uma situação diferente agora. Você mora sozinha, seus filhos foram embora, e ele é a solução perfeita para satisfazer essa sua necessidade, para você preencher esse espaço vazio." Linda concordou. Eu continuei: "Então, a psicologia que você adotou antes, com seus funcionários e seus filhos, que usava no passado, é a que você precisa adotar agora." Percebi, pelos olhos de Linda, que eu estava sendo compreendido, por isso aproveitei a oportunidade para realizar uma reabilitação prática enquanto ela estava entendendo.

Comecei mostrando a Linda como fazer Leo ir para a cozinha sozinho. Ao carregá-lo, ela estava condicionando a mente dele a acreditar que ser carregado era a única maneira de chegar à cozinha, e, ao levá-lo contra a vontade dele, ela estava tornando a cozinha um local negativo. O segredo para Linda não era apenas conduzir Leo delicadamente ao seu lugar na cozinha, mas também mudar sua atitude e sua intenção. Ela tinha que parar de ver Leo como seu "bebê" indefeso e carente e começar a se comunicar de modo mais assertivo com Leo, o animal, porque o que ela queria era o melhor para ele também.

Em seguida, mostrei a Linda o que ela estava fazendo de errado na hora de passear. Como muitos de meus clientes novos, ela estava deixando Leo dominar a situação, sair de casa na frente dela e puxá-la para onde ele quisesse ir. Não era à toa que ele não voltava quando ela chamava — ela estava dizendo a ele com seu modo de agir que era *ele* quem tomava as decisões! Ao levar Leo para brincar com Coco e Luigi, dois cães de minha matilha, mostrei a ela como manter o controle da atividade, dando limites de tempo. Linda tinha um assovio alto e assertivo que ela usava ao chamar seus filhos para casa. Esse seria seu novo método de mostrar a Leo que a hora da brincadeira havia terminado. Escutar Linda assoviar me dava medo, era um som muito forte! Como Linda tinha sido uma mãe confiante e uma chefe firme, ela entendeu logo de cara o conceito da energia calma-assertiva. Só precisei ajudá-la a ver que suas reações inconscientes ao ninho vazio estavam motivando seu comportamento. "Passei de mãe em tempo integral a solitária dentro de casa", disse Linda. "Então, peguei tudo isso e coloquei em Leo como meu novo bebê. Mas o Leo é um cachorro."

O caso de Linda e seu letárgico Leo foi muito fácil, não apenas porque Linda já era proficiente como líder, mas porque Leo só tinha dez meses de vida e ainda precisava de orientação. Linda pediu a minha ajuda em um momento perfeito da vida dos dois, antes de ela e o cão firmarem mais seus hábitos. Três anos depois, Linda afirma que Leo não é mais difícil, que se comporta perfeitamente nos passeios, e foi curado de todos os problemas que demonstrava. Ele ainda tem uma mania: mastigar papel higiênico. Tenho certeza de que Linda resolverá esse problema sozinha!

Casos nos quais os problemas do dono não são tão claros, e nos quais o comportamento do cachorro piora muito, podem exigir métodos mais intensos de reabilitação.

Chip nervoso

O minipinscher Chip tinha sete anos e meio quando seus donos, os Packs, finalmente me chamaram para ajudá-los. A família Pack era formada pela mãe, Lisa, pelo pai, Tom, e pelos adolescentes Steven (15 anos) e Natalie (18). Eles tinham Chip desde filhote e me disseram que o problema com o cão passou dos latidos nervosos para os ataques com mordida quando ele tinha cerca de dois anos. Ele rosnava, atacava e tentava morder qualquer desconhecido, desde os empregados ao carteiro, passando por amigos e vizinhos. Nos cinco anos seguintes, a família permitiu que o comportamento agressivo seguisse sem correção — principalmente porque a mãe, Lisa, se recusava a disciplinar Chip. Até permitiu que ele começasse a atacar seus filhos. "Sempre fico nervosa perto do Chip", admitiu Natalie, a esbelta filha mais velha dos Packs. "O Chip tem me mordido muito. Provavelmente já me mordeu umas cinquenta vezes. Pode ser que tenha me mordido ontem, não me lembro bem." "Ele morde forte", acrescentou Steven Pack. "Ele mordeu meus lábios em dois lugares, e eu tive até que levar pontos. Sangrou muito."

Qualquer um de meus fãs sabe que eu não concordo com nenhum pai que coloque o cachorro antes dos filhos — principalmente antes da segurança dos filhos. Lisa Pack foi além disso; ela colocou Chip antes de seu marido! "Em muitas ocasiões, eu disse: 'Lisa, acho que não podemos ficar com ele. Estou preocupado com a segurança aqui", disse Tom Pack. "Podemos perder tudo. Mas minha esposa me disse, diversas vezes, que eu vou primeiro." "Eu adoro o cachorro", afirmou Lisa. "Não tenho a menor intenção de abrir mão dele."

Lisa era, claramente, o lado mais fraco da família Pack, e a causa da instabilidade agressiva de Chip, mas ela finalmente pediu ajuda depois de um incidente no qual Chip ficou agressivo demais diante de um bebê em um carrinho. A dinâmica invertida da família continuou a se revelar durante a consulta. "Ele ataca as crianças, mas não a nós. Eu, muito menos", contou Lisa. "Ele a adora", disse Tom. Perguntei à família quais seriam as consequências se Chip mordesse um dos dois filhos. Natalie balançou a cabeça: "Eu sempre digo: 'Mãe, você precisa castigá-lo.' Mas ela sempre diz: 'Ah, não, ele é meu queridinho, não quero fazer maldade com ele, não quero gritar com ele.'" "Mas e vocês?", perguntei às crianças. "O que acontece quando vocês fazem alguma coisa errada?" "Ficamos de castigo!", gritou Steven. "Tiram nossos privilégios", acrescentou Natalie. "Mas nada acontece com o Chip?", perguntei a Lisa. Ela riu de nervoso. "Sabe o que a minha esposa sempre diz? 'Chip é o único nesta casa que me ama incondicionalmente'", acrescentou Tom, e os dois filhos riram.

A cena continuou a se desenrolar como uma sessão de drogados ou de alcoólatras. Três membros da família sabiam que o problema era Lisa, e, diante da verdade, ela finalmente desistiu e parou de negar. Estava disposta a aprender a desempenhar o papel de líder de matilha, então voltamos para a casa com o propósito de começar. Pude mostrar a Lisa como eu tirava a dominação de Chip agindo com ele de modo calmo e assertivo. No entanto, em um passeio com Sonny, um golden retriever de minha matilha, Chip foi o protagonista de um ataque totalmente sem razão, mostrando que ele realmente não tinha nenhuma habilidade social, nem com os cães nem com as pessoas. Os Packs concordaram em deixar Chip no Centro de Psicologia Canina por duas semanas, para que eu o ensinasse a interagir socialmente com outros de sua espécie.

Chip precisou de alguns dias para aprender a se encaixar na matilha sem agressividade, mas, quando entendeu a mensagem, conseguiu se adaptar facilmente. Como parte de sua reabilitação, eu trouxe minha esposa, Ilusion, para atuar como líder de matilha do sexo feminino com ele. Como Lisa o havia condicionado a ver todas as mulheres como fracas, Ilusion usou todas as suas habilidades calmas-assertivas para orientar Chip em seus novos comportamentos.

Por fim, os Packs chegaram para levar Chip de volta. Fiquei surpreso, pois realmente vi que Lisa havia mudado. Seus olhos estavam mais brilhantes, sua postura estava melhor, e ela caminhou pela matilha e controlou Chip logo de cara. É muito gratificante para mim quando alguém se mostra disposto a sair de sua negação pelo bem não apenas do cão, mas também de toda a matilha. Quando todo mundo faz o que é melhor para toda a matilha, então uma família pode realmente começar a crescer como unidade.

Recentemente, eu estava em um evento de lançamento do livro *Dog Whisperer Ultimate Episode Guide*, na Torrance Borders, quando Tom e Lisa Pack apareceram na minha frente. O casal me disse que Chip se tornou um membro educado e produtivo da família graças ao compromisso firme de Lisa em permanecer calma e assertiva o tempo todo. Durante a gravação do programa, eu percebi que Lisa havia se aproximado de Chip para ter consolo, já que seus filhos começaram a se tornar independentes. Chip seria sempre o bebê indefeso de quem Lisa poderia cuidar, ainda que ele odiasse todas as outras pessoas. Ela havia criado uma bolha ao redor dos dois para proteger-se da mudança, ainda que isso estivesse prejudicando Chip e a família dela. Sinto muito orgulho de Lisa por ter tomado a coragem de enfrentar o desafio de ser a líder da matilha. É preciso muita coragem para abrir mão da negação e admitir a verdade a respeito de si mesmo e de como seu comportamento está afetando a família, e foi exatamente isso o que Lisa Pack fez.

A OUTRA MULHER

Não quero passar a impressão de que esse tipo de crise acontece apenas com as mulheres. Normalmente, o pai ou tutor que investiu mais energia nos cuidados dispensados aos filhos é quem tem mais dificuldade quando eles se tornam adolescentes e saem de casa, mas nem sempre é o que acontece. Novos problemas podem surgir mais tarde na vida, bem depois de os filhos se tornarem independentes. No caso de Malcolm e de Judi Sitkoff, depois dos filhos, dos netos e de quarenta anos de casamento, Malcolm se envolveu com outra: a bichon frisé de cinco anos chamada Snowflake.

"Dizem que o amor é muito próximo do ódio. Se dependesse de mim, Snowflake teria ido embora", suspirou Judi. "Snowflake e eu fazemos bem um ao outro. Nós dois gostamos de caminhar. Somos a terapia um do outro", discordou Malcolm.

Quando me sentei com o casal em conflito durante a consulta, fiquei absolutamente assustado quando Judi me disse que ela não dormia na própria cama havia mais de um ano. Snowflake a atacava sempre que ela tentava se deitar na cama, e Malcolm permitia! Judi decidiu dormir em uma poltrona no andar de baixo, na sala de TV. Vi logo de cara que Malcolm era a causa do problema, mas ele negava. A desculpa que ele dava para não fazer Snowflake descer da cama era: "Ela não desce. Não consigo tirá-la. Eu já a tirei várias vezes e ela sempre volta." "Porque você não quer de verdade!", disse eu a ele. "Os animais só não escutam quando os seres humanos não têm intenção real." Judi se intrometeu, lembrando a Malcolm que, muitos anos antes, eles tinham um pastor alemão que se deitava na cama deles durante o dia, mas saía assim que o caminhão de Malcolm estacionava na frente de casa. Por quê? "Porque Malcolm não permitia que os cães ficassem em cima da cama." Fiquei surpreso de novo. "Por que não faz isso agora?" "Porque aquele cachorro era enorme. Este é pequeno."

Malcolm estava em um estado de negação tão profundo que nem sequer via como seu argumento era totalmente ilógico!

Judi estava sendo aterrorizada pelo cão da família e não tinha nenhum apoio de seu marido; os papéis da esposa e do cão pareciam estar trocados. A hierarquia na casa era Snowflake, Malcolm e só depois Judi, bem embaixo! Eu precisava transformar Malcolm e Judi em uma equipe de novo, de modo que eles fossem líderes de matilha, e Snowflake fosse a seguidora. Ainda assim, a situação me confundia totalmente. Por que Malcolm era mais próximo de um cachorrinho branco do que da esposa com quem estava havia quarenta anos?

Malcolm nos deu parte dessa resposta quando, no quarto, ele admitiu que gostava de considerar Snowflake "sua" cachorra, e apenas sua. "Nunca tive um cachorro só meu. Na infância, eu sempre tive que dividir meu cachorro com todos. E esse cachorro é só *meu*." É um erro enorme que sempre vejo em meus clientes, e em alguns dos exemplos que mostro neste livro. Ao dividir a família em mais de uma "matilha", você cria um cão antissocial. Os cães querem fazer parte de uma matilha. Eles não querem o estresse diário de viver em um lugar onde metade das pessoas se torna rival ou inimiga.

Outra peça do quebra-cabeça se encaixou quando, depois de uma briga, perguntei a Malcolm se ele guardava raiva de Judi. De modo relutante, ele admitiu que eles tinham um problema pessoal não resolvido há anos. O assunto permaneceu escondido enquanto os filhos ainda moravam com eles, mas agora que eram só os dois, tornou-se uma raiva que só crescia e que nunca tinha sido discutida. Malcolm continuava furioso com Judi por algo que havia acontecido anos antes, mas em vez de resolver a questão com ela, ele usava Snowflake para expressar sua raiva indiretamente. Na minha opinião, essa é uma das coisas mais cruéis que podemos fazer com os nossos cães — jogar neles nossa bagagem emocional. Nós, seres humanos, não conseguimos ser equilibrados quando temos um assunto não resolvido nos perturbando. Como podemos esperar que os cães lidem com nossos problemas se nós não conseguimos resolvê-los?

Trabalhei com Malcolm e Judi por algumas horas, ensinando aos dois como reivindicar o próprio espaço quando se deitavam na cama, e tentando fazer Malcolm entender que ele precisava dar autoridade a Judi para que ela pudesse vencer seus medos e seguir em frente. Ensinei os dois a corrigir Snowflake com firmeza e sem emoção. Dei a eles uma tarefa muito específica: ao final de duas semanas, queria que Judi voltasse a dormir na própria cama sem medo.

Quando voltei, duas semanas depois, o casal me acusou de ter drogado a cachorra. "Ela está totalmente diferente", disse Judi. "Ela nos obedece em tudo. Você deu algum remédio a ela?" "Não", respondi, "dei remédio a vocês". O que eu fiz ao casal foi dar a eles uma outra perspectiva a respeito do que estava acontecendo em casa, com a cachorra e o casamento. Eles precisavam voltar aos trilhos e atuar como uma equipe de novo. O resultado foi não só uma vida mais feliz, mas uma Snowflake mais calma e equilibrada também.

NINHO VAZIO / CÃES DE MEIA-IDADE

1. Lembre-se de que o comportamento de seu cão é sempre, de certo modo, um reflexo do seu. Se seu cachorro tem um comportamento ruim que só piora, observe cuidadosamente qualquer situação em sua vida ou na dinâmica de sua família que pode ter causado isso.

2. Seja sincero consigo mesmo. Se preciso, consulte um terapeuta ou um amigo cuja opinião e sinceridade você respeite. Pergunte se a pessoa percebe que você "desconta" ou compensa as circunstâncias de sua vida de algum modo.

3. Não permita que um cão seja mais importante do que os membros de sua família, e *nunca* permita que o cachorro machuque seu parceiro, companheiro ou filhos.

4. Não permita que um cão se ligue apenas a um membro da família, usando os outros como alvos. Isso significa que vocês não são uma matilha. Faça um esforço para envolver todo mundo na dinâmica de matilha da família.

5. Não coloque em seu cão toda a sua bagagem emocional, espiritual ou psicológica. Seu cão sente todas as suas emoções, mas ele não é formado em psicologia humana. Não é justo com o cachorro esperar que ele satisfaça todas as suas necessidades humanas.

6. Não transforme seu cachorro em seu "bebê carente". Respeite a autonomia dele como animal e aumente a autoestima dele; não a estrague sendo um "pai" superprotetor.

"Minha cadela, Layla, foi levada de minha casa por meu marido, de quem me separei recentemente. Ele a levou embora e a deu. Mesmo que ele não pudesse cuidar de Layla, também não queria que eu ficasse com ela. Meu coração está despedaçado e sinto muito a falta dela. Pedi conselhos às pessoas e todo mundo diz que ela é só uma cadela, que devo encontrar outra. Mas eu quero saber se Layla e eu temos direitos e quais são eles. Sou capaz de cuidar dela e de suas necessidades. Alguém pode me ajudar a recuperar Layla?"

"Eu dividia dois cães com um ex-namorado, e sempre tomei conta deles, paguei tudo, e os dois eram registrados em meu nome. Desde a nossa separação, dei a meu ex uma chance de provar que ainda podíamos cuidar dos cães. Ele fracassou, porque não tem tempo nem responsabilidade, e as condições de vida dele pioraram. Decidi que eu não os levaria de volta à casa dele para visitar e agora eles vivem comigo em tempo integral. Queria saber quais são as chances de ele tentar ficar com meus cães e ter sucesso."

Encontramos esses dois apelos emocionados, entre outros, na internet, no blog Divorce and Family Law, de Nova York, e eles trazem um assunto difícil de evitar atualmente. É um número desanimador, mas todos os anos, nos Estados Unidos, cerca de 49% dos casamentos acabam em divórcio.[1] Não sou matemático, mas como aproximadamente 59,5% das famílias norte-americanas têm cães,[2] significa que muitas famílias têm que lidar com a dura pergunta: quem fica com a guarda do animal? Há alguns anos, a ideia de se brigar pela custódia de cães era algo que muitos advogados e juízes não levavam a sério. A atitude normal era: "É só um cachorro, pra que tudo isso?" Entretanto, a notícia de que os norte-americanos consideram os cães membros importantes da família finalmente chegou ao sistema jurídico. De acordo com o *Christian Science Monitor*, dezenas de faculdades de direito pelo país todo — incluindo Harvard, Georgetown e Yale — oferecem aulas de direito animal, incluindo seminários sobre problemas de custódia, e pelo menos duas firmas de advocacia na Califórnia são especializadas em direito animal.[3] Não só isso, mas o Animal Legal Defense Fund, localizado em São Francisco, uma organização sem fins lucrativos de advogados que se dedicam a proteger os direitos e a lutar pelas causas dos animais no sistema jurídico, teve sucesso em mais de trinta casos de divórcio no país, fazendo o juiz deixar de lado a tradição de tratar os animais de estimação como propriedade, e, em vez disso, pensar no interesse do animal em primeiro lugar.

DICAS DE EMERGÊNCIA EM CASO DE ROMPIMENTO

- Procure um advogado qualificado para orientá-lo. Se possível, procure um que tenha conhecimento sobre direito animal.
- Lembre-se de que os animais são considerados propriedade aos olhos da lei.
- Reúna todos os recibos e os registros para apresentar se solicitarem prova de compra ou adoção.
- Se possível, apresente recibos de cuidados veterinários, tosa, aulas de adestramento, comida e qualquer coisa que prove seu investimento no animal.
- Reúna o testemunho de amigos ou vizinhos que confirmem que você dedica tempo e energia para cuidar do cão.
- Pense na possibilidade de um árbitro ou um mediador, que poderão facilitar a resolução do caso.[4]

Vítimas inocentes

O que mais preocupa a respeito do problema dos cães em divórcios é que, assim como os filhos, eles podem acabar sendo vítimas inocentes da ira de um casal durante essa época turbulenta. Já testemunhei a maluquice de pessoas durante esse período refletida no comportamento desequilibrado dos cães. Os cachorros que presenciaram um rompimento costumam demonstrar agressividade em situações nas quais sempre foram calmos; normalmente, cães extrovertidos podem se tornar extremamente ansiosos e temerosos; e cães mais alegres podem entrar em depressão, recusando comida e perdendo o interesse nas coisas de que antes gostavam. O ambiente tenso e tóxico de muitas famílias que enfrentam o divórcio pode afetar os cães da mesma maneira que afeta as crianças, colocando os animais no meio de um cabo de guerra pela custódia que pode tornar tudo pior.

Se você está lendo este livro, eu sei que você considera seus cães muito mais do que apenas um bem que terá que ser dividido no fim de um relacionamento. Muitos casais modernos — e certamente meus clientes — consideram seus cães verdadeiros filhos, e imaginam que ficar longe deles é igualmente doloroso. Levar em conta as necessidades das crianças em primeiro lugar pode ser uma solução para esse dilema. As crianças costumam se ligar mais profundamente aos animais do que os adultos. Na verdade, pelo menos um estudo recente mostra que os cães ajudam muito as crianças a superar a dor que sentem durante um divórcio.[5] No Instituto de Psicologia da Universidade de Bonn, na Alemanha, o dr. Tanja Hoff e o dr. Reinhold Bergler entrevistaram 75 filhos de pais separados e suas mães com cachorro em casa, e os compararam com 75 mães divorciadas e seus filhos sem cachorro em casa. Um ano depois do divórcio, as mães com cachorro relataram muito menos agressividade dos filhos em relação a elas e aos outros, um comportamento menos destrutivo, menos irritabilidade e menos necessidade de ser o centro da atenção dos filhos, em comparação com famílias sem cães. As próprias crianças descreveram os cães como companhias indispensáveis na crise (95%); uma companhia para conseguir atenção amorosa e incondicional (88%); uma companhia a quem contar os problemas, a raiva e a ira (85%); uma ajuda importante nos momentos de preocupação (84%); uma válvula de escape para os conflitos quando os pais brigavam (77%); e uma ajuda considerável para superar a solidão em uma casa em desequilíbrio (77%). Esse estudo e a experiência prática levaram-me a incentivar os pais em processo de divórcio a pensar na possibilidade de deixarem os cães na casa onde seus filhos passarão a maior parte do tempo.

No entanto, uma distinção importante precisa ser feita entre o peso que o divórcio tem em crianças e em animais de estimação. Diferentemente dos seres humanos, os cães vivem o momento. Enquanto uma criança é afetada por um divórcio pelo resto da vida, os cães, se forem levados a um novo local e integrados a uma nova matilha, conseguem se adaptar muito bem e superam as dificuldades sem qualquer dano psicológico, desde que tenham oportunidade para isso. É por isso que os acordos de guarda compartilhada, na qual os membros de um casal se revezam nos cuidados com o cachorro, não são realmente para os cães, mas, sim, para os seres humanos. No entanto, se um casal puder evitar envolver o cão, então, na minha opinião, a guarda compartilhada é uma boa ideia. No caso de pessoas que se dedicaram 100% à vida do cachorro, os dois parceiros merecem ficar com o animal, porque investiram corpo, mente e coração no cachorro.

É o mais justo e honesto a se fazer, e uma atitude nobre, porque um não está tentando machucar o outro usando o cachorro. Se cada um der ao cachorro exercício, disciplina e afeto, e se mantiverem uma rotina clara de guarda, passar um tempo com cada lado pode se tornar uma aventura divertida para o animal. Com a energia calma-assertiva adequada e constância, um acordo de custódia bem-estabelecido pode dar aos seres humanos divorciados o conforto de que precisam e também algo incrível para os cães.

Alguns casais que têm mais de um cão costumam simplesmente separar a matilha. É uma solução que pode parecer justa para os seres humanos, mas lembre-se de que, na natureza, os cães não se separam dos membros de sua matilha a menos que um deles morra. A matilha pode se desfazer por outros motivos, por exemplo, quando um membro se torna um risco à sobrevivência do grupo, por doença, fraqueza ou qualquer outro tipo de instabilidade. Um cão também pode sair ou ser expulso por uma disputa de poder, ou se a matilha ficar grande demais para os recursos disponíveis. Os cães não compreendem quando uma matilha se separa sem motivo claro, e o divórcio não existe no mundo animal. Separar dois ou mais cães que se aproximaram como matilha pode ser traumático para eles, a menos que você os acostume longe do grupo. Já que um casal em processo de separação sabe com antecedência quando não mais viverá junto, os dois podem separar os cães primeiro por um dia, depois por dois dias, uma semana, e assim por diante, até que eles entendam que estão indo para uma nova matilha. Durante a primeira semana, eles podem ficar confusos e desorientados, mas, no fim, eles se adaptarão à nova situação.

Quando os seres humanos em divórcio usam os cães como armas um contra o outro, o cachorro pode acabar com o que não está tão interessado em tornar sua vida plena. Se for o caso, o cão "sentirá falta" da pessoa que lhe dava mais equilíbrio. Isso pode se manifestar em depressão, letargia, ansiedade ou comportamentos instáveis. É por isso que espero que um casal ou grupo que esteja se separando se lembre de que, independentemente do que diz a lei, um cão não é um pertence, mas um ser vivo, que pode se adaptar a qualquer nova situação, mas apenas se a liderança humana continuar firme, mesmo nos momentos mais turbulentos.

A coisa mais importante a se lembrar a respeito de seu cão durante qualquer tipo de rompimento, divórcio ou reviravolta familiar é que suas emoções refletirão no comportamento do cachorro. Aprender a se acalmar e a projetar uma energia relaxada e assertiva perto de seu cão não só será maravilhoso para ele, mas também será uma excelente terapia para você. Fazer o que é mais certo para seu cão durante esse período pode ser benéfico em um momento estressante de transição.

Os anos dourados

Uma das coisas de que mais gosto a respeito de minha cultura no México é que nossas famílias mantêm os idosos por perto. Cuidamos deles, valorizamos sua companhia, e sempre dedicamos a eles o respeito e a atenção que a idade e a experiência merecem. Desde que cheguei aos Estados Unidos, tenho visto que os idosos costumam ficar sozinhos exatamente quando mais precisam de suas famílias. Normalmente, os idosos nos Estados Unidos afirmam que se sentem separados, isolados e solitários. O resultado? Apenas nos Estados Unidos vemos pessoas como Leona Helmsley deixando verdadeiras fortunas a seus cães depois que morrem. Por que fazem isso? Porque o cão deu muito a elas nos últimos anos, deu-lhe mais do que os próprios filhos e netos. Como compartilhamos o instinto de matilha com os cães — ou seja, a necessidade de se conectar e de formar laços de família —, os idosos podem obter o senso de família de que precisam e do qual sentem falta com os cães. Assim, para alguns seres humanos, deixar dinheiro é o único jeito de agradecer a um cão por toda a alegria e todo o amor que ele dedicou ao longo da velhice deles.

Os idosos que têm cães precisam se lembrar de que os cachorros não se importam com dinheiro. Eles se importam com liderança. Só porque você tem 65, 75, 85 ou 95 anos não significa que seu cão não precise ser satisfeito todos os dias e saber que ele está seguro porque você está no controle. Quando você alcançar a liderança dando a seu cão exercícios, disciplina e afeto, esse cão vai satisfazer todas as suas necessidades de companhia e de família. Só não use seu cartão de crédito como desculpa! Sinto muito, mas não existem "desculpas" para a liderança.

Quando as pessoas chegam aos seus anos dourados, elas costumam diminuir o ritmo e aproveitar as coisas simples da vida. Um cão é um recurso maravilhoso para ver o mundo pelos olhos de um ser que comemora cada momento de vida na Terra. Os cães podem oferecer companhia, paz e uma valorização completa para os idosos, além de aceitação. Os cães sentem alegria no dia a dia, até o momento em que morrem. Os companheiros caninos também contribuem para nosso bem-estar social. Diversos estudos bem-documentados sugerem que um animal de estimação oferece benefícios físicos e psicológicos à saúde para as pesssoas mais velhas, principalmente os homens.[6]

Quando me chamam para ajudar o dono idoso de um cão, normalmente chego e encontro um cão que tem muito mais energia do que o dono. Às vezes, os membros da família dão um filhote a um parente idoso, pensando que estão dando à pessoa um propósito na vida e algo de que possam cuidar. Isso pode ser verdade, mas como temos visto, os filhotes dão muito trabalho. E também têm muita energia. Em uma matilha de cães, os idosos costumam evitar os filhotes ou os afastam quando estão muito cheios de energia. Meu conselho de sempre é que você deve adotar um cão que tenha o mesmo nível de energia ou um nível mais baixo do que o seu, e isso é muito importante ao escolher um cão para uma pessoa idosa.

"Pare com isso, Sugar!"

Tranquilamente aposentados, com uma casa grande em um bairro nobre, Lynda e Ray Forman decidiram adotar Sugar, um beagle fêmea de três meses. Desde o primeiro dia em casa Sugar foi um terror, pois mordia e pegava para si qualquer coisa que via. Lynda pensou que a cadela ofereceria a companhia e o carinho de que seu marido precisava, pois sofria de esclerose múltipla e vivia numa cadeira de rodas, mas até onde Ray sabia, Sugar era tudo menos dócil. Ela o aterrorizava, pegava suas xícaras, seus jornais e o controle remoto da televisão, e destruía tudo com os dentes. Não se comportava quando seus netos, Carly e Sam, chegavam. Sugar gostava de rasgar as roupas das crianças, arrancando-as do corpo delas. Os braços e as mãos de Lynda eram cobertos de mordidas de Sugar, que pareciam tatuagens. A cadela, que deveria levar alegria à terceira idade dos Formans, tornou-se seu pior pesadelo. "Ela é 90% má e 10% boazinha", disse-me Lynda.

Claro que o primeiro erro dos Formans foi adotar uma cadela jovem, com um nível alto de energia, quando eles só queriam paz e tranquilidade. Contudo, vi logo de cara que Sugar agia daquela maneira por frustração e ansiedade, sem falar do grande tédio que sentia. Apesar de passearem com ela por cerca de uma hora por dia — Ray em sua *scooter* e Lynda a pé —, não era um passeio adequado. Sugar puxava o tempo todo, não seguia em frente nem prestava atenção em seus líderes de matilha. O segundo, e provavelmente o maior erro de Lynda, foi usar petiscos para "negociar" com Sugar, em vez de usá-los para recompensar o bom comportamento. Se Lynda quisesse algo que Sugar havia pegado, ela subornava a cadela com um petisco para que largasse o objeto. Isso se tornou um ciclo vicioso. Na natureza, os cães não subornam nem negociam uns com os outros. A única moeda que usam para negociar é a *energia*.

Esse caso pode ter parecido extremo para a família envolvida, mas eu percebi que o problema não era Sugar; era, na verdade, Lynda. Eu me dirigi principalmente a ela durante nossa consulta, porque ela era a espinha dorsal da família e precisava mostrar toda a sua força para se tornar uma verdadeira líder de matilha para Sugar. Além disso, Ray acreditava que, por ser cadeirante, não podia exercer liderança alguma. Expliquei a ele que a maior parte da ligação entre seres humanos e cães não vem da força física da pessoa, e sim da força de sua energia. Os cães-guia não se importam com o fato de seus donos terem limitações físicas, mas precisam que seus donos compartilhem energia e liderança calma-assertiva. Isso serve para qualquer idoso que tema que suas debilidades físicas o impeçam de projetar força. Na minha opinião, a liderança está 99,9% na mente. Quando perguntei a Carly e Sam, os netos, o que eles tinham aprendido na consultoria, Carly acertou na hora: "Sugar não é a nossa chefe. Nós é que temos que ser os chefes dela."

Sugar nos mostrou isso comportando-se da pior maneira, correndo pela sala de estar e pegando tudo, o jornal, o controle remoto e até uma garrafa de água. Comecei a "reivindicar" todos os objetos que ela costumava pegar, da mesma maneira que um cão dominador faria. A princípio, precisei usar um toque firme para que ela compreendesse a mensagem, mas depois de apenas duas correções físicas leves, só precisei projetar a energia de "posse" para que ela ficasse longe dos objetos que agora seriam "meus". Até aumentei o risco colocando um vidro com seus petiscos preferidos bem à sua frente e pedi que ela esperasse dez minutos até eu lhe dar um. Quando Sugar reagiu a mim com calma e submissão, eu a recompensei com frango e carinho. Lynda percebeu que vinha recompensando Sugar antes de ela fazer por merecer! "Este é o tipo de cachorro que eu quero... que eu sempre quis!", disse Lynda, depois de ter conseguido reivindicar para si os mesmos objetos de Sugar.

Embora Sugar parecesse um cão de energia superalta quando ficava frustrada, ela era só um filhote de 11 meses de vida. Previ que ela cresceria e passaria a ter um nível médio a alto de energia, mas o lado bom foi que Lynda e Ray tinham todas as ferramentas de que precisavam para serem dois idosos com uma cadela jovem. Ray tinha uma *scooter*, e assim que mostrei a ele o modo certo de usá-la com Sugar, ficou claro que ela teria ótimas sessões de exercícios correndo ao lado dele. Lynda tinha um triciclo com uma cesta que às vezes usava para visitar algumas amigas do bairro. Eu a orientei a passear com Sugar ao lado dela todas as manhãs, de modo que a cadela pudesse realizar duas sessões de exercício intenso todos os dias para ajudar a satisfazer as necessidades básicas e extravasar a energia. Se Ray e Lynda seguissem as orientações, eles seriam dois aposentados que conseguiam acompanhar sua cachorra jovem e cheia de energia. A neta deles, Carly, era a pessoa com mais energia na casa, e ela desempenharia o papel de um membro da nova geração ensinando os mais velhos. Os Formans poderiam mudar a situação se impusessem sua liderança e cuidassem para que as necessidades de Sugar fossem satisfeitas.

Quase três anos depois, os Formans afirmam que Sugar teve um progresso incrível — assim como eles. Se ela volta a ter um comportamento abusado, eles só precisam dizer "Pare com isso, Sugar!", e ela obedece. Eles têm seguido a rotina de exercícios, e, com isso, também têm saído mais de casa. Um cachorro pode ser o melhor remédio que existe para os idosos se eles aprenderem a manter o animal equilibrado.

História de sucesso

Dois idosos, um rottweiler — Helen e John Lawce e Patches

No dia 17 de março de 2007, meu marido, John, e eu adotamos Patches, uma fêmea de dez meses, quarenta quilos, cruza de australian shepherd e rottweiler. Não estávamos procurando outro cachorro. Temos dois aussies adolescentes, Rocky e Bird, e um border collie, Cass, que tinha seis anos na época. Eu simplesmente fui ao Humane Society e vi que ela havia acabado de chegar de outro abrigo, onde não conseguiram lhe dar um lar. Voltamos, conferimos se Cass a aprovaria, e levamos Patches para casa naquela noite, quando o abrigo já estava fechando.

Bem, como o Cesar nos diria, o nível de energia dela era um pouco alto demais para dois idosos de sessenta e poucos anos. Patches não tinha qualquer adestramento, era indisciplinada e esbarrava nos móveis por onde passava. Ela nos puxava quando ia passear de coleira. Quando tentávamos segurar sua coleira para tirá-la de um sofá, por exemplo, ela abocanhava nossa mão e nos lançava um olhar de aviso. Nós a levamos ao veterinário para fazer um exame no terceiro dia e ela fez a mesma coisa com o veterinário. Por fim, colocamos a focinheira nela e realizamos o exame.

Bem... Felizmente, começamos a assistir à primeira temporada de *O encantador de cães* em DVD. John já tinha sido treinador de cavalos, e seguia os métodos de John Lyons e Monte Roberts, então, os métodos de Cesar pareciam uma abordagem parecida com cães, e gostamos deles.

Fomos para casa e começamos a aplicar algumas noções básicas de disciplina. Ela não recebia atenção quando fazia algo errado. Não recebia comida se não estivesse calma, submissa e sentada. Nós a ensinamos a se afastar, a se sentar antes de comer, reivindicando seu prato, e a obedecer a um comando. Posteriormente, o truque de se afastar funcionou bem quando ela começou a avançar em visitantes idosos. Colocamos uma coleira em seu pescoço e começamos a passear, no quintal e também pelo bairro, porque temos quatro bodes nos fundos, e não queríamos que ela corresse atrás deles. Nós a mantivemos presa nos fundos por cerca de um mês até que se acostumasse com os bodes, mas ela ainda mantinha um olhar de predadora quando olhava para o bode mais velho, Doinkie. Tínhamos que corrigi-la muito todos os dias por causa desse olhar. Uma manhã, quando começou a atacar, John a deitou na palha e usou a pressão que Cesar mostra para mantê-la abaixada até que se submetesse. Depois disso, ela nunca mais voltou a demonstrar nenhuma tendência a perseguir outro bode. Os bodes imediatamente sentiram a mudança e não mais se assustaram com a presença dela.

Então, pensamos em colocá-la em uma esteira, como Cesar sugere, para que ela liberasse um pouco de sua energia. Ela adora! Não fica cansada, mas se acalma muito. Também demos a ela uma mochila, e ela carrega a água para todos os quatro cães e dois seres humanos quando saímos para caminhar.

Ela se tornou a cadela mais maravilhosa que já tivemos. É muito inteligente, amorosa e, agora, está disposta a agradar. Eu acho que nunca teríamos conseguido sucesso com ela sem o Cesar, apesar de já termos tido vários cães e sentirmos que éramos seus líderes de matilha. Ela foi apenas o cachorro mais cachorro que tivemos, e por sempre termos tido animais calmos, não sabíamos muito bem como tratar um de raça "forte", como Cesar chama os rottweilers. Se eu pudesse conversar com o Cesar, eu diria: "Muito obrigada por nos ajudar a integrar esse cão fantástico à nossa matilha, e por nos mostrar como fazer isso de modo calmo e amoroso." Eu também diria que, ao praticar ser calma e assertiva, estou me tornando uma pessoa melhor, de modo geral, e consigo lidar com situações no trabalho que eu não era capaz de enfrentar antes de conhecer o programa do Cesar. Que ele e sua matilha sejam abençoados, além de sua família e voluntários.

Pessoa mais velha, cão mais velho

Se você é idoso, para evitar ter trabalho com um cão de nível de energia mais alto do que o seu, incentivo você a pensar na possibilidade de adotar um cão mais velho. Os cães mais velhos e as pessoas idosas têm a mesma sintonia. Eles ainda querem aproveitar a vida, mas preferem fazer isso de modo mais lento e relaxado. Há muitas vantagens em se adotar um cão mais velho. Os cães mais velhos sabem onde fazer as necessidades, e não destruirão suas coisas como os filhotes ou adolescentes. Eles costumam ter níveis de energia mais baixos, ainda que tenham sido cães muito ativos no auge da vida, por isso precisam de menos exercícios intensos para manter o equilíbrio. Costumam aprender com a mesma rapidez dos cães mais novos, porque são mais relaxados e conseguem se concentrar melhor. Estão acostumados a viver no mundo dos seres humanos, seguindo a rotina deles, e têm ampla experiência em se adaptar a novas circunstâncias e se adequar a uma nova matilha. Daddy, meu pit bull companheiro e leal, tem 14 anos atualmente. Tem artrite e venceu um câncer, mas continua feliz e relaxado, e sempre disposto a me ajudar a fazer com que outros cães se tornem equilibrados.

Apesar das muitas vantagens, nos abrigos, os cães mais velhos costumam ser os primeiros a sofrer eutanásia. Os filhotes bonitinhos são levados dos abrigos graças à carinha adorável e ao jeito sapeca, mas os cães com mais de nove anos são passados e repassados. Por mais difícil que seja de entender, algumas pessoas se livram de seus cães quando eles ficam mais velhos! Elas não querem lidar com os problemas de saúde ou simplesmente não têm dinheiro para a conta do veterinário. A Senior Dogs Project é uma organização maravilhosa, que se dedica a trabalhar com grupos de resgate para incentivar a adoção de cães mais velhos e para informar a população a respeito do drama dos cães mais velhos e da alegria em tê-los. O site deles (www.srdogs.com) contém links para as organizações que têm cães idosos para adoção, além de dicas sobre cuidados com a saúde e outras informações úteis.

Quando um cão passa a ser considerado idoso? Tecnicamente, os cães chegam ao estágio final da vida com cerca de oito ou nove anos, mas isso não significa que eles demonstram a idade que têm nessa fase. Assim como os seres humanos, um cão bem-cuidado e equilibrado se mantém jovem por mais tempo. O tamanho e a raça também contribuem para o modo com que um cão age ou se sente. Muitos cachorros, hoje em dia, levam vidas ativas até os 14 ou 18 anos! Recentemente, estudos derrubaram a velha ideia de que sete anos de vida de uma pessoa é igual a um ano de vida de um cachorro e obtiveram estimativas mais apuradas.[7]

Há alguns fatores a levar em consideração se você estiver pensando em adotar um cão mais velho. Primeiro, procure ter os recursos para cobrir qualquer despesa médica necessária que possa surgir. Pense em fazer um seguro para seu animal de estimação. Assim como os seres humanos, os cães mais velhos podem ter pequenos problemas de saúde e dores aos quais você terá que ficar atento, como problemas de tireoide, controle da bexiga, doenças dos ossos ou de pele. Quase todos eles são problemas simples que, se forem adequadamente tratados por um veterinário, não afetarão a qualidade de vida de seu cão nem a sua.

A IDADE DE UM CÃO EM ANOS HUMANOS

Idade	Até 9 quilos	10-22 quilos	23-40 quilos	Mais de 40 quilos
5	36	37	40	42
6	40	42	45	49
7	44	47	50	56
8	48	51	55	64
9	52	56	61	71
10	56	60	66	78
11	60	65	72	86
12	64	69	77	93
13	68	74	82	101
14	72	78	88	108
15	76	83	93	115
16	80	87	99	123
17	84	92	104	
18	88	96	109	
19	92	101	115	
20	96	105	120	

Quadro desenvolvido pelo médico-veterinário Fred Metzger (metzgeranimal.com).

Antes de levar um cão idoso para casa, observe se o ambiente é "preparado para idosos", ou seja, se não há obstáculos para a locomoção do animal, com comida e água em pontos de fácil acesso. Descubra tudo o que puder a respeito da vida de seu cão — que tipo de comida ele comia, a frequência de exercícios e quais eram seus horários de dormir e de acordar —, para poder fazer as mudanças necessárias do modo mais gradual possível. O Senior Dogs Project oferece uma lista excelente de dicas para manter em dia a saúde física e psicológica de um cão mais velho.

AS DEZ DICAS MAIS IMPORTANTES PARA MANTER A SAÚDE DE SEU CÃO IDOSO

1. Encontre um excelente veterinário. No caso dos cães mais velhos, é aconselhável marcar uma consulta com o profissional a cada seis meses. O veterinário deve ser alguém em quem você confia e com quem se sinta à vontade.
2. Informe-se a respeito dos problemas comuns a cães mais velhos e os tratamentos usados. Fique atento aos sintomas, leve-os ao conhecimento de seu veterinário rapidamente, e se prepare para discutir opções de tratamento.
3. Dê a seu cão comida da melhor qualidade. Pense em oferecer a ele uma dieta com alimentos preparados em casa e duas pequenas refeições diárias, em vez de uma grande.
4. Não alimente seu cão em excesso. A obesidade causa problemas de saúde e encurta a vida dele.
5. Considere usar suplementos, como glucosamina/condroitina, contra a artrite.
6. Ofereça exercícios adequados a seu cão, mas ajuste-o de acordo com as habilidades dele, conforme forem mudando.
7. Cuide da saúde bucal de seu cão. Escove os dentes dele diariamente e faça limpeza com um profissional sempre que o veterinário recomendar.
8. Diga a seu veterinário que você só pretende vacinar seu cão uma vez a cada três anos, como atualmente é aconselhado pelas maiores escolas de veterinária.
9. Controle cuidadosamente as pulgas e os carrapatos e mantenha seu cão e o ambiente dele extremamente limpos.
10. Envolva seu cão idoso o máximo que puder em sua vida, e faça tudo o que puder para mantê-lo interessado, ativo, feliz e confortável.[8]

Acredito que uma pessoa idosa que adota um cão mais velho está prestando um grande favor ao cão e ao mundo, mas compreendo que os idosos relutam em fazer isso porque não querem passar pela dor de se apegar a um cão e perdê-lo três ou quatro anos depois. É claro que os cães têm um tempo de vida menor do que o nosso, algo que abordaremos no capítulo 11. No entanto, acredito que a alegria de ajudar um cão mais velho é muito maior do que a dor de perdê-lo. Talvez você passe apenas três anos com o cão, mas podem ser os melhores anos da vida de vocês dois! Depois que o cão idoso morre, e depois de vencido o tempo de luto, você tem a oportunidade de ajudar outro cão que precisa de você. Cuidar de um cão mais velho é um modo que os idosos encontram para continuar contribuindo com o mundo e espalhando boas energias, recebendo amor incondicional e companheirismo em troca.

Inscrição no túmulo de Bobby, Edimburgo, Escócia

A estátua do peludo skye terrier está localizada na esquina da Candlemaker Row com a George IV Bridge, na bela cidade de Edimburgo, Escócia, e tem sido uma atração turística desde sua inauguração, há 135 anos.[9] A história do cachorrinho da estátua tem inspirado canções, poemas, livros e até filmes. Como reza a lenda, "Greyfriars Bobby" foi o companheiro inseparável de John Gray, um vigia noturno da polícia de Edimburgo. Quando Gray morreu de tuberculose, em 1858, Bobby passou os 14 anos seguintes de sua vida dormindo sobre o túmulo de seu dono, em Greyfriar's Kirkyard. Os vereadores da cidade de Edimburgo ficaram tão sensibilizados com a lealdade do cão que criaram uma lei que decretava que cães sem donos fossem mortos, e transformaram Bobby em mascote da cidade. Até hoje, a história de Bobby é recontada como um exemplo clássico do elo entre cães e seres humanos, que até transcende a morte. Mais recentemente, em novembro de 2007, um homem do Colorado saiu para passear de carro com seus dois golden retrievers e ficou desaparecido por três semanas. Um grupo de busca de cem pessoas encontrou o homem morto, protegido pacientemente por seus dois cães, que, apesar de fracos e desidratados, não saíram do lado do dono desde a sua morte.[10] Há inúmeros outros exemplos dos laços fortes de devoção que nos ligam a nossos companheiros caninos.

Apesar de eles serem belos exemplos de uma das qualidades que mais admiro nos cães, a sua incrível lealdade, também são exemplos do que pode acontecer com os cães quando perdem seus líderes de matilha, e ninguém, animal ou humano, preenche o espaço deixado. As pessoas costumam ver essas histórias de um ponto de vista emocional-espiritual, mas, para um cão, esperar por um líder de matilha que morreu é algo instintivo. Testemunhei situações parecidas durante minha infância no México. Um cão se apegava a um velho agricultor; quando este morria, a família enterrava o homem e se esquecia do cão. Quando vê o corpo do dono sendo enterrado ali, o animal pensa: "Este é o corpo do homem que sempre sigo. Quando o homem entrava na casa, eu esperava por ele do lado de fora. Quando ele entrava na cantina, eu esperava por ele do lado de fora. É o que sei fazer — sempre que entra em algum lugar, tenho que esperar por ele. Ninguém está me dando uma nova orientação, e quem me dá orientação entrou neste buraco. Então, serei leal a meu líder de matilha e esperarei por ele aqui até alguém me apresentar um plano melhor." Por mais romantizadas que essas histórias possam parecer, esperar por um líder que nunca voltará é ruim para a qualidade de vida de qualquer cão.

Os cães podem nos ensinar muito sobre a morte, porque eles não se preocupam com a morte como nós. Os cães são seres altamente emocionais, e seu elo com os membros da matilha é a coisa mais importante da vida deles. Demonstram tristeza forte e profunda quando perdem outro cão ou uma pessoa. Essa tristeza pode ocasionar perda de apetite, excesso de sono, preguiça e falta de energia. Alguns cães vagam pela casa, tentando ligar o odor da pessoa querida que permanece no ar com o fato de que a pessoa ou o cão não estão mais ali. Isso pode se prolongar por várias semanas, mas é perfeitamente normal. Se os membros da matilha humana lidarem com a dor de modo saudável, o cão acabará vencendo a tristeza e encontrará o equilíbrio de novo. Os cães sempre querem voltar ao equilíbrio, se nós deixarmos. Normalmente, são as pessoas da casa que têm dificuldade em passar pela fase de luto, e projetamos nossos problemas em lidar com isso nos animais, que veem a morte como um processo, não como uma tragédia. Isso não significa que você deva esconder sua tristeza de seu cão. Lembre-se de que você não pode mentir para ele, mas pode dar um tempo para que o cão absorva as emoções no ritmo dele. Permita que *ele* ensine você a entender e aceitar o ciclo da vida — ainda que isso inclua o fim do ciclo, a morte.

A tristeza de um animal pode ser muito mais grave se a pessoa ou o animal que morreu era o líder de matilha do cão. Na natureza, se o líder de matilha morre, a matilha sofre e fica confusa durante um tempo, mas logo um novo líder de matilha aparece e assume o controle. O número dois toma o lugar do número um, e as outras posições dos cães se ajustam normalmente. A posição de líder nunca fica desocupada. Se o líder de matilha humano do cachorro morre, o animal naturalmente procurará outra pessoa na matilha que lhe dê orientação. Se eu morrer e ninguém disser ao Daddy o que fazer, é claro que ele vai passar por esse tipo de processo (em termos caninos): "E agora, gente? Durante toda a minha vida eu fui desafiado, e agora que ele não está aqui, o que vai acontecer com a matilha? Vocês estão muito tristes. Eu estou triste. Mas ainda estou aqui. O que devo fazer?" É por isso que, em uma família, é essencial que todas as pessoas da casa sejam capazes de tomar a dianteira e assumir o papel de líder de matilha de todos os cães, de modo que eles não sintam um vazio no papel de liderança deixado pela pessoa ou animal que se foi. Na minha família, Ilusion, Calvin e Andre são líderes de nossos cães, porque um cão que fica sem líder se torna desorientado, confuso e deprimido, e pode tomar a dianteira para preencher o vazio na liderança que percebe existir. Como vimos, esse pode ser o começo de um problema de comportamento que antes não existia.

Clientes e fãs costumam me perguntar se é importante para o cão estar presente em um enterro ou ver o corpo de uma pessoa ou de um animal que morreu. Se o membro da família — humano ou animal — que morreu já estivesse doente, é possível que o cão já soubesse que a pessoa morreria antes mesmo de as outras pessoas saberem. O incrível olfato dos cães detecta câncer, falência do fígado e todos os tipos de doenças e males. Eles são incrivelmente intuitivos. Se houver um acidente, ou se algo ocorrer, de modo que, na mente do cão, o membro da matilha apenas saiu e não voltou mais, acredito que pode ser benéfico para o cão cheirar o corpo ou algo do corpo, para conseguir fazer a conexão. Os cães reconhecem o cheiro da morte logo de cara, mas eles a compreendem e aceitam sem conflitos. Seguir em frente faz parte da vida deles. Seguir em frente é o que eles sabem fazer melhor.

Acredito que a melhor maneira de ajudar um cão quando uma pessoa ou um animal próximo morre é dar a ele orientações imediatamente. Não sinta pena dele nem tente dividir a sua tristeza. Em vez disso, leve-o para uma longa caminhada. Coloque-o dentro da piscina para mudar seu estado mental. Leve-o para fazer trilha em um lugar onde ele nunca esteve, ou leve-o para correr na praia. Um novo desafio pode mudar a vida de um cachorro. Quando ele tem novas orientações, o cérebro fica programado: "Certo, esta é a minha vida agora. O momento." Claro, permita que ele lide com a tristeza no ritmo dele, mas ainda que vocês dois respeitem os mortos, não se esqueçam dos vivos.

AJUDANDO SEU CÃO A LIDAR COM A PERDA

1. Espere alguns sinais de tristeza, como perda de apetite, letargia e depressão moderada. Eles podem durar alguns dias, semanas ou meses.
2. Não negue sua própria tristeza, mas faça o possível para lidar com suas emoções de um modo saudável. Lembre-se de que seu cão é um reflexo de sua energia e de suas emoções.
3. Não sinta pena de seu cão. Continue a oferecer liderança forte e constante.
4. Ofereça instruções claras ao cão todos os dias. Não altere a rotina dele nem os horários.
5. Dê novos desafios, novos ambientes e novas aventuras a seu cão assim que possível. Os cães querem celebrar a vida, não permanecer presos à morte!

9

A SRA. LÍDER DA MATILHA

As mulheres e o poder da matilha,
por Ilusion Wilson Millan

Meu marido não costuma recomendar que se deem animais de estimação como presente, mas, no último aniversário dele, alguns vizinhos nossos deram a ele um mix de terrier com chihuahua pequenininho de três meses. Como se precisássemos de mais um cachorro! Além dos vinte a quarenta cães que vivem no Centro, no momento, em nossa casa em Santa Clarita Valley, na Califórnia, temos os pit bulls Daddy e Junior, o chihuahua Coco e o buldogue francês Sid. Quando certos cães que Cesar está reabilitando precisam de cuidados especiais, eles também se unem a nossa família pelo tempo que for necessário — Gavin morou conosco por quase dois meses. A família Millan não costuma dar as costas a um cão que precisa de ajuda — muito menos um cachorro tão lindinho. E a cadelinha que Cesar ganhou de aniversário, a Minnie, era incrivelmente graciosa. Embora o Cesar cuide para que nós sempre ajamos como uma "matilha" em família, na qual todo mundo cuida e atua como colíder de matilha para todos os cães, todos temos cães aos quais nos afeiçoamos mais. Para Cesar, é o Daddy e o Junior. Para Calvin, é o Coco. E quando vi a Minnie, sabia que ela seria a minha preferida.

Cesar costuma dizer que temos os cães de que precisamos, não necessariamente os cães que queremos. Isso é muito verdadeiro no caso da Minnie comigo. Ela pode pesar apenas três quilos quando está molhada, mas é a dona do meu coração. É meu ponto fraco, a filha que nunca tive. Ela preenche um vazio em mim; é como um quadro branco no qual eu posso projetar tudo o que não recebo de meu marido, de meus filhos e de meu trabalho. Minha relação com a Minnie resume os pontos fracos mais comuns que vejo em muitas clientes de Cesar que lutam para ter o controle dos cães. É o que todas temos em comum: todas renunciamos a parte do nosso poder. Em casa, no ambiente de trabalho e com nossos cães, as mulheres estão perdendo parte do seu poder inato, como um cachorro perde seus pelos. Erroneamente, acreditamos que estamos sendo generosas fazendo isso — afinal, costumamos renunciar ao nosso poder por causa das pessoas que amamos —, mas a verdade é que estamos limitando nossa capacidade de sermos líderes de matilha fortes e eficientes. É disso que nossos entes queridos precisam! Apesar de Cesar e eu sermos conhecidos por nossas discussões bem-humoradas, nós dois concordamos com uma coisa: se mais mulheres fossem líderes de matilha, o mundo seria um lugar muito mais são e seguro.

Nos livros e blogs do Cesar, em suas entrevistas na televisão e, principalmente, quando ministra palestras de três a quatro horas em diversos locais do país, ele costuma dizer que aprendeu a reabilitar os cães porque sua esposa o reabilitou. Hoje eu rio disso, mas durante muitos anos isso não foi uma piada para mim. Foi a minha vida. Correndo o risco de manchar a imagem dele, Cesar sugeriu que eu compartilhasse "o meu lado" da nossa história aqui, para seus leitores terem um ponto de vista diferente a respeito da liderança na matilha.

É ELE

Conheci Cesar em um rinque de patinação quando tinha 16 anos. Ele era namorado de uma amiga minha, e ela não parava de falar do cara mexicano que era muito inteligente e adorava cães. Eu estava dando a última volta no rinque quando olhei para a frente e vi um rapaz incrivelmente bonito de pé na entrada. Acreditei ter escutado alguém dizer "É ele!", e eu me virei, esperando ver a minha amiga ali. Para minha surpresa, ela não estava ali. Nos anos seguintes, muitas vezes eu me arrependi de ter escutado aquela voz, mas hoje, depois de 15 anos de casamento, posso dizer que a voz estava certa. Cesar e eu estávamos destinados um ao outro.

Quando comecei a namorar o Cesar, ele falava pouco inglês. Trabalhava como lavador de limusines e adestrava cães paralelamente. Ele os "adestrava", de fato: ensinava os cães a se sentar, a se deitar, a ficar parado, tudo isso. Ele estava sempre testando novos métodos e ainda desenvolvia teorias a respeito do porquê de muitos cães nos Estados Unidos terem problemas de comportamento. Percebi logo cedo que amar o Cesar seria amar seus cães. Eu me lembro de ter perguntado a ele no começo: "Aonde você costuma ir? O que faz para se divertir?" E ele respondeu: "Eu brinco com os meus cães." Isso era diversão para ele. "E se você quiser ficar comigo, vai ter que se divertir com os meus cachorros." Ele disse isso para mim muito claramente. Na época, eu não tinha clara noção de que os cães eram, de fato, sua paixão. Só sabia que havia algo naquele homem que fazia com que eu me sentisse calma, segura e confortável.

Nós nos casamos quando eu tinha 18 anos, depois de saber que estava grávida do Andre. Nenhum de nós estava pronto para um filho. Eu estava começando a me tornar uma "mulher independente" e sonhava muito com a "liberdade" que eu merecia na vida. Cesar estava nos Estados Unidos havia pouco tempo e não queria que nada atrapalhasse seus objetivos e ambições. Contudo, no modo com que foi criado no México, sua família lhe passou um forte senso de honra. Ele acreditava realmente que a única coisa honrada a se fazer era que nós nos casássemos e construíssemos um lar para nosso filho. Quanto a mim, estava apaixonada pelo Cesar, e sentia que se eu desse a ele amor incondicional e carinho, daria tudo certo. Esse é o conto de fadas que ensinam para as mulheres. Acreditamos que podemos salvar o mundo abrindo mão de nossas necessidades por amor.

A única coisa de que me lembro a respeito do ano em que passei grávida do Andre é que Cesar estava quase sempre com seus cães. Estávamos morando em um "apartamento de solteiro" e tínhamos pouquíssimo dinheiro. Eu trabalhava como caixa, o que se tornou mais difícil conforme minha gravidez avançava, porque eu tinha que ficar de pé o dia todo. Além do trabalho, eu passava a maior parte do tempo sozinha, exceto por um companheiro que permaneceu ao meu lado naquele primeiro ano de casamento. O nome dele era Morgan. Era um pug chinês que Cesar estava adestrando e cuidando, e era com ele que eu conversava quando me sentia triste. Eu me sentia profundamente solitária. E quando Andre nasceu é claro que o Cesar adorou o filho e ficou todo orgulhoso, mas nunca estava em casa. Eu sentia que eu era apenas alguém que cozinhava, limpava e fazia as coisas do dia a dia para ele. E é óbvio que ele reclamava disso! É verdade que, como dona de casa, não sou uma Amélia. Apesar de cozinhar muito bem, fico desorganizada e bagunceira quando estou estressada. E eu estava estressada e sobrecarregada durante os dois primeiros anos de casamento.

A gota d'água veio logo depois do primeiro aniversário do Andre. Cesar estava trabalhando por conta própria pela primeira vez. Ainda estava testando muitos métodos ou técnicas diferentes para ver qual funcionava melhor. Ele repetia: "Eu adestro aqueles cães, mas eles não precisam disso." Ele dizia que o adestramento era um tipo de "disfarce" para o que os cães enfrentavam. Foi nessa época que ele começou a ler tudo o que encontrava, e acabou lendo *Dog Psychology*, de Leon F. Whitney, e *The Dog's Mind*, de Bruce Fogle. Ele estava obcecado. E bem no ápice de sua obsessão, eu adoeci. De acordo com a medicina chinesa, a vesícula se expande devido à raiva, e a terapeuta Louise Hay afirma que os problemas de vesícula se devem à amargura e a pensamentos negativos. Eu devia estar acumulando muita raiva e amargura, porque minha vesícula se rompeu. Enquanto eu estava no hospital, algo dentro de mim gritou "Chega!".

Regras e limites

Passei três semanas depois de minha cirurgia me recuperando na casa da minha mãe. A medicina chinesa também afirma que na vesícula fica o centro da determinação e da decisão, o local onde nasce a coragem. Apesar de estar apavorada, eu finalmente tomei coragem e disse a Cesar que estava partindo. Disse que levaria o Andre e que ele ficaria livre para correr atrás de sua paixão, os cães. Ele ficou chocado. "Como assim, você vai me deixar? Como assim, você está indo embora?" Mas já tinha tomado minha decisão. Eu tinha vinte anos. Meu filho precisava da mãe com saúde, e de uma coisa tinha certeza: eu queria viver.

Três meses depois da separação, Cesar me ligou e implorou para que eu voltasse. Ele disse: "Nós temos um filho juntos. Você não liga para o nosso filho?" E eu disse: "Sabe, Cesar, se você realmente quer que as coisas deem certo, vai ter que começar a agir de acordo." Eu disse a ele que queria fazer terapia para cuidar de mim... porque eu não estava colocando toda a culpa no Cesar. Sabia que precisava fazer muita análise para entender como eu havia me permitido entrar na situação em que me encontrava. Também insisti para que fizéssemos terapia de casal juntos antes que eu voltasse. E Cesar disse que aceitava. As pessoas ficam impressionadas ao saberem que consegui levar um mexicano à terapia de casal, mas a verdade é que Cesar acreditava que o problema estava em mim, e que a terapia simplesmente deixaria isso claro e pronto! Por falar nisso, não é coincidência que tenha sido nessa mesma época que Cesar incorporou o conceito de "regras e limites" em suas teorias sobre reabilitação de cães. Eu havia acabado de dar a ele uma série de regras e limites pela primeira vez em nosso relacionamento!

Então, nós fomos ao primeiro dia de terapia. Nunca me esquecerei de nossa maravilhosa terapeuta, Wilma. Era uma mulher negra, alta e bonita, a essência do poder feminino. Ela se comportava com dignidade e nunca dizia nada negativo. Costumava dizer: "Se eu não estou tendo um ótimo dia agora, tenho o dia todo para cuidar disso." Naquele dia, ela se sentou no sofá e disse: "Ilusion, você precisa dizer ao Cesar o que quer dele. Seja carinhosa, mas diga o que precisa dizer." Então, respirei fundo e disse: "Sabe, querido, quero que me ouça e preste atenção em mim, porque sinto que você não se importa comigo. Sinto que você só se importa com seus cães e com seu trabalho." Cesar ficou ali sentado, assentindo, mas não estava absorvendo nada. Por fim, Wilma disse a ele: "Você não entende, Cesar? Ela precisa de seu carinho! Precisa que você diga que a ama, que se importa com ela. Ela quer dividir a vida com você!" Enquanto ela falava, vi que Cesar pegou um bloquinho de anotações que havia levado e começou a rabiscar sem parar. De repente, ele levantou a cabeça e disse: "É assim com os cachorros!" "O quê?", gritei. "Você está me chamando de cadela?"

Felizmente, Wilma percebeu o que estava acontecendo e me acalmou. "Deixe ele falar", disse para mim. Cesar virou o papel para mostrar três círculos. "Os cães precisam de exercício, disciplina e afeto para se sentirem realizados. O que Ilusion está dizendo é o mesmo de que os cães precisam, mas ela precisa de afeto primeiro!" Eu estava ali dizendo: "Cesar, estamos falando de nós, não dos seus cachorros! Estamos tentando salvar nosso casamento!" Por sorte, Wilma me ajudou a entender que aquele momento era, na verdade, uma descoberta. Era o jeito de Cesar de entender as relações humanas pela primeira vez na vida. Wilma me explicou que Cesar havia sido criado em uma cultura diferente, que nem sequer reconhecia que as mulheres tinham necessidades, muito menos direitos. Na verdade, Cesar, posteriormente, notou que os cães nos Estados Unidos recebem muito mais afeto do que as mulheres no México. Wilma me ensinou a ser paciente com o Cesar e a dar a ele espaço para mudar sozinho. As orientações dela me ajudaram a salvar meu casamento e a colocar a minha família onde está hoje. Apesar de não ter acontecido da noite para o dia, ao criar uma metáfora com a qual ele pudesse se identificar, Cesar deu os primeiros passos para se tornar um marido e um pai realmente comprometido.

Quem conhece Cesar hoje em dia não consegue imaginar que ele já foi como descrevi. E existe um motivo para isso: ele não tem mais nada a ver com aquele homem. Se alguém lhe disser que as pessoas não mudam, peça que fale comigo. Meu marido realmente assumiu o trabalho duro, e às vezes doloroso, e se transformou de dentro para fora. Uma das coisas que Cesar aprendeu na terapia é que, bem no fundo, durante toda a vida, ele alimentou uma raiva pelo modo com que o pai tratava a mãe dele. Cesar é um homem com profundo senso de respeito e de justiça, e, mesmo pequeno, sabia que a atitude em relação às mulheres na sua família, e até na sua cultura, tinha algo de muito injusto. Ele já detestava o fato de não poder ser sensível na infância, pois era ridicularizado quando chorava ou demonstrava carinho com os animais.

Quando Cesar se sentiu seguro para se abrir e assumir todos os sentimentos, ele conseguiu se tornar o homem de quem me orgulho e a quem sou grata pelo nosso casamento. Ele realmente me enxerga como sua parceira em nossa família e em nossos negócios, e está sempre atento às minhas necessidades. Durante o dia, ele costuma me ligar só para dizer que está pensando em mim, está sempre me surpreendendo com flores e presentes, e quando volta para casa, me diz como tem sorte por eu fazer parte da vida dele. Acredito em milagres, e nosso relacionamento é um deles.

Fazendo o mundo girar

Wilma me ensinou muito sobre Cesar, mas também sobre mim mesma. Ela dizia: "Ilusion, as mulheres são os motores que fazem o mundo girar." Ou como Cesar (hoje, o feminista mais improvável do mundo) diria, as mulheres são as líderes de matilha do mundo. As pessoas perguntam por que meu marido tem tantas clientes do sexo feminino. Não, não é porque elas o acham atraente, e nem passa pela minha cabeça que é porque as mulheres não são tão "boas" com os cães como os homens. A resposta, creio eu, é que as mulheres é que são movidas pelo instinto de lutar até a morte para manter a matilha unida. Nós é que estamos dispostas a trabalhar o relacionamento — independentemente de ser um relacionamento homem/mulher, pai/filho ou dono/cachorro —, e fazemos o que é preciso para resolver o problema. Em muitos casos que Cesar enfrenta, o problema com o cão afeta a família toda, mas é a mulher da família que finalmente convence todo mundo a procurar ajuda.

Essa determinação de lutar pela matilha é a nossa força, mas também pode ser nossa fraqueza. Como eu, muitas mulheres não percebem que não se pode amar uma pessoa — ou um cão — por seus problemas ou conflitos. É preciso encontrar o que Cesar chama de energia calma-assertiva dentro de si mesmo primeiro. É preciso amar a si mesmo o suficiente para criar regras e limites para si, porque se não puder fazer isso por você, como poderá criá-los em um relacionamento? Os relacionamentos devem nos deixar fortes e felizes, mas não podemos ser felizes amando alguém que não é estável. Isso vale para animais de estimação, filhos e maridos.

Criando filhos e cães

Como mãe, vejo muitos paralelos entre criar filhos saudáveis e equilibrados e criar cães saudáveis e equilibrados. Em termos básicos, precisamos guiá-los. Filhos e cães nos procuram em busca de orientação. Nossos dois meninos são obras em andamento, mas sinto orgulho deles. São indivíduos únicos, mas são o que são porque o pai deles e eu estabelecemos amorosamente regras e limites e sempre os mantemos. Cesar e eu acreditamos na força da matilha quando o assunto é a vida em família; e nós sempre notamos que quando as coisas se tornam caóticas é porque não estamos todos trabalhando juntos. Quando nos unimos como família, tudo ocorre de um jeito muito mais tranquilo. Eu aconselho às mulheres com família e cães que se lembrem de que, em uma matilha, todo mundo se une para as tarefas realmente importantes. Uma dessas tarefas é criar um cão ou um filhote. Se você se vê cuidando sozinha de um cão que todo mundo disse que queria, está na hora de realizar uma reunião de família em que as cartas possam ser colocadas na mesa. Diga: "Olha, não vou ser a única a fazer isso. Se não me ajudarem, este cachorro vai para uma casa onde todo mundo cuide dele." Como Cesar diz, o cachorro deve unir a família. Não permita que sua família perca a oportunidade de dividir essa responsabilidade maravilhosa.

Minnie e eu

Isso nos leva de volta ao meu relacionamento com a Minnie, que é um pouco temperamental e às vezes se torna possessiva e insegura-dominadora na nossa porta da frente. Quando dou a ela a liderança amorosa, mas firme, que costumo dar aos meus filhos, ela nunca dá trabalho. Um dia, porém, eu estava no andar de cima de nossa casa com uma amiga. Eu havia colocado na Minnie um vestidinho rosa lindo que deixa o bumbum dela muito bonitinho quando ela anda, e minha amiga e eu estávamos paparicando a cachorrinha e tratando-a como se fosse uma princesinha — tudo o que Cesar nos aconselha a não fazer! De repente, a campainha tocou e Minnie enlouqueceu com latidos inseguros e dominadores. Antes que eu me desse conta do que estava acontecendo, ela desceu a escada correndo, e se eu não tivesse chegado a tempo ela poderia ter mordido a nossa contadora, Kathleen. Kathleen (que, com sua cachorrinha, Nikki, protagonizou uma das histórias de sucesso do Cesar) é uma amiga querida, e eu não queria que ela se machucasse. Também não queria que ela deixasse de ser minha contadora. Também não queria que Cesar chegasse em casa e lesse no jornal: "Chihuahua do Encantador de Cães ataca contadora!" Por mais que Minnie fique linda de vestido rosa, eu não podia abrir mão de meu papel de líder de matilha naquele momento. Tive que corrigi-la e seguir adiante, esperando até que ela se acalmasse.

No entanto, o mais importante é que eu tinha que reconhecer minha culpa pelo mau comportamento da Minnie. Como mulheres, temos que perceber que certos carinhos que dispensamos a nossos cães podem ser vistos por eles como "energia baixa" ou fraqueza. O que acontece, então, é que os cães sentem que precisam compensar e cuidar de nós. Precisam ir além de quem são como cachorro, para tentar equilibrar o que veem como desequilíbrio. Em muitas ocasiões, percebi que os cães acabam assumindo o lugar de líder quando, na verdade, não querem liderar. E como não querem liderar, acabam desenvolvendo algum tipo de neurose esquisita, como, por exemplo, fugir da torradeira. É uma relação muito codependente, na qual o único e verdadeiro codependente é o ser humano.

De uma adolescente grávida de 18 anos, com medo de dizer "não" ao marido machão, eu me tornei uma mãe de 32 anos casada com um homem maravilhoso, que é um ótimo parceiro em todos os sentidos da palavra. Quem poderia imaginar que seria o mesmo homem? Eu trabalho lado a lado com o Cesar, cuido de seus negócios, e em meu tempo livre, que é muito raro, trabalho como voluntária ajudando crianças-problema na K9s for Kids, uma paixão que tenho. Essa mudança ocorreu para mim porque eu decidi enfrentar os obstáculos em meu caminho em vez de fugir deles. E eu acho que tudo começou quando estabeleci essas primeiras regras e limites ao Cesar. A voz que ouvi no rinque de patinação estava certa, Cesar era o homem certo — mas não da maneira que eu esperava. Ao me posicionar, não apenas salvei meu casamento com o homem mais maravilhoso e único do Universo, como também comecei a aceitar e a reconhecer o poder que acredito que todas as mulheres têm. A boa notícia é que não é preciso reabilitar um marido para se tornar líder de matilha! Você pode apenas começar com um cachorro.

Ao longo de nosso casamento de 15 anos, por vezes turbulento, mas sempre empolgante, Cesar aprendeu a colocar a matilha em primeiro lugar: a matilha da família. Como mulher e mãe, minha lição foi meio diferente. Para estar totalmente presente para a minha matilha, aprendi que devo estabelecer regras e limites e manter firme o meu poder pessoal. Não é bom para ninguém — marido, filhos, cães — quando eu renuncio a isso.

10
LÍDERES DE MATILHA — A PRÓXIMA GERAÇÃO

Opinião das crianças,
por Andre e Calvin Millan

Como minha esposa, Ilusion, acabou de contar, ela me reabilitou a tempo de eu me tornar um pai e marido dedicado. Quando escrevo este livro, nossos filhos, Calvin e Andre, têm nove e treze anos, respectivamente. Os dois estão crescendo e se tornando seres humanos fantásticos. Andre está assumindo a própria personalidade; ele era um menino levemente inseguro no ensino fundamental, mas seu amor pelos esportes o transformou em um astro do atletismo no ensino médio. Assim, sua confiança aumentou muito. Sempre honesto e gentil, além de respeitoso e confiável, Andre tem uma atitude muito positiva em relação à vida e uma energia calma, e é o amigo mais leal que alguém pode ter. Calvin é cheio de energia; ele é muito parecido comigo, quando eu tinha a sua idade. Assim como eu, ele caminha de modo instintivo em meio a uma matilha de cães e expressa seu papel de líder. Tem um ótimo senso de humor e cai na gargalhada o tempo todo. Gosta de ser o centro das atenções. No momento, sua paixão são os gibis — ele adora lê-los e colecioná-los, e passa horas escrevendo suas próprias histórias e fazendo ilustrações. Ele parece estar passando por um estágio de "questionar a autoridade", o que tem nos deixado de cabelo em pé — principalmente porque fomos crianças um tanto rebeldes, de certo modo, e estamos vendo todas as nossas fraquezas refletidas nele.

Sempre digo a meus filhos: "Eu já criei muitos cães, mas vocês são meus únicos filhos. Posso cometer alguns erros, mas quero que saibam que estou me dedicando 110% a ser o pai de vocês dois." Às vezes, isso não me torna muito popular quando imponho regras e limites... mas eu digo que meu objetivo é criá-los para que sejam bons maridos e bons donos de cães. Eu sempre fui muito bom em lidar com os cães, mas, como leram, precisei me esforçar bastante para me tornar um bom marido. Qualquer outra coisa que nossos meninos façam, seja na faculdade, na profissão, nas viagens... depende somente deles. No entanto, se forem bons maridos e bons donos de cães, eu sei que estarão prontos para enfrentar com dignidade qualquer desafio que a vida lhes apresentar.

Não consigo imaginar criar filhos sem cães em casa. Simplesmente não consigo. Muitas pesquisas recentes apontam os vários benefícios que os cães trazem a adultos e crianças.[1] Por exemplo, alguns programas ajudam as crianças com dificuldades de leitura ao fazer com que elas leiam para cães, o chamado Reading Education Assistance Dogs (READ). Os criadores do programa perceberam que as habilidades de leitura, incluindo a gagueira, melhoraram.[2] Alguns especialistas em pediatria acreditam que, ao contrário do que dizem, ter um cachorro pode reduzir as alergias em crianças.[3] Estudos do American Psychiatric Institute mostram que acariciar um cachorro pode reduzir a ansiedade e a tensão em adultos e em crianças, tornar as situações sociais mais fáceis e ainda aumentar a autoestima.[4] Sei, pela experiência de minha família, que ter cachorros torna as crianças muito mais responsáveis, disciplinadas e conscientes desde cedo.

Na nossa casa e no Centro, Calvin e Andre participam ativamente dos cuidados e da alimentação de todos os cães. Acredito que as crianças que têm animais de estimação, principalmente cães, desenvolvem um senso de empatia muito maior pelas pessoas e pelos animais que as cercam. Elas aprendem a cuidar de outro ser vivo e a colocar o bem-estar do outro em primeiro lugar. Aprender a ver o mundo pela perspectiva de um cachorro abre a porta para todos os milagres que a Mãe Natureza tem para oferecer e deixa as crianças em contato com seu lado instintivo, que a nossa sociedade moderna costuma negligenciar. Como sei que nossos filhos têm muita sabedoria para compartilhar com o mundo, em vez de escrever um capítulo sobre crianças e cães do ponto de vista de um adulto, pedi a eles que, com suas palavras, contassem sobre suas experiências com tantos cães. Também sugeri que dessem às outras crianças algumas dicas sobre o que fazer e o que não fazer com um cachorro.

Quando meu pai me apresentou à matilha, acho que eu tinha uns três anos. Talvez menos. Não me lembro muito bem. Acho que tinha um monte de pastores alemães lá. Lembro que uma das primeiras coisas que ele me ensinou foi como andar entre os cães. Caminhar sem parar e não ter medo. Eles conseguem perceber se você estiver inseguro, e podem rosnar. Não faça carinho, não toque, não fale, não encare. Encarar significa agressão. Se eles baterem em você, permaneça o mais firme que puder sem ficar totalmente rígido, e continue andando.

Sempre que passo no meio de uma matilha de cães, mesmo que sejam quarenta ou cinquenta deles, eu sinto vontade de fazer carinho neles. É difícil controlar. Contudo, meu pai me ensinou que não posso fazer carinho neles assim que chego, porque eles estão agitados. Meu pai me ensinou que se um cachorro rosna isso é um mau sinal. É a principal coisa que os cães não devem fazer perto de crianças. A segunda coisa é que eles não devem ficar muito agitados. Ele me mostrou que os cães precisam ficar no meio disso. Você só pode acariciá-los ou brincar com eles se estiverem equilibrados.

No Centro, meu pai também nos ensinou a alimentar os cães. Você pega a comida e a coloca no prato com as mãos e mistura bem. Aí, você chama os cães, e meu pai tem um jeito especial de segurar o prato no alto. Ele mantém o prato no alto até os cães se sentarem e olharem para ele, então ele levanta o prato de novo e faz com que esperem. Quando eles se sentam, ele coloca o prato no chão, e faz isso com todos os cães, menos com o Daddy, que já é bem velho e come comida especial. Meu pai dá ao Daddy carne crua e fria, por isso fica dentro da geladeira.

A coisa mais importante que digo às crianças de minha idade a respeito dos cachorros é que se você encontrar um cachorro desconhecido, *precisa* perguntar aos seus pais, à professora ou a algum adulto se pode fazer carinho nele. *Não* ponha a mão sem perguntar, porque você pode acabar levando uma mordida!

A maioria das pessoas não sabe isso sobre os cães, mas eles podem ser como um remédio. Depois que dormi com o Coco por uma semana, eu dormi melhor e ele também. Alguns cachorros podem ir ao hospital e fazer as pessoas melhorarem.

Eu adoro os animais e sinto vontade de levar todos do pet-shop para a minha casa, mas meu pai só fala de cachorro o tempo todo. Todas as frases têm a palavra "cachorro". Eu gosto de cachorros, mas no momento gosto mais de gibis. Estou escrevendo gibis sobre o meu pai e sobre como os cachorros se comunicam. Sou louco por gibis, mas também sou muito bom com os cães. Reabilitei um cachorro sozinho. Foi o Coco, meu chihuahua. Foi amor à primeira vista quando vi Coco, mas me disseram que ele era mau e mordia tudo o que encontrava. Principalmente crianças. Mas não tive medo dele. Eu só disse "Oi, Coco, você é lindo" e brinquei com ele, disse a ele o que fazer e ele fez. Ele sempre balançava o rabo para mim. E depois de alguns meses como meu cachorro, ele parou de morder as pessoas. Agora, eu tenho o meu site: www.CesarMillanKids.com. O nome dele é "Pergunte ao Calvin", e eu dou conselhos às crianças sobre os cachorros, respondo a perguntas e tem jogos também.

Palavras de Andre

Eu amo a minha família. Minha família gosta de esportes, é brincalhona, confiável, respeitosa, calma, assertiva. Não teria como a minha família não ter um cachorro. Todo mundo tem cachorro: meus primos, meus tios, meus avós, todo mundo. Um cachorro faz você se sentir seguro, bem, com a certeza de que está tudo ótimo. Você sabe que ele vai proteger você de tudo. Tudo relacionado aos cães é incrível — o modo como eles olham, como brincam, a energia com que se conectam com os seres humanos e com as outras espécies também.

Eu acho que meu pai me levou ao Centro pela primeira vez algumas semanas depois de eu nascer. Não sei quando foi, mas me lembro de todos aqueles cachorros me cercando, olhando para mim. A energia de todos eles era incrível. Depois que tomei todas as minhas vacinas, comecei a engatinhar entre eles e fiquei obcecado por um cachorro chamado Tupac. Era um pit bull, e eu acho que ele tinha sofrido maus tratos, alguma coisa assim. Aonde eu ia, ele ia atrás. Aonde ele ia, eu ia atrás. Nós nos divertimos muito até que ele morreu, quando eu tinha uns seis anos.

Depois disso, eu me apeguei muito a uma matilha de rottweilers. Eram seis ou sete e parecia que eles cuidavam de mim. O que eu fazia, eles também faziam. O que eles faziam, eu fazia. Nós íamos às montanhas juntos, à praia, a todos os lugares. Havia um rottweiler que se chamava Kane. E o que o Kane fazia, os outros cães imitavam, e seu companheiro de brincadeiras era o Snoop. Eles me protegiam muito; era como ter um grupo de guarda-costas enormes ao meu redor o tempo todo. Que todos eles descansem em paz.

A primeira coisa que meu pai me ensinou a respeito dos cães foi sobre os filhotes. Ele disse que todo mundo adora filhotes, mas a primeira coisa que não se pode fazer é sair gritando: "Ai, meu Deus, que lindo!" Em vez disso, ele me ensinou a respeitá-los, a usar o olfato, a visão e a audição, e a regra de não tocar, não falar, apenas observar. A segunda coisa que me ensinou foi exercício, disciplina e carinho. O exercício é passear com os cães. *Você não pode deixar de caminhar com os cães*. Ponto. Fim de papo. Disciplina é fazer com que fiquem em ordem. O carinho deve ser dado quando eles merecerem. Ele também me ensinou sobre a energia. Não fique alterado perto dos cães, mas, sim, calmo e assertivo. A energia calma-assertiva é uma coisa relacionada ao estado mental. É um estado no qual você não pode estar irritado, frustrado, assustado, nervoso ou alterado — apenas fique tranquilo. É só respirar e relaxar. Todas suas emoções ficam no modo neutro. Ao se aproximar de um cão pela primeira vez, ignore-o, não pense nele. Deixe que ele se aproxime. Quando ele se aproximar, se ele lambê-lo, você pode tocá-lo. Faz parte da disciplina. Isso faz com que ele perceba que você está no comando.

Em casa, todo mundo cuida dos cães. Meu irmão tem que limpar e tirar o pó, passar pano embaixo das toalhas absorventes. Eu tenho que alimentar os cães, dar banho neles e ver se eles têm água. Ah, e eu também passeio com eles. Já passeei com dez cães ao mesmo tempo. Não é mentira. Fiz isso andando de patins. Acredite ou não, não dá medo, é só manter todos os cães em um estado mental calmo-submisso. Isso aconteceu em um dia em que eu estava ajudando o meu pai no centro, e depois que nós demos a volta no quarteirão uma vez, todos os cães ficaram olhando para mim e não para o meu pai, então meu pai quis ver o que eles iam fazer. Ele disse: "Certo, pode levar os cães." Só que eu fiquei com os cães rápidos. Foi muito intenso. Com os cães rápidos e de patins, você precisa saber como parar. O mais impressionante é que fizemos uma curva perfeita, mas aí, em determinado ponto, apareceu um obstáculo e tive que saltar — os cães estavam me puxando enquanto eu ainda estava no ar. Foi como voar. Quando aterrissei, eu disse *parem*, e eles pararam. Precisei brecar forte. Foi muito legal. Acho que até meu pai ficou impressionado. Bom, um dia eu gostaria de andar com vinte cães. Com dez foi incrível.

Acho que a maioria das crianças não sabe como se comportar perto dos cachorros. Elas fazem tudo errado e podem ser mordidas. Nunca se aproxime de um cachorro só porque você acha que ele é bonzinho. Apenas o ignore. Espere que ele se aproxime. Se ele se aproximar, deixe que ele o cheire, e quando terminar, você pode tocá-lo, se ele deixar. Se deixar, ele vai se abaixar. Se ele não gostar de você, provavelmente vai se afastar, com um olhar do tipo "Não me importo com você". Se isso acontecer, você deve deixá-lo em paz.

Sei que os pais sempre perguntam: "Quando meu filho vai estar pronto para ter um cachorro?" Pergunte aos seus filhos: "Vocês estão *mesmo* prontos?" Porque se eles não estiverem prontos para as responsabilidades, só quiserem o cachorro por querer, então nunca vai dar certo, e você vai ter que devolvê-lo.

Dá para saber que algumas crianças estão prontas ao observar o comportamento delas. Se forem respeitosas, confiáveis e honestas, e tiverem uma energia calma-assertiva. Isso significa que sua vida está equilibrada. Para mim, isso significa uma criança que sabe trabalhar quando é hora de trabalhar e brincar quando é hora de brincar. Elas sabem a diferença. É assim que gosto de levar a vida.

O cão pelo qual estou agora completamente apaixonado se chama Apollo. É um rottweiler que uma menina muito bonita resgatou, mas ele era muito agressivo com as pessoas e iam sacrificá-lo no dia seguinte. A menina o levou ao Petco quando os produtores de *O encantador de cães* estavam lá procurando histórias para o programa. Ela estava chorando. Foi muito triste. Os produtores do programa disseram: "Independentemente do que ele fizer, *não* o sacrifiquem. Aguentem, esperem o Cesar vê-lo." Então, meu pai o levou ao Centro. Uma noite, ele o levou à nossa casa. Eles estavam na garagem quando eu entrei. Meu pai disse: "Andre, cuidado, este cachorro é bravo, ele é agressivo com as pessoas." Para mim, porém, aquele cachorro era o mais legal que eu tinha visto. Assim que me viu, Apollo veio correndo, pulou e começou a me lamber; foi ótimo. Meu pai disse: "Andre, você vai ser mordido." E eu respondi: "Como assim? Ele está me lambendo, pare de se preocupar." Meu pai ficou meio chocado. Ele disse: "Nossa, ele gosta mesmo da sua energia!" Foi como se, assim que entrei, o Apollo tivesse sentido: "Nossa, esse cara é bacana." Apollo costumava atacar todos os homens, sem exceção. No entanto, meu pai diz que eu tenho um tipo diferente de energia, uma energia mais leve, ou algo assim. Acho que meu pai aprendeu isso comigo, o que me deixa muito contente.

Segui todas as regras do meu pai com Apollo. Exercício: passeei sozinho com ele. Disciplina: dei comida para ele, fiz com que esperasse, depois dei carinho. Em seguida, eu brincava com ele, pulávamos na piscina. Apollo mudou muito. Ele está se tornando um ótimo cachorro.

Um dia, eu gostaria de seguir os passos de meu pai, ou substituí-lo. Não quero ser exatamente como ele — não quero ser o Encantador de Cães, porque também gostaria de fazer outras coisas, como ser jogador de futebol, mas quero ajudar as pessoas e os cães. É uma sensação ótima. Quero mostrar às outras pessoas a coisa certa a se fazer pelos cães.

AS DEZ PRINCIPAIS DICAS DE ANDRE E CALVIN PARA AS CRIANÇAS

1. Nunca se aproxime de um cachorro desconhecido.
2. Nunca faça carinho em um cachorro, por mais bonitinho que ele seja, a menos que o dono ou um adulto responsável diga que não tem problema.
3. Pratique a regra de não tocar, não falar, não encarar ao ver um cachorro pela primeira vez. Se ele lamber você, é porque gostou.
4. Não saia correndo de um cachorro que estiver rosnando. Ele só vai correr atrás de você. Fique calmo, mantenha a tranquilidade, não olhe para ele e espere ajuda.
5. Não brinque com um cachorro que esteja alterado. A energia para brincar é boa, mas a energia exagerada não é.
6. Tenha certeza de que está preparado para ser responsável antes de pedir um cachorro para seus pais. Dá muito trabalho.
7. Passeie com seu cachorro todos os dias!

8. Combine com sua família como serão divididas as tarefas, como alimentá-lo, limpá-lo e cuidar da saúde dele. Seu cão agradece.
9. Ofereça exercício, disciplina e só depois carinho ao seu cão. Não pule direto para o carinho, por mais que queira!
10. Pratique a energia calma-assertiva. Isso significa que você deve ficar calmo, equilibrado e positivo perto de seu cachorro. (Isso também ajuda na escola, quando é dia de prova.)

Andre e Apollo: O Epílogo

Na nossa família, já conhecemos centenas e centenas de cães, e, muitas vezes, as pessoas querem deixar os cães delas comigo. Meus filhos se apaixonam sempre por todos os cães que chegam ao Centro ou à nossa casa. O Andre sempre perguntava quando ia poder ter um cachorro só dele. Expliquei que os cachorros que vivem com uma família não devem ser tratados como se tivessem só um dono... Eles sempre devem fazer parte de uma matilha e respeitar todos os seres humanos na família como líderes de matilha. Contudo, é natural que certas energias se atraiam, como Coco se aproximou de Calvin, Minnie se aproximou de Ilusion e Daddy, de mim. Calvin tinha só cinco ou seis anos quando o chihuahua Coco chegou, e ele acabou reabilitando-o, mas Andre ainda não tinha tido a oportunidade, que só aconteceu com a chegada de Apollo. Andre só tem 13 anos, mas é muito maduro. Tem me mostrado como se importa com os animais e como os respeita, e ele sabe que não deve culpá-los por nada do que acontece — isso é essencial. Eu estava presente quando Andre e Apollo se conheceram na garagem, e foi um momento mágico — como se eles já se conhecessem antes. A ligação entre eles foi instantânea. Foi lindo. Apollo deu a liderança a Andre logo de cara, e Andre a aceitou como se eles se conhecessem há um milhão de anos.

Agora, Apollo ainda precisa de ajuda. Ainda tem dificuldades para confiar, sobretudo em homens. Sei que Apollo confia totalmente no Andre, e eu sempre estarei por perto para supervisionar os dois, então não tenho dúvidas de que, trabalhando juntos, completaremos a reabilitação de Apollo e ele se tornará o perfeito e equilibrado cão de família, capaz de permanecer perto de qualquer pessoa de modo seguro. Portanto, tomei a decisão de dar Apollo a Andre permanentemente.

Quando o grande dia chegou, eu decidi surpreendê-lo. Esperei no quintal com Apollo e chamei Andre. Quando contei a novidade, ele gritou: "Ai, meu Deus! Finalmente!" Ele deve ter sentido dor no rosto, de tanto que sorria. E Apollo, que estava ali, deve ter entendido o que estava acontecendo, porque assim que eu disse "Certo, amigo, este é o seu cachorro", Apollo lambeu o rosto de Andre e rolou no chão, de barriga para cima, como se dissesse: "Sou seu!" Lembrei Andre da grande responsabilidade que é ter um cachorro, principalmente um de raça forte. Andre tem 13 anos agora, mas o Apollo ainda é novo, então, quando Andre tiver 23 — na faculdade, no trabalho, ou independentemente do que estiver fazendo —, Apollo provavelmente ainda estará a seu lado.

Nossa família tem certos rituais que seguimos quando temos coisas que queremos expressar, mudar ou prometer uns aos outros. Um costume que temos é colocar as coisas por escrito, para dar a elas mais sentido. Então, escrevi um termo de compromisso para o Andre: "Eu, Andre Millan, prometo a Apollo usar minha sabedoria sobre cães para o equilíbrio e o amor." Isso, para mim, é exercício, disciplina e afeto para sempre. E cuidarei para que ele faça tudo isso — ainda sou o líder de matilha do Andre!

"Este é o melhor dia da minha vida, papai", Andre não parava de repetir.

Tenho muito orgulho de nossos dois filhos.

11

SEGUINDO EM FRENTE E SUPERANDO

Como dizer adeus a seu melhor amigo

Meu pit bull Daddy e eu podemos contar um com o outro. Estamos juntos há 14 anos — na verdade, Daddy estava comigo no dia em que Calvin nasceu. Daddy sabe o que estou pensando e sentindo o tempo todo, e eu sei o que ele está pensando e sentindo. Daddy tem muita sabedoria e experiência de vida, e é muito atento a tudo ao nosso redor. Ele me alerta de coisas importantes a todo momento — quando a energia de um cachorro é ruim e ele não quer ficar perto dele, ou quando a energia de alguém é negativa e eu deveria evitar essa pessoa. Ele sempre lembra que devo me controlar quando começo a perder o equilíbrio. Quando estamos longe um do outro, sei que temos a sensação de que falta algo em nossa vida. As pessoas que cuidam do Daddy quando eu viajo me dizem que, apesar de ele parecer feliz e realizar suas atividades diárias normais, ele passa um tempo todos os dias enfiando o focinho nas minhas roupas e brincando com brinquedos nos quais eu mexi. Sempre que nos reencontramos, é uma festa para nós dois.

Envelhecendo com graça

A realidade, claro, é que Daddy é um cachorro e eu sou um ser humano. Por ser um homem hispânico saudável, minha expectativa de vida é de 77 anos, no mínimo. Por ser um pit bull saudável, a expectativa de vida de Daddy deve ser entre dez e 14 anos. É uma diferença bem grande. Agora, Daddy tem 14 anos, e sua saúde está ótima. Podemos dizer que ele está envelhecendo bem, e eu tenho todos os motivos para acreditar que ele tem, pelo menos, mais alguns bons anos pela frente. No entanto, não há dúvidas de que ele tem demonstrado sinais da idade. Como ele se exercitou todos os dias de sua vida, seu corpo ainda está em boa forma. Ele pode ter perdido um pouco do tônus muscular que tinha, mas isso é normal. Nota-se sua idade em seu nível de energia. Ele está mais lento. Quando passeamos com a matilha, ele não consegue mais acompanhar os cães mais jovens. Ele ainda quer caminhar e até correr, mas tem que fazer isso em um ritmo mais vagaroso. Quando tenta aumentá-lo, fica extenuado por causa da artrite, por isso devo encontrar maneiras de ele caminhar de modo que não sinta a pressão de acompanhar o ritmo dos cães mais jovens. Ele se cansa com muito mais facilidade atualmente. Quando vamos a lugares diferentes, percebo que ele quer dormir ao voltarmos para o carro, sendo que antes ele gostava de ficar sentado observando tudo que passava. Antes, ele costumava pular para a parte de trás do carro, mas agora levanta as patas da frente e eu ajudo a subir o resto do corpo. Daddy fica ofegante com mais frequência quando está cansado ou com calor. Coisas que antes normalmente não o estressavam agora o estressam.

Para combater esses sintomas normais do envelhecimento, submeto Daddy a sessões de acupuntura a cada duas semanas, o que ajuda a aliviar o estresse de seu corpo, para que não se acumule. Cuido para que ele faça bastante exercício, porque o exercício alivia o estresse e mantém o corpo jovem, mas tem que ser exercícios mais leves do que antes. Em vez de dar remédios alopáticos para a artrite, eu uso remédios homeopáticos, massagens e banhos com sais, que são experiências agradáveis para ele. Daddy também adora nadar, o que é muito bom para os músculos e as articulações. E, claro, por ser um novo "avô" para Junior, a energia da juventude sempre o anima. Junior é outro tipo de remédio natural para a idade avançada de Daddy.

Graças aos avanços na medicina veterinária moderna, além dos confortos relativos oferecidos pela vida doméstica em si, os cães nos Estados Unidos estão vivendo mais tempo do que a natureza permitiria. Na natureza, os cães morrem devido a ferimentos, fome ou doenças crônicas, raramente morrem de velhice. Por mais duro que pareça, os canídeos selvagens que adoecem ou se tornam fracos costumam ser banidos, abandonados ou até mortos pelo resto da matilha.

Vivendo conosco, os cães não têm um estilo de vida que exija que eles tomem decisões de vida ou morte para a sobrevivência todos os dias. Conforme envelhecem, contraem os mesmos tipos de problemas e enfermidades que os humanos sofrem. Sinais comuns da velhice incluem se cansar rapidamente, ficar desorientado e retraído ou irritável, além de mudanças na eliminação de fezes e urina, no sono e no tempo que passaria acordado.[1] A análise das medidas do cérebro de cães mais velhos mostra que eles secretam mais hormônios relacionados ao estresse, mesmo quando estão em repouso. Tecnicamente, a principal causa da morte é um excesso desses hormônios, chamados glucocorticoides.[2] É por isso que remédios naturais de alívio do estresse, como acupuntura, massagem e exercícios leves, como natação, são tão importantes na rotina de Daddy. Forçar um cão idoso com o mesmo tipo de exercício vigoroso que ele costumava fazer pode colocar estresse indesejado no corpo e na mente do animal. Uma vez que o estímulo mental, em qualquer idade, melhora o funcionamento do cérebro e cria mais conexões dentro dele, continuar desafiando a mente de seu cão mais velho é outra maneira de atrasar os efeitos negativos do envelhecimento — na verdade, sei, pelas minhas experiências pessoais, que é possível ensinar truques novos a um cão velho! Em seu livro *Natural Dog Care*, o dr. Bruce Fogle sugere a seguinte lista para manter a saúde de seu cão idoso:[3]

- Faça muitas caminhadas curtas em vez de uma comprida.
- Tose os pelos com mais frequência. Isso melhora a circulação.
- Sirva refeições menores e mais frequentes.
- Ofereça a seu cão uma cama macia se ele tiver calosidades.
- Leve seu cão à rua depois de toda refeição, um pouco antes de dormir e assim que acordar.
- Acompanhe o peso do animal. Ele ficará mais saudável se mantiver a forma.
- Ofereça um local quente e confortável para ele dormir e descansar.
- Mude a dieta de acordo com as necessidades de saúde de seu cão.

Ciclo de vida, parte três

Faço tudo da lista e mais um pouco para ajudar o meu amigo Daddy a curtir ao máximo todos os dias de seus anos dourados. Contudo, há uma coisa que não posso fazer por ele nem por mim, que é parar o relógio. Essa é a dura realidade do nosso caso de amor com os cães — nós temos que aceitar a realidade de viver sem eles.

Quando eu era criança, no México, vi muitos nascimentos e também muitas mortes. É assim que as coisas são em uma fazenda. O ciclo de vida está ao seu redor, e você tem a chance de aceitá-lo melhor. Nos Estados Unidos, um país moderno e urbano, observo que todo mundo adora as primeiras duas partes do ciclo de vida, o nascimento e a vida, mas não querem nem pensar na terceira. Não querem nem dizer o nome. Já vi pessoas fugindo da morte, negando-a, fingindo que ela não existe, ou, no mínimo, recusando-se a admitir que ela poderia afetar suas vidas. Quando a morte chega — porque, em determinado momento, ela chega para todos —, essas pessoas ficam chocadas. Não sabem o que fazer. Continuam fugindo, bloqueando a dor com drogas, álcool ou qualquer coisa que o valha, ou perdem totalmente o controle. Só que a morte é algo que devemos aceitar e a que devemos nos render, não fugir nem nos esconder. Acredito que é muito importante ensinarmos nossos filhos a respeito da morte sempre que tivermos a oportunidade. Não devemos criar um problema com isso, mas fazê-los compreender que é parte do percurso de um ser vivo no planeta. A morte é algo que temos em comum com os elefantes, com as formigas, com os cavalos, com as baleias, com as pulgas e, claro, com os cães. Quando a vida chega ao fim, estamos todos no mesmo barco. Meu avô (que viveu até os 105 anos) me ensinou que a nossa existência aqui na Terra é formada por três partes: nascimento, vida e morte. As três são naturais e belas. As pessoas têm diferentes crenças religiosas, espirituais e científicas acerca da morte, mas eu aprendi que todos os seres vivos têm uma alma e que quando morremos a alma deixa o corpo e segue de uma outra forma. Minha esposa também tem essa crença, e nós a transmitimos aos nossos filhos. É claro que ninguém pode provar o que acontece depois da morte, mas nossa espiritualidade é um grande conforto para nós.

A atitude mais comum no México, pelo menos como eu fui criado, era: "Seu cachorro morreu? Arrume outro!" Como eu tinha uma afinidade inata com os cães, acho que nunca aceitei esse modo de pensar, mas só quando cheguei aos Estados Unidos, conheci minha esposa e aprendi a abrir meu lado emocional/espiritual à grande variedade dos meus sentimentos, consegui entender a dor profunda que sentimos quando perdemos nosso melhor amigo. Todos os cães da minha primeira matilha de rottweilers acabaram morrendo de câncer. Antes de eu chegar aos Estados Unidos, nem sequer sabia que os cães podiam ter câncer. Todos os meus rottweilers morreram nos meus braços, olhando nos meus olhos, como se dissessem: "Tudo bem, eu confio em você. Eu amo você por ter me proporcionado uma vida ótima." Claro que a dor foi enorme. E claro que eu chorei depois, e então me retraí e fiquei muito calado. Ilusion aprendeu que quando sofro sempre fico calado, e ela sempre respeita isso e me dá o espaço de que preciso. Vivendo nos Estados Unidos, eu aprendi a extravasar meus sentimentos e senti-los ao máximo, mesmo os ruins. Mas a realidade é que tenho uma esposa e filhos. Tenho uma matilha de cães. Todos eles precisam de mim. Se eu for honesto com meus sentimentos e superá-los, por mais dolorosos que sejam, posso sair do outro lado e voltar a estar presente para a minha família e minha matilha. Se eu me apegar a esses sentimentos, eles se tornarão tóxicos. Se eu fizer isso, não consigo estar presente para ninguém, nem mesmo para mim. Não serei bom para minhas matilhas, humana e canina. Isso me tornaria uma pessoa egoísta.

Se seu cachorro idoso estiver doente ou com dor, acredito que ele mostrará quando é a hora de você deixá-lo ir. Temos acesso a uma tecnologia médica tão incrível nos dias de hoje que podemos usar analgésicos para fazer um "curativo" por longos períodos em um cão que está morrendo, mas por quem estamos fazendo isso? Pelo cão? Ou por nós mesmos? Você se lembra de Jack Sabato, filho de Virginia Madsen, da primeira história deste livro? Jack tinha apenas 11 anos, mas ele tinha uma sabedoria além de sua idade quando o assunto era o ciclo de vida. Ele e sua mãe vinham mantendo o mix de pastor alemão Dixie, de 13 anos, vivo à base de analgésicos por muito tempo, e não sabiam se estariam fazendo a coisa certa se o submetessem à eutanásia por causa de sua doença. Jack descreveu para mim o momento em que ele acreditou que Dixie estava tentando lhe dizer que estava pronto para partir: "Dixie olhou para mim de um modo que eu nunca vi. Olhou para mim de um modo espiritual. E eu sabia que estava na hora de ele partir, porque percebi que ele sentia dor." Eu também já vi esse olhar em um cão. É o olhar de total confiança. O cão está dizendo: "Confio que você fará o que é certo para mim, ainda que lhe cause dor."

Nas famílias com crianças, são os pais que decidem como dar a notícia de que um membro querido da família morreu ou vai morrer em breve. Recentemente, um amigo meu me revelou que seus pais lhe contaram que seu cachorro Smoky "tinha ido para a fazenda". Já ouvi essa história inúmeras vezes; acho que os Estados Unidos devem ter milhares de hectares de terra com milhões de cães idosos — e gatos! — correndo por eles. Falando sério, embora os pais contem essas mentirinhas com a boa intenção de poupar seus filhos da dor, eu já conheci dezenas de adultos que, mesmo aos quarenta ou cinquenta anos, lembram de ter sentido que havia algo de "errado" na história na época. Quando souberam a verdade, ficaram com raiva e também se sentiram traídos, sentimentos que levaram pela vida toda. As crianças têm um senso inato de justiça, e esperam uma certa honestidade por parte dos pais a respeito das coisas mais importantes da vida. A morte de um animal de estimação é uma dessas coisas muito importantes. É uma oportunidade de ensinar algo valioso aos filhos. É uma oportunidade de fortalecer o vínculo pai-filho, compartilhar uma vulnerabilidade comum e tornar a matilha mais forte, unindo-se em um momento importante do ciclo da vida.

Quando um animal morre na minha família, eu dou a notícia. Reúno a família e deixo que todos expressem seus sentimentos. Provavelmente haverá lágrimas, e também haverá perguntas. Ilusion e eu tentamos, da melhor maneira, responder às perguntas dos meninos com honestidade e integridade. Se tivermos que submeter o cão à eutanásia, pergunto aos meninos se eles gostariam de participar disso. Se eles me disserem não de um modo maduro e razoável, respeito o desejo deles. Entretanto, se responderem de modo incerto, como se estivessem tentando evitar ou fugir da realidade, converso mais com eles e os ajudo a lidar melhor com os sentimentos. Não acho certo permitir que nossos filhos fujam da dor. Apenas passando pelas situações dolorosas da vida é que adquirimos sabedoria.

Quando preciso submeter à eutanásia um dos cães que amo e crio, sempre decido tornar os últimos dias dele os melhores dias que compartilhamos juntos. Levo o animal à natureza, para o lugar de que mais goste, independentemente de ser praia, montanha ou floresta. Faremos tudo o que eu sei que ele gosta de fazer, vou brincar, rir e fazer o melhor que puder para não pensar que aquele é o último dia dele. Não enveneno a energia entre nós dois com pensamentos tristes. Haverá tempo para a tristeza mais tarde, quando ele se for. Quero que ele tenha a experiência de um dia perfeito comigo para que saiba que eu fiz tudo que podia para tornar sua vida completa. Quando formos à clínica, vou cuidar para que ele esteja cansado e relaxado, com um belo estado mental. E por mais que eu esteja morrendo por dentro, vou me concentrar em todos os nossos dias felizes ao olhar em seus olhos e dizer adeus pela última vez.

Luto saudável

A maioria das espécies animais da Terra sentem grande tristeza com a morte de um companheiro ou membro de matilha. Manadas de elefantes sentem luto; eles até realizam um complexo ritual fúnebre não muito diferente de nossos funerais.[4] As baleias e os golfinhos sentem luto; golfinhos fêmeas carregam por dias o corpo de um filhote morto. No entanto, nenhum animal sente mais luto do que o ser humano. Isso porque sentimos o passado e o futuro com detalhes claros. Nossa imaginação é tão poderosa, que o que criamos em nossa mente pode se tornar um tipo de realidade. Quando sofremos, pensamos no passado que nunca mais existirá, e imaginamos um futuro vazio porque perdemos um ser amado. A verdade é que o luto saudável passa por todas essas emoções em um processo gradual, e acaba atravessando para o outro lado. Para os seres humanos, não existe uma data para o fim do luto. Pode durar algumas semanas ou até vários anos. Algumas pessoas que não conseguem absorver o processo acabam tornando o luto uma parte permanente de sua personalidade. Uma dica boa é se lembrar de que quanto mais dividimos nossos sentimentos, mais facilmente passamos por eles. Nos Estados Unidos, o luto pela perda de um animal de estimação é considerado uma questão muito real e séria. Sugiro que você e sua família utilizem sites da internet, livros e programas de orientação psicológica para seguir em frente e curar o coração depois da perda de um cão ou animal de estimação.

Os animais podem nos ensinar muito sobre o luto. Quando uma matilha de cães perde um membro, ocorre tristeza, letargia e confusão enquanto o grupo tenta lidar com a realidade de não mais ter aquele cachorro por perto. Todos os cães se unem para passar por essa fase. Por fim, depois de alguns dias ou semanas, o grupo se reorganiza e segue em frente de novo, até o Universo trazer um novo membro que substituirá o amigo que partiu. Quando a matilha fica equilibrada novamente, tudo volta ao normal.

Uma maneira muito ruim de lidar com o luto é arrumar imediatamente um cachorro "substituto" que preencha o vazio que o companheiro perdido deixou. Para mim, isso é totalmente contrário à Mãe Natureza. Na natureza, nenhum ser vivo é instantaneamente substituível. Seguir adiante depois de uma morte é um processo orgânico, não algo que possa ser "consertado". Contudo, ainda assim, muitos pais se apressam em comprar um novo animal de estimação para a criança quando ela ainda está chorando pela perda do amigo. Quando você leva um cachorro — adulto ou filhote — para uma casa que está tomada pelo peso do luto, coloca o animal em uma situação tóxica. A energia da matilha está fraca, e o cão automaticamente sentirá a instabilidade. É quando a maioria dos cães tenta tomar a posição de liderança, e quando a maioria dos problemas surge. Verifique se sua casa está liberta da dor antes de levar um novo membro para sua matilha. Você quer levar para casa um cão novo em uma posição de força, não de fraqueza. É a única maneira com a qual você conseguirá satisfazer a vida desse cachorro.

Seguindo em frente

Minha coautora, Melissa, foi a uma reunião de velhos amigos da faculdade, e uma amiga — uma mãe dedicada e amorosa de duas menininhas — lhe disse que nunca compraria um cachorro para suas filhas. "Não quero que elas passem pela dor de perder um cachorro", disse ela. "Eu não aguentaria vê-las passando por isso." Obviamente, essa mulher queria o melhor para as filhas, mas, ao protegê-las da realidade da morte de um cachorro, imagino que ela podia estar impedindo que elas sentissem uma das maiores alegrias do mundo: ter um cachorro. Em vez de amar e perder um cachorro e depois dizer "Nunca passarei pela dor de perder um cachorro de novo", pense no modo nada egoísta com que seu cachorro levou a vida, e tome a decisão de honrar a memória dele a cada novo dia de sua existência. Você pode honrar um cachorro morto falando dele para sua família, contando histórias engraçadas à mesa da cozinha, mostrando fotografias, vendo vídeos caseiros e usando sua poderosa memória humana para trazê-lo de volta à vida. Você pode criar um espaço para homenageá-lo, como um álbum de fotografias ou uma página na internet com fotos, histórias e poemas, ou, se você for mesmo ambicioso, pode escrever um livro, como John Grogan fez em *Marley & eu*.

Na minha opinião, a melhor coisa que você pode fazer para honrar a memória de seu cão é, quando estiver preparado e de volta ao normal, trazer outro cão ou outro animal para a sua vida. Milhões de cães e gatos precisam desesperadamente de um lar, e agora seu primeiro cão ensinou a você lições maravilhosas para passar adiante. Não tente transformar o cahorro novo no cachorro velho, porque cada animal é de um jeito. Valorize o novo cachorro por quem ele é, mas aproveite todas as ótimas experiências que você teve com o animal que morreu e as coisas que ele lhe ensinou. Se um cachorro pudesse pensar ou falar na linguagem dos seres humanos, acredito que ele escreveria isto em seu testamento: "Nunca se esqueça de mim e dos momentos maravilhosos que tivemos. Agora, siga em frente e aproveite a vida como eu fiz, de modo honesto, justo e altruísta, dividindo de novo o seu amor com outro cachorro que precise. É o que você pode fazer todos os dias para me agradecer pelo tempo que passei com você e para honrar minha memória."

Quanto ao Daddy, eu sempre digo: "Daddy e eu ficaremos juntos por cem anos." É uma piada? Sim. Sei que nosso tempo junto chegará ao fim, e pode ser mais cedo do que penso. Por mais doloroso que isso seja, penso no assunto. Não o evito, nem o nego. Falo sobre meus sentimentos com quem amo. Sei que quando esse momento chegar, eu estarei totalmente preparado para fazer o que for melhor para o Daddy e não vou pensar apenas em mim, numa atitude egoísta, mas também não fico obcecado imaginando como será o futuro sem o Daddy. Não vou deixar nada no mundo estragar os dias maravilhosos que passamos juntos. Lembre-se de que nós, seres humanos, somos a única espécie na Terra que teme o fim do ciclo da vida. Os cães vivem no presente e celebram todos os momentos, até o último. Por tudo o que eles nos dão, nós devemos tornar todos os instantes da vida deles tranquilos, plenos e alegres.

FONTES E LEITURAS COMPLEMENTARES

Capítulo 1: Um encontro feito no céu

Humane Society of the United States
www.hsus.org

Informações sobre adoção de animais e recursos para donos responsáveis, e também uma fonte confiável para conferir o histórico de um criador.

The American Kennel Club
www.akc.org

Oferece informações e recursos sobre raças e criadores.

Recursos para o bem-estar dos animais em geral

American Society for the Prevention of Cruelty to Animals
www.aspca.org

World Society for the Protection of Animals
www.wspa-usa.org

Best Friends Animal Society
www.bestfriends.org

Capítulo 3: A chegada

Mastering Leadership Series
http://www.cesarmillaninc.com/products/dvds.php

Os DVDs dessa série são uma ótima fonte de informação para todos os donos de cachorros.

Capítulo 4: Criando o filhote perfeito

Fogle, Bruce. *The Dog's Mind: Understanding Your Dog's Behavior*. Nova York: Macmillan, 1992.

Rutherford, Clarice; Neil, David H. *How to Raise a Puppy You Can Live With* (4th ed.). Loveland, Colorado: Alpine Publishing, 2005.

Scott, John Paul; Fuller, John L. *Genetics and the Social Behavior of the Dog*. Chicago: University of Chicago Press, 1965.

The Monks of New Skete. *The Art of Raising a Puppy*. Nova York: Little, Brown and Company, 1991.

Capítulo 5: Regras da casa

International Association of Canine Professionals
www.dogpro.org

Ótima fonte para a busca de auxílio profissional para treinar seu cachorro.

Capítulo 6: Longe de tudo

Onde posso encontrar informações sobre como viajar com meu animal de estimação?

http://www.airlines.org/customerservice/passengers/Air+Travel+for+Your+Pet.htm

Ótima fonte sobre viagens aéreas para quem tem animais.

Pet Friendly Travel.com
http://www.petfriendlytravel.com

Fonte de informações sobre destinos aos quais se podem levar animais.

Como posso encontrar alguém para cuidar do meu animal enquanto eu me ausentar?

Pet Sitters International
http://www.petsit.com
Serviço internacional de babá para animais.

The American Boarding Kennels Association
http://www.petcareservices.org
Associação sem fins lucrativos para serviços relacionados a animais nos Estados Unidos e em todo o mundo.

Capítulo 7: Um pouco de prevenção

Fogle, Bruce. *Natural Dog Care*. Londres: Dorling Kindersley Ltd., 1999.

Goldstein, Martin. *The Nature of Animal Healing*. Nova York: Ballantine Books, 1999.

Terifaj, Paula. *How to Feed Your Dog If You Flunked Rocket Science*. Palm Springs: Bulldog Press, 2007.

Terifaj, Paula. *How to Protect Your Dog from a Vaccine Junkie*. Palm Springs: Bulldog Press, 2007.

Em 2006, a AAHA (American Animal Hospital Association) reviu suas orientações em relação ao uso de vacinas em cães. Para obter mais informações, acesse o site abaixo:

American Animal Hospital Association (2008). 2006 AAHA Canine Vaccine Guidelines, Revised. Acessado em 5 de maio de 2008 em:

http://aahanet.org/PublicDocuments/VaccineGuidelines06Revised.pdf

Para mais informações sobre os protocolos revisados de vacinação de Jean Dodds, acesse o site http://www.itsfortheanimals.com/DODDS-CHG-VACC-PROTOCOLS.HTM

Onde posso obter informações sobre castração para meu cachorro?

http://www.americanhumane.org/site/PageServer?pagename=pa_care_issues_spay_neuter

Excelente fonte de informação sobre castração de animais, também traz informações a respeito dos benefícios à saúde.

SPAY/USA
www.spayusa.org

Quais são as opções holísticas disponíveis para o meu cachorro?

International Veterinary Acupuncture Society
www.ivas.org

American Veterinary Chiropractic Association
www.animalchiropractic.org

Capítulo 8: Cães e o ciclo de vida da família

Animal Legal Defense Fund
www.ALDF.org

Grupo sem fins lucrativos dedicado a proteger a vida e a lutar pelos interesses dos animais por meio do sistema jurídico.

Senior Dogs Project
www.srdogs.com

Oferece links a organizações com cães idosos para adoção, além de dicas de saúde sobre como cuidar de cães mais velhos e outras informações úteis.

www.metzgeranimal.com

O site da Metzger Animal Hospital of Pennsylvania oferece muitas informações a respeito da saúde dos cães, especialmente no que se refere a cães mais velhos.

Cesar and Ilusion Millan Foundation
www.millanfoundation.org

Fundação sem fins lucrativos criada para ajudar e oferecer resgate e reabilitação e a encontrar um novo lar para cães abandonados.

Leituras complementares

Fogle, Bruce. *The Dog's Mind: Understanding Your Dog's Behavior*. Nova York: Macmillan, 1992.

Fogle, Bruce. *Natural Dog Care*. Londres: Dorling Kindersley Ltd., 1999.

Goldstein, Martin. *The Nature of Animal Healing*. Nova York: Ballantine Books, 1999.

Rutherford, Clarice; Neil, David H. *How to Raise a Puppy You Can Live With* (4th ed.). Loveland, Colorado: Alpine Publishing, 2005.

Scott, John Paul; Fuller, John L. *Genetics and the Social Behavior of the Dog*. Chicago: University of Chicago Press, 1965.

Terifaj, Paula. *How to Feed Your Dog If You Flunked Rocket Science*. Palm Springs: Bulldog Press, 2007.

Terifaj, Paula. *How to Protect Your Dog from a Vaccine Junkie*. Palm Springs: Bulldog Press, 2007.

The Monks of New Skete. *The Art of Raising a Puppy*. Nova York: Little, Brown and Company, 1991.

NOTAS

Capítulo 1: Um encontro feito no céu

1. Janet M. Scarlett, "Reasons for Relinquishment of Companion Animals in US Animal Shelters: Selected Health and Personal Issues", National Council on Pet Population Study and Policy, http://www.petpopulation.org/research_reasons.html (janeiro de 1999).
2. American Kennel Club, *Facts and Stats*, http://www.akc.org/press_center/facts_stats.cfm?page=8 (março de 2008).

Capítulo 2: Dê-me abrigo

1. The Humane Society of the United States, *The Crisis of Pet Overpopulation*, http://www.hsus.org/pets/issues_affecting_our_pets/pet_overpopulation_and_ownership_statistics/the_crisis_of_pet_overpopulation.html (4 de maio de 2007). Todos os anos, entre seis e oito milhões de cães e gatos param em abrigos nos Estados Unidos; cerca de três a quatro milhões desses animais são sacrificados porque não há lares suficientes para eles.

Capítulo 4: Criando o filhote perfeito

1. A expectativa de vida varia de acordo com o tamanho do cão. As raças menores têm uma expectativa de vida maior (12 anos ou mais) que as raças maiores (aproximadamente dez anos). The Hu-

mane Society of the United States, *Dog Profile*, http://www.hsus.org/animals_in_research/species_used_in_research/dog.html.
2. http://www.scienceclarified.com/Ca-Ch/Canines.html.
3. John Paul Scott e John L. Fuller, *Genetics and the Social Behavior of the Dog*. Chicago: University of Chicago Press, 1965, pag. 94-95.
4. Clarice Rutherford e David H. Neil. *How to Raise a Puppy You Can Live With* (4th ed.). Loveland, Colorado: Alpine Publishing, 2005, pp. 13-25.
5. Bruce Fogle. *The Dog's Mind: Understanding Your Dog's Behavior*. Nova York: Macmillan, 1992, pp. 71-72.
6. Clarice Rutherford e David H. Neil. *How to Raise a Puppy You Can Live With* (4th ed.). Loveland, Colorado: Alpine Publishing, 2005.
7. *Ibid.*, pp. 136-146.
8. Em 2006, a AAHA (American Animal Hospital Association) revisou suas orientações quanto ao uso de vacinas em cães. O quadro relacionado é um resumo básico desses resultados. Ver American Animal Hospital Association (2008). 2006 AAHA Canine Vaccine Guidelines, Revised, acessado em 5 de maio de 2008 em: http://aahanet.org/PublicDocuments/VaccineGuidelines06Revised.pdf.

Capítulo 5: Regras da casa

1. Para mais informações sobre como satisfazer a raça do seu cão, leia *Be the Pack Leader*, pp. 125-166.

Capítulo 6: Longe de tudo

1. http://www.ifly.com/san-francisco-international/traveling-with--pets.
2. The Humane Society of the United States, *Choosing a Pet Sitter*, http://www.hsus.org/pets/pet_care/choosing_a_pet_sitter/.

Capítulo 7: Um pouco de prevenção

1. U.S. Department of Labor Bureau of Labor Statistics, *Occupational Outlook Handbook, Veterinarians*, http://www.bls.gov/oco/ocos076.htm.

2. http://www.healthypet.com/faq_view.aspx?id=67.
3. The American Humane Association, *Why Spay or Neuter Your Pet?*, http://www.americanhumane.org/site/PageServer?pagename=pa_care_issues_spay_neuter.
4. Paula Terifaj, *How to Feed Your Dog if You Flunked Rocket Science*. Palm Springs: Bulldog Press, 2007, p. 10.
5. Martin Goldstein, *The Nature of Animal Healing*. Nova York: Ballantine Books, 1999, pp. 47-53.
6. Paula Terifaj. *How to Protect Your Dog from a Vaccine Junkie*. Palm Springs: Bulldog Press, 2007, pp. 9-12.
7. Martin Goldstein, *The Nature of Animal Healing*. Nova York: Ballantine Books, 1999, p. 96.
8. University of Wisconsin-Madison News, "Schultz: Dog Vaccines May Not Be Necessary", postado em 14 de março de 2003, http://www.news.wisc.edu/8413.
9. Martin Goldstein, *The Nature of Animal Healing*. Nova York: Ballantine Books, 1999, p. 96.
10. *Ibid.*, pp. 79-80.
11. *Ibid.*, p. 80. Para mais informações sobre os protocolos revisados de vacinação de Jean Dodds, acesse o site http://www.itsfortheanimals.com/DODDS-CHG-VACC-PROTOCOLS.HTM.
12. *Ibid.*, p. 71.
13. *Journal of the American Animal Hospital Association*, vol. 39 (março/abril de 2003).
14. Paula Terifaj, *How to Protect Your Dog from a Vaccine Junkie*. Palm Springs: Bulldog Press, 2007, pp. 16-20.
15. *Ibid.*, pp. 37-38.
16. *Ibid.*, pp. 29.
17. Martin Goldstein, *The Nature of Animal Healing*. Nova York: Ballantine Books, 1999, p. 98.
18. *Ibid.*, pp. 98-99.
19. Paula Terifaj, *How to Protect Your Dog from a Vaccine Junkie*. Palm Springs: Bulldog Press, 2007, p. 32. Para mais informações, acesse o site http://www.theholisticvet.com/RabiesChallenge.html.
20. Martin Goldstein, *The Nature of Animal Healing*. Nova York: Ballantine Books, 1999, p. 14.
21. *Ibid.*, p. 136.

22. *O encantador de cães, com Cesar Millan*, episódio 403, exibido no dia 5 de outubro de 2007.

Capítulo 8: Cães e o ciclo de vida da família

1. http://www.nationmaster.com/graph/peo_div_rat-people-divorce-rate (2004).
2. Elizabeth Weise, "We really love — and spend on — our pets", *USA Today*, http://www.usatoday.com/life/lifestyle/2007-12-10-pet-survey_N.htm (10 de dezembro de 2007).
3. Danna Harmon, "A Fiercer Battle in Today's Divorces: Who'll Get the Pooch?", *Christian Science Monitor*, http://www.csmonitor.com/2004/0126/p11s01-lihc.html (26 de janeiro de 2004).
4. Acesse o site do Animal Legal Defense Fund (www.ALDF.org) para mais sugestões e orientações.
5. The Delta Society, *The Positive Influence of Dogs on Children in Divorce Crises from the Mother's Perspective*, http://www.deltasociety.org/AnimalsHealthFamiliesInfluence.htm.
6. June McNicholas e Glyn M. Collis. Department of Psychology, University of Warwick. Pesquisa verificada pela PFMA e SCAS. Apresentação na 10th International Conference on Human-Animal Interactions, People and Animals: A Timeless Relationship. Glasgow, Escócia, 6-9 de outubro de 2004.
7. Quadro desenvolvido por Fred L. Metzger, médico-veterinário, State College, PA.
8. The Senior Dogs Project, *The Ten Most Important Tips for Keeping Your Older Dog Healthy*, http://www.srdogs.com/Pages/care.tips.html.
9. Historic-UK.com, *Man's Best Friend — Greyfriars Bobby*, http://www.historic-uk.com/HistoryUK/Scotland-History/Greyfriars-Bob.htm. William Brody esculpiu a estátua, que foi inaugurada sem cerimônia em novembro de 1873, no Greyfriar's Kirkyard. E é assim que a capital da Escócia sempre vai se lembrar de seu cão mais famoso e leal.
10. Matt Van Hoven, "Dogs Stay with Owner for 3 Weeks After Death", http://www.zootoo.com/petnews/dogsstaywithownerfor3weeksafte (6 de novembro de 2007).

Capítulo 10: Líderes de matilha — A próxima geração

1. Shannon Emmanuel, "How Dogs Can Benefit Children", http://www.articlecity.com/articles/pets_and_animals/article_61.shtml (15 de setembro de 2005).
2. http://www.therapyanimals.org/read/.
3. http://www.pawsitiveinteraction.com/pdf/Release_Summit_2004.pdf.
4. Sandra B. Barker e Kathryn S. Dawson, "The Effects of Animal-Assisted Therapy on Anxiety Rating of Hospitalized Psychiatric Patients", *Psychiatric Services,* http://psychservices.psychiatryonline.org/cgi/content/full/49/6/79/ (junho de 1998).

Capítulo 11: Seguindo em frente e superando

1. Bruce Fogle. *Natural Dog Care.* Londres: Dorling Kindersley Ltd., 1999, p. 20.
2. *Ibid.*, p. 21.
3. *Ibid.*, p. 21.
4. PBS, *Nature,* "What is the Depth of Elephant Emotions?", http://www.pbs.org/wnet/nature/unforgettable/emotions.html.

ÍNDICE

Produção
Adriana Torres
Thalita Ramalho

Produção editorial
Pedro Staite

Revisão de tradução
Gustavo Penha

Revisão
Eduardo Carneiro
Mônica Surrage

Indexação
Rayana Faria

Diagramação
Abreu's System

Este livro foi impresso no Rio de Janeiro, em 2013,
pela Edigráfica, para a Agir.
A fonte usada no miolo é Iowan Old Style, corpo 10,5/14,4.
O papel do miolo é Chambril avena 80g/m²
e o da capa é cartão 250g/m².